Bahrmann/Links
Chronik der Wende

D1535142

Dieses Buch entstand in Zusammenarbeit mit dem Ostdeutschen Rundfunk Brandenburg

Hannes Bahrmann
Christoph Links

Chronik der Wende

Die Ereignisse in der DDR zwischen
7. Oktober 1989 und 18. März 1990

Ch. Links Verlag, Berlin

Die Deutsche Bibliothek – CIP-Einheitsaufnahme

Bahrmann, Hannes:
Chronik der Wende: die Ereignisse in der DDR zwischen
7. Oktober 1989 und 18. März 1990 / Hannes Bahrmann;
Christoph Links. – Berlin: Links, 1999
ISBN: 3-86153-187-9
NE: Links, Christoph

Überarbeitete Neuauflage der Bücher »Chronik der Wende« (1994)
und »Chronik der Wende 2« (1995)

© Christoph Links Verlag – LinksDruck GmbH, 1999
Zehdenicker Straße 1, 10119 Berlin, Tel.: (030) 44 02 32-0
Internet: www.linksverlag.de
Umschlagentwurf: KahaneDesign, Berlin
Umschlagfoto: dpa/AFP, Montagsdemonstration in Leipzig
Satz: Susanne Heerdegen, Ch. Links Verlag
Schrift: 10/12 Times New Roman
Druck- und Bindearbeiten: Pustet, Regensburg
ISBN 3-86153-187-9

Revolution als Wende
Vorwort der Autoren

Die dramatischen Veränderungen in der DDR im Herbst 1989 sind rückblickend mit den verschiedensten Etiketten versehen worden: Da ist von Aufbruch die Rede, von radikaler Reform, ja selbst von Revolution. Doch unter allen wissenschaftlichen Definitionen und literarischen Umschreibungen hat sich kein Begriff so stark durchgesetzt wie der der »Wende«. Dabei ist er keineswegs der präziseste und war ursprünglich auch anders gemeint.

Egon Krenz gebrauchte ihn das erste Mal am 18. Oktober, als er sich nach seiner Wahl zum neuen SED-Generalsekretär verunsichert über das DDR-Fernsehen an die Bevölkerung wandte. Die Absetzung von Erich Honecker sollte nach seinen Vorstellungen eine Wende in der Parteiarbeit einleiten, um die »politische und ideologische Offensive wiederzuerlangen«. Doch das Volk interpretierte die Wende in seinem Sinne und ging selbst in die Offensive.

Die Kommunalwahlen am 7. Mai 1989 hatten das Faß zum Überlaufen gebracht. In einer Zeit, da die erstarrten gesellschaftlichen Verhältnisse im osteuropäischen Block endlich in Bewegung gerieten, da in der Sowjetunion von Gorbatschow Reformen eingeleitet wur-den und in Polen Oppositionskandidaten auf den Wahllisten standen, waren die DDR-Bürger wieder angehalten, ein »einmütiges Bekenntnis für die Kandidaten der Nationalen Front« abzulegen – also die von der SED dominierte Einheitsliste unwidersprochen abzusegnen. Doch erstmals organisierten Bürgerrechtsgruppen und Kirchenkreise eine Kontrolle der Stimmauszählung, wobei einige Prozent mehr durchgestrichene Namen – also Nein-Stimmen – registriert wurden als bei der regierungsamtlichen Verkündung durch Wahlleiter Egon Krenz.

Der von der SED-Führung demonstrierte Reformunwillen, noch verstärkt durch die offizielle DDR-Unterstützung für die gewaltsame Niederschlagung der Demokratiebewegung in China Anfang Juni, führte zu einem Massenexodus von DDR-Bürgern in Richtung Bundesrepublik, die ohnehin für viele als verlockende Alternative galt. Über die ungarisch-österreichische Grenze bzw. die bundesdeutschen Botschaften in Prag, Warschau und Budapest gelangten bis zum Herbst Zehntausende in den Westen. Trotz dieser »Abstimmung mit den Füßen« wollte sich die greise SED-Führung in völliger Verkennung der realen Verhältnisse noch einmal selbst feiern lassen, wozu der 40. Jahrestag der DDR am 7. Oktober 1989 auserkoren wurde.

Doch das Jubelfest schlug ins Gegenteil um, es wurde zum Anfang vom Ende. In Leipzig, Dresden und Berlin kam es zu Protestaktionen in bislang ungekannter Stärke, die sich in den Folgetagen noch ausweiteten. Der herrschenden Partei wurde dabei das Recht abgesprochen, weiterhin im Namen des Volkes zu agieren. Zehntausende skandierten Ende Oktober auf den Straßen »Wir sind das Volk« und verlangten eine radikale Umgestaltung der Gesellschaft. Demokratische Freiheiten sollten endlich auch im Osten Deutschlands Wirklichkeit werden, und zwar dauerhaft. Man ließ sich nicht mehr abspeisen mit Versprechungen und einzelnen Zugeständnissen. Nach der Demonstrationsfreiheit, die trotzig auf den Straßen erstritten worden war, und der Reisefreiheit, die durch die überraschende Öffnung der Mauer am 9. November plötzlich als Selbstverständlichkeit galt, folgten Rede- und Versammlungsfreiheit sowie die schrittweise Entmachtung der Staatspartei und ihrer »Sicherheitsorgane«.

Zu Versuchen einer unmittelbaren Machtübernahme durch Oppositionsgruppen ist es zu keiner Zeit gekommen. Die Mehrheit war sich sicher, daß an ihr vorbei nicht weiter regiert werden könne und sie nur konsequent genug auf baldige freie Wahlen hinsteuern müsse. Die anhaltenden Kundgebungen vor allem in den südlichen Zentren der DDR stellten dies eindrucksvoll unter Beweis. Insofern war der zweite Teil der Umgestaltungen vor allem von Auseinandersetzungen um die Modalitäten dieser ersten freien Wahlen in der Geschichte der DDR geprägt, in die sich dann auch bundesdeutsche Parteien tonangebend einmischten. Der 18. März 1990 mit der klaren Entscheidung für das konservative Parteienbündnis »Allianz für Deutschland« und sein Programm des schnellen Beitritts der DDR zur Bundesrepublik markiert schließlich den Endpunkt der eigentlichen Wende. Es war ein wirklicher Machtwechsel geworden, vollzogen auf friedlichem Wege, der dann zur staatlichen Einheit am 3. Oktober 1990 führte.

In der »Chronik der Wende« werden die entscheidenden Ereignisse zwischen Oktober 1989 und März 1990 Tag für Tag in ihrer inneren Dynamik nachgezeichnet. Dabei geht es um eine möglichst authentische Rekonstruktion der damaligen Vorgänge und nicht um eine wertende Interpretation aus heutiger Sicht. Da die »Chronik« als Mitschrift und Faktensammlung während des Geschehens entstanden ist, trägt sie die Perspektive der unmittelbar Handelnden klar in sich. Seit der Erstveröffentlichung im Januar 1990 unter dem Titel »Wir sind das Volk« hat sie jedoch mehrere Überarbeitungen erfahren, in die dann auch neuere Erkenntnisse über die Hintergründe einzelner Aktionen und die Motive staatlicher Akteure eingeflossen sind.

Die vorliegende Ausgabe stützt sich auf die Publikationen »Chronik der Wende« von 1994 sowie »Chronik der Wende 2« von 1995, die beide nochmals durchgesehen und nach den neuesten Forschungsergebnissen überarbeitet wurden. Sie umfaßt jetzt jene 163 Tage, die vom Ostdeutschen Rundfunk Brandenburg auch in einer mehr als 40-stündigen Filmdokumentation aufgearbeitet wurden, die zum zehnten Jahrestag der Wende in zahlreichen Programmen ausgestrahlt wird und auch als Video erhältlich ist. Parallel dazu erscheint eine »Bilderchronik der Wende«, die ergänzend zu den hier dokumentierten Fakten vor allem das subjektive Erleben der Beteiligten in den Vordergrund stellt. Zeitzeugen schildern darin ihre Empfindungen im Moment des Geschehens und berichten von spektakulären Aktionen in ihrem unmittelbaren Umfeld.

Einen ähnlich erfolgreichen Aufstand des Volkes gegen eine nicht legitimierte Herrschaft hat es in Deutschland zuvor noch nicht gegeben. Diesen besonderen Vorgang in all seinen Facetten zu dokumentieren ist unser Anliegen.

Hannes Bahrmann/Christoph Links

Berlin, im Mai 1999

Vereinigung der Erinnerung
Vorwort von Hansjürgen Rosenbauer

Es war eine dieser Ideen, die in den ersten Jahren nach Wende und Einheit spontan entstehen konnten, als die Erinnerung noch frisch und das Staunen noch groß war. Eine Idee in einer Situation des Aufbruchs, der Neuerungen und des Wandels. Christoph Links und Hannes Bahrmann hatten mir ihr gerade veröffentlichtes Buch »Wir sind das Volk!« in die Hand gedrückt, das nüchtern, präzise und spannend zugleich die dramatischen Ereignisse im Herbst '89 dokumentierte. Es wurde meine Urlaubslektüre in den ersten freien Tagen als Intendant des gerade erst auf Sendung gegangenen Ostdeutschen Rundfunks Brandenburg.

Nur wenig später saßen wir zusammen in unserer grauen Fertigbaubaracke auf dem Babelsberger DEFA-Gelände. Warum keine »Chronik der Wende« für das Fernsehen, eine umfassende Dokumentation über jene Wochen, in der die Ostdeutschen die Diktatur überwanden und ein Staat fast über Nacht in sich zusammenfiel?

Der mutige Protest der Bürger, der Ruf nach demokratischen Rechten, die Konfrontation mit der Staatsmacht, der Sturz der alten SED-Führung, das Gefühl des Neuanfangs, die Öffnung der Mauer, die Trabi-Schlangen, die Diskussionen am »Runden Tisch« und die Bildung politischer Gruppen und Parteien, die Auflösung der alten Strukturen, der offene Meinungsstreit über den richtigen Weg: Eine filmische Erinnerung an eine historische Umbruchsituation, die fast alle Ostdeutschen als tiefen Einschnitt in ihrer Biografie empfinden. Ein großangelegtes Fernsehprojekt einer kleinen, neuen ARD-Anstalt, des Ostdeutschen Rundfunks Brandenburg (ORB), finanziert aus der Programmreserve der Intendanz .

Ein Team von jungen Fernsehmachern, angeleitet vom erfahrenen Regisseur Wolfgang Drescher, hat den Plan einer aufwendigen TV-Chronik über die Wende unter großem Zeitdruck und mit bewundernswertem Einsatz umgesetzt. Es entstanden 73 Kurzdokumentationen, die umfassend recherchiert die atemberaubenden Ereignisse Tag für Tag schilderten. Das Konzept war einfach, aber überzeugend: TV-Bilder, Fernsehberichte und Archiv-Dokumente aus Ost und West, ergänzt durch persönliche Erinnerungen an ganz bestimmte Ereignisse und Tage. Im Herbst 1994, fünf Jahre nach den umwälzenden Veränderungen, lief die »Chronik der Wende« in der ARD, im ORB, im Deutsche Welle Auslandsfernsehen und in mehreren Dritten Programmen. Später präsentierten der deutsch-französische Kultursender ARTE und das britische Auslands-TV BBC-World die Höhepunkte der Reihe, auch in Süd-Korea wurde die »Chronik der Wende« gezeigt. Der Lohn für die Mühen: 1995 gab es für die »Chronik der Wende« die wichtigste deutsche Fernsehauszeichnug, den Adolf-Grimme-Preis in Gold. Die Jury nannte das ORB-Projekt ein »journalistisches Meisterwerk«.

Schon damals hatten wir das Gefühl: Mit der ersten Staffel, die das Geschehen vom 7. Oktober '89, dem 40. Jahrestag der DDR, bis zum 18. Dezember '89, dem Tag der letzten Montagsdemonstration des Wendejahres, beschreibt, ist die Geschichte nicht zu Ende erzählt. Die Veränderungen und Umwälzungen waren weitergegangen, und bis zum 18. März 1990, dem Tag der ersten freien Volkskammerwahlen, hatte sich noch nicht entgültig entschieden, ob das Neue über das Alte würde siegen können. So entschlossen wir uns, die »Chronik der Wende« fortzusetzen.

In der Zwischenzeit hat das Team um Wolfgang Drescher weitere 90 Folgen realisiert. Die gesamte »Chronik der Wende« dokumentiert nun 163 Tage, die – wie es so schön heißt – die Welt veränderten. Christoph Links und Hannes Bahrmann haben ihre »Chronik der Wende« in Buchform erweitert, angereichert und auf den neuesten Stand gebracht. Was die Fernsehreihe nur anreißen kann oder was unerwähnt blieb, weil die Bilder fehlten – im Buch kann es nachgelesen und vertieft werden.

Wolfgang Thierse, im Herbst '89 Mitbegründer der DDR-SPD und heute Präsident des deutschen Bundestages, forderte auf einem Historiker-Forum in Berlin eine »Vereinigung der Erinnerung«. Die Deutschen in Ost und West sollten sich ihrer gemeinsamen Geschichte stärker bewußt werden, um die geteilte Vergangenheit zu überwinden. Die »Chronik der Wende« kann zu einer solchen »Vereinigung der Erinnerung« ein geeigneter Beitrag sein. Ich wünsche deshalb der Fernsehreihe und diesem Buch ein aufmerksames und interessiertes Publikum. »Erinnerung ist die Währung, mit der sich eine Gesellschaft organisiert«, meint der Historiker Dan Diner. Ich denke, diese Währung ist kostbar, weil nur sie uns helfen kann, Fehler der Vergangenheit zu vermeiden.

Hansjürgen Rosenbauer
Intendant des Ostdeutschen Rundfunks Brandenburg

Militärparade zum 40. Jahrestag der DDR in der Berliner Karl-Marx-Allee. Auf der Ehrenbühne hat sich das SED-Politbüro versammelt, begleitet von den Chefs der sozialistischen »Bruderparteien«. Unter ihnen auch Michail Gorbatschow.

Oktober 1989

Sonnabend, 7. Oktober

Die DDR wird an diesem Tag 40 Jahre alt. Das SED-Zentralorgan »Neues Deutschland« erscheint als einzige Zeitung mit einer Sonderausgabe. Über der ganzen Titelseite prangt in großen Lettern: »Die Entwicklung der Deutschen Demokratischen Republik wird auch in Zukunft das Werk des ganzen Volkes sein«. Dies sollte sich bewahrheiten. Doch anders als gedacht.

Der Tag beginnt in Ostberlin mit Aufräumarbeiten. Straßenkehrmaschinen beseitigen die Überreste des Fackelzuges der Freien Deutschen Jugend, bei dem am Abend zuvor 100 000 Jugendliche an Staats- und Parteichef Erich Honecker und den Ehrengästen vorbeigezogen waren, um »ihre Liebe und Treue zur Partei der Arbeiterklasse zu bekunden«.

Um 10.00 Uhr beginnt auf der Karl-Marx-Allee eine Militärparade. Am Nachmittag dann Volksfeste in allen Stadtbezirken. Doch Begeisterung will nicht recht aufkommen. Auf dem Land lastet ein bisher nicht gekannter Druck. Seit dem 10. September verlassen täglich Tausende vor allem junge Menschen die Deutsche Demokratische Republik. Sie nehmen den Weg über Ungarn und die Botschaften der Bundesrepublik Deutschland in Prag und Warschau. Unzufriedenheit über mangelnde Reisemöglichkeiten, eingeschränkte Rechte bei der Meinungsäußerung und politischen Betätigung, die Manipulation bei den Kommunalwahlen am 7. Mai, die offizielle Begrüßung der Gewalttaten in China, die Verlogenheit der Medien, die im Vergleich zu Westdeutschland schlechtere Versorgungslage sowie Verfall zahlreicher Städte und Betriebe haben Verdruß erzeugt – und Entschlossenheit.

Gegen 17.00 Uhr finden sich, wie an jedem 7. der letzten Monate, einige hundert Jugendliche auf dem Ostberliner Alexanderplatz ein, um »auf die Wahlen zu pfeifen«. Zunächst wird diskutiert, dann werden die ersten Sprechchöre laut. Im Gegensatz zu früheren Kundgebungen, bei denen zu hören war »Wir wollen raus!«, heißt es diesmal »Wir bleiben hier!«. Schnell ist die Gruppe von Neugierigen umringt, westliche Kamerateams, von Sicherheitskräften stark behindert, kommen zu ihren Bildern.

Gegen 17.20 Uhr macht sich die Gruppe auf den Weg in Richtung Palast der Republik, wo zu dieser Zeit die Partei- und Staatsführung mit ihren Gästen, darunter Michail Gorbatschow aus Moskau, Wojciech Jaruzelski aus Warschau und Nicolae Ceauşescu aus Bukarest, Geburtstag feiert. Polizeiketten vor der Spreebrücke verhindern ein weiteres Vorrücken. Die inzwischen auf 2000 bis 3000 Personen angewachsene Menge skandiert immer wieder »Gorbi, Gorbi«, »Freiheit, Freiheit« und »Gorbi, hilf uns«. Michail Gorbatschow hatte tags zuvor, auf den Reformunwillen der DDR-Führung angesprochen, diplomatisch, aber unmißverständlich erklärt: »Wer zu spät kommt, den bestraft das Leben.«

Um 18.00 Uhr setzt sich ein geordneter Demonstrationszug mit mehreren tausend Menschen in Richtung des nördlichen Stadtbezirks Prenzlauer Berg in Bewegung. Hier findet seit dem 2. Oktober in der Gethsemanekirche eine Mahnwache für politische Gefangene statt. Auf Höhe der staatlichen Nachrichtenagentur ADN rufen die Demonstranten »Lügner, Lügner« und »Pressefreiheit – Meinungsfreiheit«. Daraufhin fahren die ersten Mannschaftswagen heran, die Polizei setzt Gummiknüppel ein und versucht, die Demonstration gewaltsam aufzulösen. Doch trotz zahlreicher Verhaftungen schwillt der Zug weiter an. »Kommt heraus und schließt euch an!« lautet der Ruf zu den Menschen an den Fenstern. »Keine Gewalt!« ruft die Menge der Polizei entgegen und strebt weiter vorwärts. Ein Fernsehreporter postiert sich vor dem heranrückenden Zug und kommentiert: »Dies ist die erste größere Protestdemonstration in Ostberlin seit dem Arbeiteraufstand am 17. Juni 1953.«

Neben Polizisten werden jetzt auch zivile Sicherheitskräfte gegen die Demonstranten eingesetzt, die untergehakt Keile in den Marschzug treiben, um den Block zu zersplittern sowie Abgedrängte auf Mannschaftswagen zu verladen und »zuzuführen«, wie es später im offiziellen Bericht heißt. Anderthalbtausend Menschen erreichen schließlich die Gethsemanekirche. Vor dem Portal brennen Hunderte Kerzen für die zu unrecht Inhaftierten in Leipzig, Potsdam und Ostberlin. Drinnen hat eine Fastenaktion für sie begonnen. An den Wänden hängen Berichte über die gewaltsamen Auseinandersetzungen an den Vortagen in Dresden. Vor der Tür wieder Sprechchöre: »Neues Forum, Neues Forum«.

Unter diesem Namen hatte sich vier Wochen zuvor eine Bürgerinitiative gebildet, die dem bis dahin unartikulierten und unorganisierten Protest Stimme und Gestalt verleiht. Tausende Unterschriften stehen inzwischen unter dem »Aufruf 89« zur Initiierung »eines demokratischen Dialogs über die Aufgaben des Rechtsstaates, der Wirt-

In Leipzig umstellen Polizeieinheiten in Kampfausrüstung die Nikolai-Kirche, um Protestaktionen im Keime zu ersticken.

schaft und der Kultur«. Wörtlich hieß es in der Erklärung vom 12. September: »Es kommt in der jetzigen gesellschaftlichen Entwicklung darauf an, daß eine größere Anzahl von Menschen am gesellschaftlichen Reformprozeß mitwirkt, daß die vielfältigen Einzel- und Gruppenaktivitäten zu einem Gesamthandeln finden. Wir bilden deshalb gemeinsam eine politische Plattform für die ganze DDR, die es Menschen aus allen Berufen, Lebenskreisen, Parteien und Gruppen möglich macht, sich an der Diskussion und Bearbeitung lebenswichtiger Gesellschaftsprobleme in diesem Land zu beteiligen.« Die Straße ist ein erster Ort dafür.

Während die Demonstranten weiter ihre Forderungen nach Demokratisierung der Gesellschaft rufen, rüsten Spezialeinheiten der Polizei und der Staatssicherheit zur gewaltsamen Zerschlagung dieser, wie es im offiziellen Sprachgebrauch heißt, »konterrevolutionären Ansammlung«. Gegen 20.30 Uhr wird die Gegend um den U-Bahnhof Schönhauser Allee hermetisch abgeriegelt. Lastwagen mit riesigen Sperrgittern und Wasserwerfer fahren auf, Fahrzeuge, die bis dahin in der DDR unbekannt waren.

Wenig später kommt der Befehl zum Losschlagen. Klaus Laabs gibt später zu Protokoll: »Als ich gegen Mitternacht zum Bahnhof Schönhauser Allee kam, traf ich auf eine größere Menschengruppe, die diskutierend zwischen Polizeikordons stand. Die gesamte Straße war abgeriegelt. Auf Befehl rückte die Sperrkette vor, um uns abzudrängen, obwohl wir bisher allen Aufforderungen, wie etwa zur Räumung der Fahrbahn, nachgekommen waren. Plötzlich und völlig unmotiviert sprangen dahinter Spezialeinheiten mit Gummiknüppeln hervor, die wahllos auf alle einschlugen. Mir galt offensichtlich ein besonderer Einsatz, da ich bis zu diesem Zeitpunkt versucht hatte, mit einem befehlshabenden Offizier zu diskutieren. Wenigstens drei Polizisten stürzten gleichzeitig auf mich los. Sie schlugen auch noch auf mich ein, als ich bereits am Boden lag. Mehrere Schläge waren auf meinen Kopf gerichtet, die anderen trafen meine Rippen und meine rechte Hand, mit der ich versuchte, mich an einem Fußgängergeländer festzuhalten. Auf einen Freund, der schrie, sie mögen damit endlich aufhören, gingen sie ebenfalls mit gezücktem Gummiknüppel los. Als ich der ›Zuführung‹ zu entkommen suchte und von einem Bereitschaftswagen sprang, wurde ich von einem anderen Polizei-Lkw angefahren, der nach kurzem Stopp weiterbrauste. Insgesamt habe ich drei Wochen mit einem schweren Schädelhirntrauma, zwei Platzwunden am Hinterkopf und perforiertem Trommelfell in den Krankenhäusern zugebracht.«

14

Auch in Leipzig, Dresden, Plauen, Jena, Magdeburg, Ilmenau, Arnstadt, Karl-Marx-Stadt und Potsdam werden an diesem Feiertag politische Demonstrationen gewaltsam aufgelöst. Nach der abendlichen Rückreise von Michail Gorbatschow gibt Stasi-Chef Erich Mielke die Losung aus: »Jetzt ist Schluß mit der Humanität.« Mit bisher nichtgekannter Brutalität wird nun gegen Demonstranten losgeschlagen. Was sich dabei ereignet, verändert das Leben in der DDR grundlegend.

Am gleichen Abend findet in dem kleinen Ort Schwante nördlich von Berlin die Gründung einer »Sozialdemokratischen Partei« (SDP) für die DDR statt. In den Statuten heißt es: »Die SDP bemüht sich um die Entmonopolisierung, Demokratisierung und Teilung der Macht in Staat und Gesellschaft mit dem Ziel des Aufbaus einer ökologisch orientierten sozialen Demokratie.« Ein Grundsatzpapier enthält Forderungen nach strikter Gewaltenteilung, Trennung von Staat und Partei, ökologisch orientierter sozialer Marktwirtschaft mit demokratischer Kontrolle ökonomischer Macht, nach dem Recht auf freie Gewerkschaften nebst Streikrecht, Reisefreiheit und Auswanderungsrecht sowie Anerkennung der Zweistaatlichkeit Deutschlands bei gleichzeitiger Option für mögliche Veränderungen im Rahmen einer europäischen Friedensordnung. Die anwesenden Personen wählen einen Vorstand und bereiten alles für die schnelle Aufnahme weiterer Mitglieder vor. Staatliche Stellen werden nicht um Genehmigung gefragt, ihnen wird die Parteigründung mitgeteilt.

Sonntag, 8. Oktober

Die Grenzen nach Westberlin bleiben auch an diesem Tag weitgehend geschlossen. Tausende Touristen werden ohne Begründung abgewiesen. Zwei Tage vor dem Staatsjubiläum hatte die Regierung diese Maßnahme von dem Standpunkt aus verfügt, daß Störungen vorrangig von außen hereingetragen würden, während das Volk, von einigen wenigen Provokateuren abgesehen, geschlossen hinter Partei und Regierung stünde.

In diesem Sinne berichtet die Nachrichtenagentur ADN: »In den Abendstunden des 7. Oktober versuchten in Ostberlin Randalierer die Volksfeste zum 40. Jahrestag der DDR zu stören. Im Zusammenspiel mit westlichen Medien rotteten sie sich am Alexanderplatz und Umgebung zusammen und riefen republikfeindliche Parolen. Der Besonnenheit der Schutz- und Sicherheitsorgane sowie der Teilnehmer an den Volksfesten ist es zu verdanken, daß beabsichtigte Provokationen nicht zur Entfaltung kamen. Die Rädelsführer wurden festgenommen.«

In Gottesdiensten wird an diesem Sonntag zu Besonnenheit und Gewaltlosigkeit gemahnt. Das Neue Forum verteilt maschinengeschriebene Handzettel mit dem Aufruf:»Gewalt ist kein Mittel der politischen Auseinandersetzung. Laßt Euch nicht provozieren! Wir haben nichts zu tun mit rechtsradikalen und antikommunistischen Tendenzen. Wir wollen den besonnenen Dialog, ernstes Nachdenken über unsere Zukunft, keine blinden Aktionen. Angesichts der gegenwärtigen kritischen Situation rufen wir alle Menschen in der DDR zu verantwortungsvollem, solidarischem Handeln auf.« In der Ostberliner Gethsemanekirche informieren Oppositionelle auf einer improvisierten Pressekonferenz über die Ereignisse der Nacht und stellen der offiziellen Propaganda ihre Erlebnisberichte gegenüber.

Ein Qualifikationsspiel für die Fußball-Weltmeisterschaft zwischen den Mannschaften der DDR und der Sowjetunion wird aus dem brodelnden Leipzig ins ruhigere Karl-Marx-Stadt verlegt. Jede Menschenansammlung in der Messestadt kann in diesen Tagen in größere Protestaktionen umschlagen. Das Ergebnis von 2:1 für die DDR-Kicker interessiert kaum jemanden.

In Dresden wird erneut demonstriert. Auf dem Theaterplatz versammeln sich rund 5000 Menschen zu einer Kundgebung, zu der das Neue Forum aufgerufen hat. Ihr Protest richtet sich gegen das brutale Vorgehen der Sicherheitskräfte an den Vortagen. Noch während Oberbürgermeister Wolfgang Berghofer ein spontan gebildetes Bürgerkomitee, die»Gruppe der 20«, empfängt, geht die Polizei auf zentrale Weisung aus Ostberlin wieder hart vor. Michael Dulig ist einer der Demonstranten und berichtet seine Erlebnisse der lokalen CDU-Zeitung»Die Union«:»Die stehengebliebenen Demonstranten blieben ruhig und riefen sich gegenseitig zur Besonnenheit auf. Nach ca. 10 Minuten wurden Lkws rückwärts angefahren. Langsam und ohne Widerstand zu leisten bestiegen wir die Lkws. Auch ein Rollstuhlfahrer wurde aufgeladen. (...) In einem Kasernengelände – wie sich herausstellte eine Kaserne der Bereitschaftspolizei auf dem Heller – wurden die Lkws nacheinander entladen. ›Die Frauen nach links! Die Männer nach rechts!‹ lauteten die Anweisungen. Sofort wurden wir an Garagentore verteilt und mußten uns mit dem Gesicht zur Wand, mit gespreizten Beinen und Händen schräg an die Wand lehnen. Fliegerstellung nannte man dies. In dieser Haltung mußten wir uns einer Lei-

besvisitation unterziehen und bekamen Ausweise und Gürtel weggenommen. (...) Ein Offizier in Kampfanzug, wahrscheinlich der Ein-
satzleiter, teilte uns mit, daß wir uns in einem militärisch gesicherten
Objekt befänden. Bei Fluchtversuch würde von der Waffe Gebrauch
gemacht ... Die bewachenden Bereitschaftspolizisten wurden des
Schreiens müde, und die Ordnung lockerte sich. Dann stürmten gegen
22.30 Uhr Offiziersschüler des Strafvollzugs in Kampfanzügen laut-
hals in die Garage. Mit Knüppeln schlugen sie in Rücken und Genick,
packten die zuhinterst Stehenden und stellten sie brutal in die geforderte Stellung. Dabei schlugen sie mit den Knüppeln oder mit den Stie-
feln zwischen die Beine, bis die geforderte Spreizung der Beine
erreicht war. Wer nicht gleich reagierte oder sich beschwerte, wurde
angebrüllt, brutal aus der Garage geschleift und draußen gegen die
Tore geschleudert ...

Ich wurde gegen 0.30 Uhr in einen Gefängnis-Lkw verladen. Dicht
gedrängt saßen wir in den Zellen des Lkws. Die Fahrt dauerte lange.
Fehlende Straßenlaternen und schlechter Zustand der Straßen ließen
uns vermuten, daß man uns nach Bautzen brachte. Wir hatten Angst,
rechneten mit einem Schnellverfahren, Standgericht. Sollten in der
Nacht Sondergesetze in Kraft getreten sein? Unter lautem Gebrüll wurden wir aus dem Lkw gejagt. ›Hände in den Nacken!‹, ›Im Lauf-
schritt!‹ Wächter bildeten eine Gasse. Überall hagelte es Schläge. Es
ging zu wie beim Viehtreiben. Ich bekam im Laufen Fußtritte, Knüp-
pelschläge auf das Gesäß und einen gezielten Knüppelschlag auf
den Hinterkopf. (Ärztliche Diagnose: Kopfprellung.) Endlich gegen
17.00 Uhr holte man kleine Gruppen heraus, was auf eine Entlassung
(aber eventuell auch Inhaftierung) schließen ließ. Ich selbst gehörte zur
mittleren Gruppe. In einem Kellerraum teilte uns ein Polizeibeamter
mit, daß entschieden worden sei, keine Strafverfolgung einzuleiten,
aber ein Ordnungsstrafverfahren eingeleitet wurde. Nach einer Unter-
schrift unter eine nochmalige Stellungnahme und wieder im Gang mit
dem Gesicht zur Wand bekamen wir unsere Sachen wieder. ›Es konnte
Ihnen keine Straftat nachgewiesen werden. Sie sind frei.‹ Wie wir nach
Dresden kommen, sei unsere Sache. Geld hätten wir ja. Auf meine
Beschwerde hin, daß ich mir die Fahrt nach Bautzen nicht ausgesucht
hätte, bekam ich zur Antwort, daß ich mich nicht an illegalen Demonstrationen zu beteiligen brauche.«

Neben diesem Bericht, der drei Wochen später als einziger veröffentlicht wurde, steht auch der Brief eines Bereitschaftspolizisten an
seinen Seelsorger, der aus einer anderen Perspektive die Auseinander-

setzungen schildert. Dabei geht es um einen Einsatz im Vorfeld des 40. Jahrestages, der sich offensichtlich auch auf manche Reaktionen der Polizei ausgewirkt hat. Am 4. und 5. Oktober wurden auf Entscheidung der DDR-Regierung 11 000 Ausreisewillige aus der Prager BRD-Botschaft auf dem Umweg über die DDR mit Sonderzügen in die Bundesrepublik transportiert. Tausende Dresdner versuchten, den Bahnhof zu stürmen und auf die Züge nach Bayern aufzuspringen.

»Für uns gibt es nur zwei Möglichkeiten, entweder die Befehle auszuführen oder für lange, für sehr lange Zeit nach Schwedt ins Militärgefängnis zu gehen. Am Mittwoch und Donnerstag war die Situation noch eine ganz andere. Da standen uns Leute gegenüber, die die Polizei mit Steinen, Brandflaschen und Säureflaschen bewarfen. Unsere Einheit war am Mittwoch mit dabei, als der Hauptbahnhof belagert wurde, und am Donnerstag auf der Prager Straße. Uns holte man erst relativ spät und stellte uns dorthin, wo es am gefährlichsten war. Wir hatten nur Angst. Auf unsere Schilde prasselten Steine, vor uns schlugen Brand- und Säureflaschen auf den Asphalt. Zwei Mann von uns kippten um. Steine hatten ihre Visiere durchschlagen. Danach wurden wir aus der ersten Reihe herausgenommen und mußten unsere Schilde ablegen. Dann wurden wir zu Fünfergruppen aufgeteilt und wurden in die Massen reingejagt, um die Steinewerfer herauszuholen. Unsere Offiziere, die Schutzpolizei und die Stasi blieben in sicherem Abstand hinter der Sperrkette. In diesen Minuten hatte ich das erste und bis jetzt das einzige Mal in meinem Leben das Gefühl von Todesangst. Vor uns die wütende Menschenmasse und hinter uns Offiziere, Stasi und der Militärstaatsanwalt ...«

Die Geistlichen Frank Richter und Bernd Leuschner beginnen in Dresden Verhandlungen mit der Einsatzleitung der Polizei. Sie wollen die gewaltlose Auflösung der Demonstration erreichen. Nach stundenlangem Warten legen die Polizisten schließlich ihre Schilde ab und lassen die eingekesselten Menschen von der Prager Straße nach Hause ziehen.

Anders in Ostberlin: Rings um die Gethsemanekirche ereignen sich am Abend noch einmal schreckliche Prügelszenen. Nach der Fürbittandacht kreisen Polizeieinheiten die herausströmenden Menschen ein und verlangen, daß sich alle 3 000 Personen einzeln durch einen Kordon begeben. Die Eingekesselten bleiben jedoch zusammen und lassen sich mit Kerzen in der Hand zum Sitzstreik nieder. Nun wird gewaltsam geräumt. Die Straßenbeleuchtung wird ausgeschaltet, und der Befehl hallt durch die Nacht: »Knüppel frei!« Die Gummiknüppel gehen auch auf viele Unbeteiligte nieder, so treffen sie u. a. den Direktor der Sektion Theologie der Humboldt-Universität, Prof. Heinrich Fink, der zugleich Vorsitzender der Christlichen Friedenskonferenz der DDR ist. An diesem Sonntag kommen auch erstmals bürgerkriegsähnlich aufgerüstete Spezialeinheiten mit Helm, Schild und Schlagstock zum Einsatz, eskortiert von Hundestaffeln und Wasserwerfern. In das Geschrei der Betroffenen mischt sich das mitternächtliche Sturmgeläut der Kirche. Die Gewalt eskaliert ins Unkontrollierbare.

Montag, 9. Oktober

Die Morgenzeitungen lassen von den Spannungen im Land wenig ahnen. Doch in den sonst eher gleichlautenden Berichten werden vorsichtige Akzentverschiebungen deutlich. Während »Neues Deutschland« Erich Honecker auf drei Seiten mit 18 wechselnden Gesprächspartnern im Foto abbildet, informiert die »Sächsische Zeitung« darüber, daß die Dresdner SED zwei Bürgermeistermandate an die National-Demokratische Partei (NDPD) und die Christlich-Demokratische Union (CDU) abgegeben habe. Dies sei im Sinne des Ausbaus der sozialistischen Demokratie geschehen. Im Organ der Freien Deutschen Jugend (FDJ), »Junge Welt«, beklagt der Präsident des Schriftstellerverbandes Herrmann Kant die Ausreisewelle und übt heftige Kritik am Zustand der Medien. In einem Offenen Brief, der bereits vom 1. Oktober datiert, erinnert Kant daran, daß er kürzlich auf die Frage nach dem Besten der DDR geantwortet habe: »Daß es sie gibt«. Frage man ihn jetzt nach dem Schlechtesten an ihr, müßte er antworten: »Daß es sie so wie derzeit gibt«.

In Leipzig spitzt sich die Lage vor der allwöchentlichen Montagsdemonstration gefährlich zu. Es wird bekannt, daß medizinisches Personal für die Spät- und Nachtschicht zwangsverpflichtet wurde, ganze Krankenhausstationen geräumt sind und zusätzliche Blutkonserven bereitstehen. Für den Abend wird das Schlimmste befürchtet. Die Angst vor einer chinesischen Lösung wie auf dem Platz des himmlischen Friedens in Peking geht um.

Die Furcht ist nicht unbegründet. Die »Leipziger Volkszeitung« hatte zuvor eine Erklärung unter der Überschrift »Werktätige des Bezirkes fordern: Staatsfeindlichkeit nicht länger dulden« veröffentlicht. Darin heißt es: »Die Angehörigen der Kampfgruppenhundertschaft ›Hans Geiffert‹ verurteilen, was gewissenlose Elemente seit einiger Zeit in der Stadt Leipzig veranstalten ... Wir fühlen uns belästigt, wenn wir nach getaner Arbeit mit diesen Dingen konfrontiert werden ... Wir sind bereit und Willens, das von unserer Hände Arbeit Geschaffene wirksam zu schützen, um diese konterrevolutionären Aktionen endgültig und wirksam zu unterbinden. Wenn es sein muß, mit der Waffe in der Hand.«

In dieser Situation entscheiden sich unterschiedliche Kräfte, in Leipzig eigene Wege zu gehen, um den Kreislauf der Gewalt zu durchbrechen. Arbeitskreise für Gerechtigkeit, Menschenrechte und Umweltschutz appellieren an alle Leipziger: »In der letzten Woche ist es mehrfach und in verschiedenen Städten der DDR zu Demonstrationen gekommen, die in Gewalt mündeten: Pflastersteinwürfe, zerschlagene Scheiben, ausgebrannte Autos, Gummiknüppel- und Wasserwerfereinsatz ... Auch der letzte Montag in Leipzig endete mit Gewalt. Wir haben Angst. Angst um uns selbst, Angst um unsere Freunde, um den Menschen neben uns und Angst um den, der uns da in Uniform gegenübersteht. Wir haben Angst um die Zukunft unseres Landes. Gewalt schafft immer wieder nur Gewalt. Gewalt löst keine Probleme. Gewalt ist unmenschlich. Gewalt kann nicht das Zeichen einer neuen, besseren Gesellschaft sein ... Partei und Regierung müssen vor allem für die entstandene ernste Situation verantwortlich gemacht werden. Aber heute ist es an uns, eine weitere Eskalation der Gewalt zu verhindern. Davon hängt unsere Zukunft ab.«

Auch in der Bezirksleitung der SED finden sich drei Sekretäre, die entgegen der bis dahin herrschenden Linie eine Initiative zur Deeskalation von stadtbekannten Persönlichkeiten wie dem Chefdirigen-ten des Gewandhauses Kurt Masur, Pfarrer Peter Zimmermann und dem Kabarettisten Bernd Lutz unterstützen. Über den Stadtfunk wird am Nachmittag ihre gemeinsame Erklärung verbreitet: »Wir sind von der Entwicklung in unserer Stadt betroffen und suchen nach einer Lösung. Wir alle brauchen freien Meinungsaustausch über die Weiterführung des Sozialismus in unserem Land. Deshalb versprechen die genannten Leute allen Bürgern, ihre ganze Kraft und Autorität dafür einzusetzen, daß dieser Dialog nicht nur im Bezirk Leipzig, sondern auch mit unserer Regierung geführt wird. Wir bitten Sie dringend um Besonnenheit, damit der friedliche Dialog möglich wird.«

Am Abend erlebt Leipzig die bislang größte Protestdemonstration der DDR seit dem 17. Juni 1953. 70 000 Menschen ziehen durch die Innenstadt. Die bereitstehenden 3 000 Einsatzkräfte der Volkspolizei kapitulieren angesichts dieser Übermacht. Sie glaubten, es nur mit

Die »chinesische Lösung« bleibt aus: 70000 Demonstranten erkämpfen sich in Leipzig die Vorherrschaft auf der Straße.

einer kleinen Gruppe von Provokateuren zu tun zu bekommen, sehen sich nun aber dem Volk gegenüber, daß sie vorgeblich gegen Randalierer schützen sollten. Als Beweis erschallt immer wieder der Ruf der Menge: »Wir sind das Volk«. Mit ihm wird den Herrschenden das Recht abgesprochen, weiter im Namen des Volkes zu agieren. Er geht zugleich an die Grundfesten der oft beschworenen Einheit von Partei und Volk, die als Legitimation für die Vorherrschaft der SED diente.

Auch in Berlin halten sich Polizei und Staatssicherheit an diesem Abend zurück. Rund um die Gethsemanekirche kommt es zu einem Fest, bei dem der Sieg über die Staatsmacht gefeiert wird und Forderungen nach einer schnellen Demokratisierung erhoben werden.

In Halle gehen die Sicherheitskräfte dagegen brutal gegen 2000 Demonstranten vor. Rund um die Marienkirche entsteht ein Kessel, ähnlich wie in den Tagen zuvor in Dresden und Berlin. Von allen Personen sollen die Personalien aufgenommen werden. Demonstranten außerhalb des Kessels werden mit Hunden gehetzt, geschlagen und getreten. Hunderte werden auf Lkws geladen und in »Zuführungsstützpunkte« gebracht, wo sie stundenlang in offenen Lkw-Garagen in Fliegerstellung stehen müssen – junge und alte Leute ebenso wie Kinder.

Dienstag, 10. Oktober

Hinter den Kulissen verschärft sich der Machtkampf. Das Politbüro der SED, das die Machtzentrale im Land darstellt, tagt an diesem Dienstag in erweiterter Runde. Für einen Kurs der Erneuerung findet sich jedoch noch keine Mehrheit. Die Beratung wird um einen Tag verlängert.

Während die politische Führung zerstritten und weitgehend handlungsunfähig ist, werden die Forderungen der unterschiedlichen Basisgruppen lauter und vielfältiger. In Kirchen und Betrieben werden neben dem Aufruf des Neuen Forum und den Statuten der SDP auch die »Thesen für eine demokratische Umgestaltung in der DDR« verbreitet. Sie stammen von der Bürgerbewegung »Demokratie Jetzt«. Darin heißt es: »Wir wollen, daß die sozialistische Revolution, die in der Verstaatlichung steckengeblieben ist, weitergeführt und dadurch zukunftsfähig gemacht wird. Statt eines vormundschaftlichen, von der Partei beherrschten Staates, der sich ohne gesellschaftlichen Auftrag zum Direktor und Lehrmeister des Volkes erhoben hat, wollen wir einen Staat, der sich auf den Grundkonsens der Gesellschaft gründet, der Gesellschaft gegenüber rechenschaftspflichtig ist und so zur öffentlichen Angelegenheit mündiger Bürgerinnen und Bürger wird.«

Neben politischen Forderungen, wie Reform des Wahlrechts, Gewaltenteilung, Schul- und Medienreform, unabhängige Gewerkschaften mit Streikrecht, Selbstverwaltung der Kultur und Verfassungsgerichtsbarkeit sowie Positionen zu einer neuen Umweltpolitik, enthalten die Thesen auch Vorstellungen über die weitere Vergesellschaftung der Produktionsmittel. Dazu heißt es bei Demokratie Jetzt: »Wir befürworten ein Ende der politbürokratischen Kommandowirtschaft. Der bestehende Staatsplandirigismus sollte durch eine staatliche Rahmenplanung abgelöst werden. Nur solche staatlichen Aufsichts- und Lenkungskompetenzen sollten bestehen bleiben, die für die Bindung jeglicher Wirtschaftstätigkeit an das Gemeinwohl erforderlich sind (Umwelt- und Sozialverträglichkeit). Betriebe und Vereinigungen von Betrieben sollten ökonomisch selbständig werden und ihr Angebot und ihre Preise am Markt orientieren, damit aus dem bestehenden Nachfrage- ein Angebotswettbewerb wird. Wir befürworten eine gewerkschaftliche Mitbestimmung in den Betrieben, die Wählbarkeit von Leitungskräften, eine echte Rechenschaftspflicht der Leitung gegenüber der Belegschaft und eine Gewinnbeteiligung der Belegschaft. (...) Wir befürworten die Zulassung privater Kooperativen sowie die Ermöglichung privater Wirtschafts- und Eigentumsformen, sofern eine angemessene Mitbestimmung der Beschäftigten gewährleistet ist.«

Nicht nur der theoretische Ansatz wird klarer, es verändert sich auch das Handeln: Im Club der jungen Intelligenz im Ostberliner Planetarium, wo sich der SED-Nachwuchs trifft, stellen sich erstmals auch zwei Mitinitiatoren des »Demokratischen Aufbruch« der öffentlichen Diskussion. Die Vertreter der Opposition verlassen damit den bisherigen Schutz der Kirche und suchen die direkte Auseinandersetzung.

Zu Demonstrationen kommt es Ilmenau, Nordhausen und Wernigerode.

Mittwoch, 11. Oktober

Das Politbüro tagt noch immer, doch von den Spannungen drinnen dringt nach üblicher stalinistischer Praxis nichts nach außen. Die Zeitungen vermitteln weiter das Bild einer heilen Welt. Lediglich das Zentralorgan der Liberal-Demokratischen Partei (LDPD), »Der Morgen«, überrascht mit dem Abdruck einer Rede des Präsidenten der Akademie der Künste der DDR, Prof. Manfred Wekwerth (Mitglied des SED-Zentralkomitees), die dieser bereits am 18. September zur Eröffnung der neuen Spielzeit des Berliner Ensembles gehalten hatte. Darin kritisiert er u. a. auch die herrschende Medienpolitik.

Markus Wolf, General a. D. des Ministeriums für Staatssicherheit, früherer Chef der Hauptabteilung Aufklärung und erklärter Gorbatschow-Sympathiesant, bewertet in einem BBC-Interview die Veränderungen in der DDR als zu gering und zu langsam. Das bewirke ein Gefühl der Hoffnungslosigkeit in Teilen der Bevölkerung. Er sei aber optimistisch in bezug auf die Zukunft des Landes. Auf die Frage, ob er diese Zukunft unter der gegenwärtigen Führung sehe, antwortet er: »Kein Kommentar.«

Am Abend wird eine »Erklärung des Politbüros« bekanntgegeben, die die unterschiedlichen Interessen einzelner Gruppierungen innerhalb der Parteiführung widerspiegelt und die deutlichen Kompromißcharakter trägt. Einerseits heißt es dort: »Gemeinsam wollen wir über alle grundlegenden Fragen unserer Gesellschaft beraten.« Und: »Der Sozialismus braucht jeden. Er hat Platz und Perspektive für alle.« Ein »sachlicher Dialog« und ein »vertrauensvolles politisches Miteinander« werden angeregt. Andererseits werden jene Kräfte, die dies in den Tagen zuvor öffentlich einforderten, als verantwortungslose Störer von Ruhe und Ordnung bezeichnet beziehungsweise als Opfer, die zu »konterrevolutionären Attacken mißbraucht« wurden. Schließlich finden sich in der Erklärung auch die alten Dogmen wieder: der Führungsanspruch der SED und die Behauptung, daß bereits alle erforderlichen Formen der Demokratie vorhanden seien.

Wer dies anders sagt, bekommt das Wort verboten. Alle Beiträge des Westberliner Privatsenders »Hundert,6«, in denen das Wort »DDR« vorkommt, werden an diesem Tag durch starkes Rauschen gestört. Da offensichtlich die Argumente fehlen und die eigene politische Defensive überspielt werden soll, wird auf dieses altbewährte Mittel aus den Zeiten des Kalten Krieges zurückgegriffen.

Die Bürger lassen sich das Wort nicht mehr verbieten. Sie demonstrieren erneut in mehreren Städten, darunter in Halberstadt, und versammeln sich zu Friedensandachten und Protestveranstaltungen des Neuen Forum, auf denen eine ungewöhnlich klare, zuweilen auch scharfe Sprache vorherrscht.

Dienstag, 12. Oktober

Das Innenministerium gibt bekannt, daß derzeit nur Rentner und Invaliden Reisen in die benachbarte ČSSR beantragen dürfen. Es ist genau jener Personenkreis, der nach geltenden Bestimmungen auch frei in den Westen fahren darf. Damit soll der Strom weiterer Ausreisewilliger in die BRD-Botschaft von Prag oder über Ungarn nach Österreich gestoppt werden. Seit dem 30. Oktober 1980, als der visafreie Reiseverkehr mit Polen wegen »konterrevolutionärer Ansteckungsgefahr« unterbunden wurde, war die ČSSR das einzige Land, das ohne Erlaubnis und durch bloßes Vorzeigen des Personalausweises erreicht werden konnte. Für alle anderen sozialistischen Staaten werden Ausreisepapiere benötigt, die bei der Polizei Wochen im voraus zu beantragen sind. Für Polen sind seit 1980 sogar darüber hinaus noch Einladungen vorzulegen. Die kleine Reisefreiheit ČSSR nutzten noch 1988 neun Millionen DDR-Bürger. Nun ist auch dieses kleine Ventil verstopft, wird die Abschottung noch verstärkt.

Dafür soll nach Ansicht der SED-Führung im Innern der Dialog beginnen. Der im SED-Politbüro für Wissenschaft und Kultur zuständige ZK-Sekretär Kurt Hager (77), der seit 1955 Chefideologe der Partei ist, brüstet sich gar mit der These, die Kommunisten hätten den Dialog erfunden. Er weilt in Moskau, wo im Puschkin-Museum die DDR-Kulturtage in der Sowjetunion mit einer Ausstellung von Kunstschätzen aus Dresden eröffnet werden. Dort ruft der Funktionär zur »Diskussion über die Lösung der Probleme des Landes« auf und zeigt sich überzeugt, daß »der Sozialismus in der DDR entgegen allen Prophezeiungen westlicher Medien weiter erstarken und vollkommener« werden würde. Dabei gilt Hager als ein entschiedener Gegner der Gorbatschow-Politik von Glasnost und Perestroika. Noch im April 1987 sagte er in einem Interview mit der Illustrierten »Stern« mit Bezug auf die Veränderungen in der Sowjetunion: »Würden Sie, wenn Ihr Nachbar seine Wohnung neu tapeziert, sich verpflichtet fühlen, Ihre Wohnung ebenfalls neu zu tapezieren?« Seither nennt man ihn im Volksmund »Tapeten-Kutte«.

Die Evangelische Landeskirche Berlin-Brandenburg will das Dialogangebot, so halbherzig es auch noch sein mag, auf jeden Fall nutzen. Bischof Gottfried Forck äußert nach einem Treffen mit Ostberlins Oberbürgermeister Erhard Krack: »Es ist nicht kirchliches Ziel, die DDR zu destabilisieren. Es kommt auch für die Kirche darauf an, die Teilnahme der Bürger an der Gestaltung der Gesellschaft zu fördern.«

Ähnlich äußern sich auch die Initiativgruppen an der Basis. Das Neue Forum begrüßt die Verlautbarungen des Politbüros der SED vom Vorabend als ein erstes Zeichen, sich mit den angestauten und tiefgreifenden Problemen der Gesellschaft auseinanderzusetzen. Zugleich wird aber deutlich gemacht: »Voraussetzungen für jedes Gespräch sind die Freilassung aller bei den Demonstrationen Inhaftierten, die Einstellung der Ermittlungsverfahren, die Aufhebung der Strafbefehle und Ordnungsstrafen. Echter Dialog bedeutet: 1. Zulassung des Neuen Forum und aller anderen Basisgruppen, Parteien und Bürgerinitiativen, die sich für die Demokratisierung der Gesellschaft einsetzen, 2. Zugang zu den Massenmedien, 3. Pressefreiheit und Abschaffung der Zensur, 4. Versammlungs- und Demonstrationsfreiheit.« Die Mahnwache für die Inhaftierten wird in der Ostberliner Gethsemanekirche fortgesetzt. Am Abend findet ein Mahngottesdienst statt.

Die Erklärung des Politbüros nimmt auch die »Initiative für eine Vereinigte Linke«, die Anfang September bei einem Treffen in Böhlen als Plattform ins Leben gerufen worden war, zum Anlaß, ihre Ansichten über erforderliche Sofortmaßnahmen darzulegen. Gefordert werden unter anderem der Rücktritt des SED-Politbüros und der Regierung, die Bildung einer befristeten Übergangsregierung aus reformwilligen Kräften und die Schaffung einer breiten Koalition der Vernunft und des Realismus zur Verwirklichung einer radikalen Verfassungs- und Gesellschaftsreform, einschließlich Wirtschaftsreform. Ziel soll die betriebliche Selbstverwaltung der Werktätigen sein, wozu die Bildung unabhängiger Arbeiterkommissionen und die Schaffung von Betriebsräten notwendig sei. Damit werden Forderungen laut, die über die sonst geäußerten Vorstellungen zur politischen Reform hinausgehen und auf zukünftige Konfliktfelder hinweisen.

Freitag, 13. Oktober

Der Vorsitzende der Liberal-Demokratischen Partei (LDPD), Prof. Manfred Gerlach, gibt eine Erklärung zur Lage ab, die für einen altgedienten DDR-Kader geradezu sensationelle Äußerungen enthält. »Wir treten entschieden dafür ein, gesellschaftliche und politische Verkrustungen aufzubrechen, Überholtes der Geschichte nicht verbal, sondern tatsächlich zu überantworten, unvermeidliche Entscheidungen unverzüglich im Bündnis gemeinsam zu treffen, Entscheidungen, die Realitätssinn und Vertrauen in die Bürger zur Grundlage haben ...

Anpassung und Heuchelei, manchmal getarnt als Bewahrung des Bewährten und als Treue zu Beschlüssen, wirken kontraproduktiv.« Damit wird erstmals von einem Spitzenpolitiker des traditionellen Bündnisblocks deutliche Distanz zur Politik der SED signalisiert.

Diese geht noch von den alten Prinzipien aus. Am Vormittag empfängt Erich Honecker die Vorsitzenden der Blockparteien. Der Staats- und Parteichef schlägt den Gesprächspartnern dabei zwar vor, den Sozialismus in der DDR durch »tiefgreifende Wandlungen und Reformen ständig weiter zu verbessern«, doch läßt er zugleich deutlich werden, daß am bisherigen Modell der Führung durch die SED festgehalten werden soll. Auch ein Abgehen von den Wahleinheitslisten, wonach bereits vor der Abstimmung der Machtproporz zugunsten der SED aufgeteilt wird, steht nicht zur Disposition.

Es geht der SED nur um Verbesserungen innerhalb der vorgegebenen Strukturen. Die Einbeziehung der neuen Gruppierungen und Initiative gehört nicht dazu. Eine parteiinterne Information charakterisiert das Neue Forum als »staatsfeindliche Gruppierung«. Es wird vor der Gefahr gewarnt, »daß aus einer Sammlung von kritischen Bürgern, Andersdenkenden, Enttäuschten und – eine andere Sicht wäre politische Blauäugigkeit – offenen und verdeckten Gegnern der sozialistischen Ordnung in der DDR heraus eine Bewegung gegen den Sozialismus in der DDR mit Massencharakter formiert werden kann«. Jetzt wird auch Klartext über den angekündigten Willen zum Dialog geredet: Eine Auseinandersetzung mit einer sich in dieser oder jener Weise formierenden Oppositionsbewegung zu suchen wäre der Weiterentwicklung des Sozialismus abträglich.

Obwohl sich die Führung grundsätzlichen Wandlungen verschließt, muß sie dem wachsenden Druck von unten doch Stück für Stück nachgeben und erste pragmatische Zugeständnisse machen. Die Generalstaatsanwaltschaft gibt am Nachmittag bekannt, daß bis auf elf Personen, gegen die noch wegen Gewalttaten ermittelt werde, alle festgenommenen Demonstranten inzwischen auf freien Fuß gesetzt worden seien. Die in der bundesdeutschen Botschaft in Warschau sitzenden DDR-Bürger erhalten Papiere zur Ausreise in ein Land ihrer Wahl. Der prominente Ostberliner Rechtsanwalt Wolfgang Vogel, der als Honecker-Vertrauter bisher diffizile humanitäre Fälle im deutsch-deutschen Verhältnis geregelt hatte, spricht sich dafür aus, alle DDR-Bürger, die sich wegen Fluchtversuchs und im Zusammenhang mit Demonstrationen der letzten Wochen noch in Haft befinden, endgültig freizulassen.

Die Forderungen der Arbeiter nach einem ernsthaften Dialog erfährt SED-Politbüro-Mitglied Günter Schabowski, der zugleich 1. Sekretär der Bezirksleitung von Ostberlin ist, bei einem Besuch in der Maschinenfabrik »VEB Bergmann-Borsig« ganz unmittelbar. Vertrauensleute dieses Großbetriebes hatten sich bereits Ende September mit einem Offenen Brief an den Gewerkschaftsvorsitzenden Harry Tisch (SED) gewandt, in dem sie ihr Unverständnis über den politischen Kurs der Führung zum Ausdruck gebracht hatten. Darin heißt es: »In Diskussionen ist eine nahezu einhellige Ablehnung der Art und Weise festzustellen, wie Presse, Rundfunk und Fernsehen tiefgreifende und die Werktätigen bewegende aktuelle politische Probleme abhandeln oder zum Teil verschweigen. (...) Es trifft nicht im entferntesten die Überzeugungen und Empfindungen der Mehrzahl unserer Kollegen, wenn die Medien nach peinlichem Schweigen nun den Versuch unternehmen, die Abkehr so vieler unserer Menschen ausschließlich als Machwerk des Klassengegners zu entlarven, bei dem diese DDR-Bürger nur Opfer oder Statisten sein sollen. (...) Wir halten es deshalb für dringend erforderlich, daß die wahren Gründe, die zum Weggang unserer Bürger führen, sorgfältig und ehrlich untersucht und diskutiert werden. Wir erwarten den öffentlichen Dialog über dringend notwendige Veränderungen in allen gesellschaftlichen Bereichen.«

Sonnabend, 14. Oktober

Am Morgen trifft der 50 000. DDR-Flüchtling seit Öffnung der ungarischen Grenze in der Bundesrepublik ein. Der »Sender Freies Berlin« porträtiert ein Paar, das via Ungarn von Ost- nach Westberlin geflohen ist. Gefilmt wird die junge Frau bei der Arbeitssuche. Von den 84 000 Arbeitslosen im Westteil der Stadt ist inzwischen bereits jeder zehnte ein DDR-Übersiedler.

Etwa 120 Mitglieder des Neuen Forum, dessen Gründungsaufruf mittlerweile über 25 000 Menschen unterschrieben haben, treffen sich in Ostberlin an einem konspirativen Ort zu einem Koordinierungstreffen. Die Stasi ist längst über das Treffen informiert, nur der Ort ist nicht bekannt. Man vermutet, daß es die Ostberliner Sophienkirche sein könnte, und konzentriert Sicherheitskräfte in der Umgebung. Tatsächlich findet das Treffen in den Räumen der »Kirche von unten« in der zehn Minuten Fußweg entfernten Invalidenstraße statt. Doch das erfährt die Stasi erst nach dem Ende der Veranstaltung durch die

Berichte ihrer inoffiziellen Mitarbeiter. Anwesend sind Vertreter aller Landesteile. Es wird berichtet, daß der Oberbürgermeister von Karl-Marx-Stadt Vertretern des Neuen Forum einen Dialog angeboten hat. Kontakte mit den Behörden gab es auch in Leipzig und Potsdam. Schwierigkeiten haben dagegen die Vertreter aus Halle, wo einige Oppositionelle in den vergangenen Tagen wieder von der Polizei »zugeführt« wurden. In anderen Städten seien Unterschriftensammler zu Geldstrafen verurteilt worden.

Das Neue Forum diskutiert auch Fragen der inneren Organisation: Soll der basisdemokratische Ansatz beibehalten werden, sollen sich die einzelnen Gruppen weiter wie bisher spontan über Kontaktadressen in den Wohngebieten bilden und die Themen ihrer inhaltlichen Arbeit selbst wählen? Oder erfordert die Entwicklung im Lande eine zentralere Struktur, die Erarbeitung eines klaren Programms? Man kommt überein, daß ein umfassendes Reformkonzept nicht vorgegeben, sondern nur in einem übergreifenden Diskussionsprozeß entwickelt werden kann. Nach dem Graswurzel-Prinzip soll sich die Bewegung weiter in die Breite entwickeln. Perspektivisch sind die Bildung eines Koordinierungsausschusses und die Wahl eines Sprecherrates aus Vertretern der regionalen Zentren vorgesehen.

Im Unterschied zur SDP, die von Anfang an mit fester Struktur und Programmatik antrat, verfolgt die Bürgerbewegung Demokratie Jetzt, die zu diesem Zeitpunkt etwa 1 000 Mitglieder hat, ein ähnliches Konzept wie das Neue Forum. In der ersten Ausgabe ihrer Zeitung mit dem Schmetterlingssymbol – ein beidseitig bedrucktes A4-Blatt – wird den Bürgern folgende Vorgehensweise empfohlen: »Wir schlagen Ihnen vor, Verbindung zu gleichgesinnten Gruppen in Ihrer Nachbarschaft zu suchen. Organisieren Sie Treffen in den Stadtbezirken und Kreisen. Wählen Sie Sprecherinnen und Sprecher. Entsenden Sie Vertreter zu überregionalen Veranstaltungen.« Demokratie Jetzt versteht sich als Bewegung, an der sich jeder durch Mitarbeit ohne formelle Mitgliedschaft beteiligen kann, unabhängig davon, ob er Mitglied einer der alten Parteien oder einer der neuen Vereinigungen ist. Unmittelbares politisches Ziel ist ein gemeinsames Wahlprogramm aller oppositionellen Gruppierungen. »Wir wollen, daß der Wähler über eine demokratische Umgestaltung entscheiden kann.«

Die schriftlichen Stellungnahmen der Opposition nehmen zu. Die Stasi zählt bereits 150 Veröffentlichungen – vom Flugblatt bis zur Broschüre –, und es werden immer mehr. Die Zeit fehlt, auf jede einzelne Publikation einzugehen, es wird nur noch erfaßt und gezählt.

Am Abend kommt es zu einer Protestdemonstration in Plauen mit 20 000 Teilnehmern, auf der Rede- und Pressefreiheit sowie die Zulassung oppositioneller Gruppierungen verlangt werden.

Sonntag, 15. Oktober

Obwohl die letzten Inhaftierten der Demonstrationen vom 7. und 8. Oktober freigelassen worden sind, gehen die Mahnwachen weiter. Jetzt werden eine Untersuchung der Polizeiübergriffe und die Bestrafung der Verantwortlichen gefordert.

Auch die Initiativgruppe »Demokratischer Aufbruch«, die sich im Sommer aus kirchennahen Kreisen gebildet hat und deren bisher bekanntester Vertreter der Pfarrer der Berliner Samariterkirche Rainer Eppelmann ist, fordert in einem Offenen Brief an den Ostberliner Oberbürgermeister Erhard Krack die Einsetzung einer unabhängigen Untersuchungskommission zur Aufklärung der am 7. und 8. Oktober aufgetretenen Rechtsverletzungen. Gewalt und Einschüchterung seien keine geeigneten Voraussetzungen für einen demokratischen Dialog.

Am Abend findet in der Ostberliner Erlöserkirche ein »Konzert gegen Gewalt« statt, bei dem bekannte Sänger und Schriftsteller zu grundlegenden Reformen aufrufen. Aber auch Lehrer, Studenten und ein Abgeordneter melden sich zu Wort. Liedermacher Kurt Demmler persifliert das Dialogverständnis von ZK-Sekretär Kurt Hager: »Ein bißchen reformeln und dialogeln, da hat man gut normeln, da hat man gut mogeln.«

Der Schriftsteller Christoph Hein fordert die Einsetzung eines Untersuchungsausschusses »für den offenbar gelenkten Exzeß der Sicherheitskräfte«. Daran sollte auch die Kirche beteiligt sein, die sich nach seiner Einschätzung als besonders verantwortlich für dieses Land und die sozialistische Gesellschaft erwiesen habe, »verantwortlicher, volksnäher und handlungsfähiger als andere Kräfte«. Riesiger Beifall kommt auf, als der Liedermacher Gerhard Schöne mitteilt, daß er die 20 000 Mark, mit denen der am 7. Oktober an ihn verliehene Nationalpreis der DDR verbunden ist, je zur Hälfte einer kirchlichen Entwicklungshilfegruppe und den Inhaftierten spenden werde.

Ein parteiloser Abgeordneter der Stadtverordnetenversammlung erklärt: »Beruhigt euch nicht. Wir haben wahrscheinlich nur diesen einen Versuch; wenn wir scheitern, verlieren wir Hunderttausende, durch Ausreise oder durch innere Emigration ... Handelt gewaltfrei!

Redet mit allen, auch mit den 2,3 Millionen SED-Mitgliedern. Grenzt sie nicht von vornherein aus, viele von ihnen haben dazu beigetragen, daß jetzt Hoffnung ist!« Er erhält den Applaus der über 3000 in der völlig überfüllten Kirche. Zum Schluß läuten die Kirchenglocken für alle politischen Gefangenen.

Zur gleichen Zeit demonstrieren in Halle 20000 Menschen und verlangen einen radikalen Wandel. In Suhl folgen Tausende einem Aufruf kirchlicher Gruppen zu einer Protestkundgebung vor der Kirche. Viele haben aber auch die Hoffnung auf einen Wandel verloren und ziehen es vor, das Land zu verlassen. Mit dem Beginn der Herbstferien an diesem Wochenende sind wieder 3000 DDR-Bürger über Ungarn und Österreich in die Bundesrepublik geflüchtet. In der bundesdeutschen Botschaft in Warschau schwillt der Zustrom der Ausreisewilligen weiter an. Angesichts dieser Situation treffen die Regierungen der DDR und Polens eine »unbefristet gültige« Ausreiseregelung in Drittstaaten für DDR-Bürger. Mit Zügen sollen rund 1300 Personen am nächsten Tag in den Westen fahren.

Montag, 16. Oktober

Das ganze Land steht unter Spannung. Skeptisch beobachten die Menschen die Entwicklung, viele fragen sich, wie die nun schon regelmäßigen Montagsdemonstrationen ausgehen werden, ob die signalisierte Dialogbereitschaft der Führung ausreicht, um die Auseinandersetzungen von der Straße in die Säle zu verlagern, wie es sich die SED-Führung wünscht, oder ob es womöglich sogar einen Rückfall in gewalttätige Konfrontationen geben wird. Die Nationale Volksarmee mobilisiert 68 Hundertschaften für einen eventuellen Einsatz in Leipzig und Ostberlin. Doch ergeht ein Befehl des Nationalen Verteidigungsrates, während der Demonstration auf keinen Fall Schußwaffen anzuwenden, es sei denn zur Selbstverteidigung.

SED-Politbüro-Mitglieder, Minister und andere Spitzenfunktionäre werden in die Betriebe entsandt, um mit den Werktätigen »sie bewegende Fragen« zu beraten, um so möglichst Vertrauen in die Führung zurückzugewinnen. Doch allerorten werden sie mit harten Forderungen konfrontiert, auf die sie zumeist keine Antwort geben können. Gewerkschaftschef Harry Tisch muß nach Gesprächen mit der Basis eingestehen: »Die Stimmung unter den Kollegen hat sich verändert.« Aber anstatt auf sie einzugehen, warnt er in der Zeitung »Junge Welt«

vor überstürztem Handeln, da sonst das Schiff stranden könne. Die DDR brauche seiner Meinung nach keine neuen Formen der Demokratie, da sie über alle notwendigen Strukturen verfüge.

Die Rockmusiker des Landes treffen sich zu einer Vollversammlung im Kreiskulturhaus des Ostberliner Stadtbezirkes Weißensee. Sie gehörten zu den Vorreitern einer demokratischen Öffnung und hatten vor vier Wochen eine Resolution verabschiedet, in der die Zulassung demokratischer Gruppen wie des Neuen Forum gefordert wird. Über 3000 Künstler haben den Appell bisher unterschrieben. In Anwesenheit des Chefs der Freien Deutschen Jugend, Eberhard Aurich (SED), wird die Resolution noch einmal verlesen, erstmals dabei sind die Kameras des West-Fernsehens. Die Anwesenden fordern, die Resolution auf allen Konzerten zu verlesen. Das will die FDJ verhindern. Doch eine offene Diskussion ist unmöglich: Der FDJ-Chef schweigt im Angesicht der Mikrofone der West-Journalisten.

Parallel zum Scheindialog wird die militärische Option verfolgt. Die Stadt Leipzig wird am Nachmittag hermetisch abgeriegelt. Die Stasi ruft ihre Einsatzkräfte zu verstärkter Härte auf, wenn es zu Konfrontationen kommen sollte. Sie alle sind bewaffnet. Fotografen und Kameraleuten aus der Berliner Oppositionsszene gelingt es dennoch, durch die Kontrollen zu schlüpfen und am Abend den Demonstrationszug von etwa 150000 Menschen heimlich zu filmen. Ihre Aufnahmen gehen in der gleichen Nacht noch um die Welt.

Wieso sich die Demonstrantenzahl in Leipzig gegenüber der Vorwoche verdoppelte, versucht Pfarrer Michael Turek zu erklären: »Da gehen Menschen auf die Straße, die seit Jahren einen hohen Handlungsbedarf haben, der entlädt sich jetzt. Auf Leipzig hat es sich konzentriert, durch die Regelmäßigkeit der Friedensgebete. Montag 17.00 Uhr ist die Stadt voll. Mit Appellen, Polizeieinsätzen und anderen Repressionen läßt sich nichts mehr aufhalten. Es ist vorbei, die Zeiger der Uhr stehen auf fünf nach zwölf. Weil die Demonstrationen durch niemanden organisiert sind, kann man auch an niemanden appellieren, einzugreifen und etwas zu verhindern.«

In Dresden fordern Tausende eine öffentliche Diskussion über demokratische Reformen vor dem Rathaus, in dem zu dieser Zeit Oberbürgermeister Wolfgang Berghofer mit Vertretern der Demonstranten, der Gruppe der 20, diskutiert. Berghofer spricht anschließend über Megaphon vom Balkon des Rathauses zu der Menge, die aus der Kreuzkirche gekommen ist, und kündigt die Fortsetzung des »gewaltfreien Dialogs« an, der bisher allerdings noch zu keinem

Ergebnis geführt habe. Er informiert über den von der Gruppe vorgelegten 10-Punkte-Katalog, in dem neben Presse-, Meinungs- und Reisefreiheit vor allem freie Wahlen gefordert werden.

Insgesamt gehen an diesem Abend mehr Menschen auf die Straße als je zuvor, darunter in Magdeburg 10 000, in Halle 5 000, in Ostberlin 3 000. Die Forderungen gleichen sich: Zulassung des Neuen Forum, freie Wahlen, Presse- und Meinungsfreiheit, Aufhebung des Visazwanges für die ČSSR. Alle Demonstrationen bleiben gewaltfrei.

Dienstag, 17. Oktober

Die überregionalen Zeitungen der DDR veröffentlichen eine kurze ADN-Meldung über die Leipziger Demonstration vom Vorabend. Dort wird mit zwei Sätzen das Geschehen verfälscht: Es ist die Rede von nur Zehntausenden Bürgern der Messestadt, und es wird behauptet: »Der Zurückhaltung der Sicherheitskräfte und der eingesetzten Ordnungskräfte sowie der Demonstranten ist es zu danken, daß es zu keinen Ausschreitungen kam.« Doch ein Fortschritt ist bemerkbar: Aus Randalierern, Störenfrieden und Konterrevolutionären, wie sie noch in der Woche zuvor diffamiert worden waren, sind »Bürger der Messestadt« geworden.

Nicht geändert hat sich die generelle Grundhaltung zu Demonstranten und oppositionellen Gruppen. In einem Kommentar vom »Neuen Deutschland« heißt es trotzig: »Die Arbeiter-und-Bauern-Macht ist weder von außen noch von gewissen Kräften im Innern erpreßbar. Die Werte und Ideale des Sozialismus lassen wir nicht antasten, die unbestreitbaren Erfolge und Errungenschaften, die wir unter Führung der Partei mit der Einheit von Wirtschafts- und Sozialpolitik und auf dem Felde des Kampfes für Frieden und Abrüstung erreicht haben, von niemandem herabsetzen.«

Der DDR-Generalstaatsanwalt setzt noch eins drauf und erklärt zum Verhalten der Sicherheitskräfte bei Demonstrationen: »Um das auch deutlich zu sagen: Die Gewalt ging nicht von der Polizei aus, die Gewalt richtete sich gegen die Polizei! Wir haben immerhin 106 zum Teil erheblich verletzte Polizisten.«

Mitarbeiter des Teltower Geräte- und Reglerwerkes »Wilhelm Pieck« treten aus der Einheitsgewerkschaft FDGB aus, gründen die unabhängige Betriebsgruppe »Reform« und rufen zur Gründung unabhängiger Gewerkschaften auf. Auch der sofort einsetzende Druck durch Betriebsleitung und Parteiorganisation kann daran wenig ändern. Obwohl die Unterzeichner des Gründungsaufrufs bedrängt werden, sich davon wieder zu distanzieren, halten bis auf zwei Kollegen alle zu ihrem Anliegen. Der Initiator des Aufrufs, Ralf Börger, wird von der Direktion sofort zu einer Dienstreise ins Ausland abkommandiert. Aber die Folgen sind nicht mehr aufzuhalten. Andere Betriebe schließen sich dem Aufruf an, die offizielle Gewerkschaftsdachorganisation muß nun täglich mehr Austritte ihrer Mitgliedschaft registrieren.

In Ostberlin diskutieren mehr als 6000 Studenten in der Humboldt-Universität über anstehende Reformen und fordern unabhängige Studentenvertretungen, unzensierte Studentenzeitungen sowie freien Zugang zu Bibliotheken und Vervielfältigungstechnik. Es wird vereinbart, neue Vertretungskörperschaften neben der Freien Deutschen Jugend, der sogenannten Kampfreserve der Partei, aufzubauen.

Am Abend werden in Dresden die Ergebnisse der Gespräche der Gruppe der 20 mit Oberbürgermeister Wolfgang Berghofer in fünf Kirchen der Stadt bekanntgegeben, wo sich etwa 20000 Menschen versammelt haben. Sie nehmen die Berichte mehrheitlich zustimmend zur Kenntnis, da vereinbart wurde, in mehreren neugeschaffenen Kommissionen unter Beteiligung der Basisgruppen alle anstehenden Fragen (Recht und Sicherheit, Medienpolitik, Reisemöglichkeiten, Bürgerbeteiligung, Ökologie u. a.) zu beraten und einvernehmliche Lösungen zu suchen.

In der Nacht landet die erste Gruppe von DDR-Flüchtlingen aus der Bonner Botschaft in Polen auf dem Flughafen Düsseldorf. Allein an den Grenzübergängen zu Bayern treffen an diesem Tag 1800 DDR-Flüchtlinge ein.

Mittwoch, 18. Oktober

Nach einer geheimgehaltenen internen Entmachtung Erich Honeckers am Vortag im Politbüro, wo sich unter der Regie von Egon Krenz, Günter Schabowski, Wolfgang Herger und Willi Stoph eine knappe Mehrheit gegen ihn formiert hatte, tagt um 14.00 Uhr das außerplanmäßig zusammengerufene Zentralkomitee der SED , um die »aktuelle politische Lage« zu beraten. Gleich zu Beginn verliest Erich Honecker die vorbereitete Erklärung, in der er aus gesundheitlichen Gründen seinen Rücktritt erklärt und Egon Krenz zum neuen Generalsekretär vorschlägt. Das SED-Zentralkomitee folgt dem in zentralistischer Manier nahezu einstimmig. Nur die 81jährige Hanna Wolf, früher Rektorin der Parteihochschule, hält dagegen. Die Politbüro-Mitglieder und ZK-Sekretäre Günter Mittag (Wirtschaft) und Joachim Herrmann (Agitation) werden ebenfalls aus ihren Funktio-nen abberufen. Damit ist das eigentliche Machtzentrum um Erich Honecker zerschlagen, eine ganze Epoche in der Geschichte der DDR beendet.

Erich Honecker, Jahrgang 1912, war durch einen ähnlichen Coup an die Macht gekommen. Seine politische Karriere hatte 1945 nach antifaschistischem Widerstandskampf und achtjähriger Zuchthaushaft als Gründer der Freien Deutschen Jugend begonnen, der er von 1946 bis 1955 vorstand. Von Anfang an war er Mitglied des Parteivorstandes bzw. des Zentralkomitees der SED, in dessen internes Machtzentrum, das Politbüro, er 1958 aufstieg. Unter Walter Ulbricht war er zunächst für Sicherheitsfragen (1958–1963) und dann für die Parteikontrolle (1963–1971) zuständig, wobei er stets die Rolle des Kronprinzen einnahm. 1971, kurz vor dem VIII. Parteitag der SED, trat er aus dem Schatten Ulbrichts hervor und organisierte mit sowjetischer Rückendeckung dessen Absetzung. Als neuer Erster Sekretär und späterer Generalsekretär sorgte er dafür, daß nach und nach seine Vertrauten aus der FDJ in einflußreiche Stellungen kamen.

Sein engster Vertrauter war Günter Mittag, der für die gesamte Planwirtschaft nahezu die alleinige Verantwortung trug. Er dirigierte und überwachte 22 Ministerien, 224 Kombinate und 3526 Industriebetriebe. 1926 geboren, absolvierte er zunächst eine Lehre bei der Reichsbahn, nahm als Flak-Helfer noch in den letzten beiden Jahren am Krieg teil und wurde dann als Eisenbahngewerkschafter aktiv. 1946 trat er der SED bei, die ihn 1951 als hauptamtlichen Mitarbeiter ins Zentralkomitee berief. Über mehrere Zwischenstufen erreichte er 1962 als Leiter der Abteilung Wirtschaft den wichtigsten Schalthebel der Planwirtschaft. Seine Macht wuchs mit der Übernahme leitender Funktionen in der Volkskammer und im Staatsrat und gipfelte in der Berufung zum Stellvertretenden Staatsratsvorsitzenden im Juni 1984. Damit war er der unangefochtene Wirtschaftsstratege, der mit den Fachabteilungen des SED-Zentralkomitees das Land dirigierte, ohne auf Ministerien und andere Gremien Rücksicht zu nehmen.

Über ein ähnliches Imperium verfügte Joachim Herrmann. Ihm unterstanden die Nachrichtenagentur, Rundfunk, Fernsehen sowie alle Zeitungen und Zeitschriften. Per Telefon wies er allabendlich an, wie die Zeitungen des nächsten Tages auszusehen hätten, welche Größe das Honecker-Foto auf Seite eins haben sollte und wo eine unliebsame Meldung, die sich nicht verhindern ließ, im Innenteil zu verstecken war. Begonnen hatte sein Weg 1945 mit einer Anstellung als Bote bei der »Berliner Zeitung«. 1953/54 berichtete er die Komsomol-Hochschule in Moskau, die Voraussetzung dafür, anschließend Chefredakteur der »Jungen Welt« zu werden. Dem folgte die Leitung der »Berliner Zeitung« (1962–1965). Vorübergehend verließ Herrmann dann den Medienbereich und leitete von 1965 bis 1971 das Staatssekretariat für gesamtdeutsche Fragen. Mit der Inthronisierung Honeckers und einer schärferen Abgrenzung zur Bundesrepublik wurde dieses Staatssekretariat aufgelöst, und Herrmann kehrte als Chefredakteur des »Neuen Deutschland« in den Journalismus zurück. 1978 übernahm er die Funktion des bei einem Hubschrauberabsturz in Libyen tödlich verunglückten Werner Lamberz als Sekretär für Agitation und Propaganda im Zentralkomitee der SED. Zugleich leitete er die Blockparteien an, wozu auch seine Funktion im Präsidium des Nationalrates der Nationalen Front diente. Zu jeder Zeit sorgte er dafür, daß nur jene Fakten an die Öffentlichkeit gelangten, die der Honeckerschen Führungsriege genehm waren. Das bedeutete unablässige Erfolgspropaganda und Tabuisierung aller Problemfelder.

Am Abend gibt Egon Krenz in Sondersendungen des Rundfunks und Fernsehens eine erste öffentliche Erklärung ab, wobei er sich wenig massenwirksam präsentiert, aber einige neue Akzente setzt: »Wir haben in den vergangenen Monaten die gesellschaftliche Entwicklung in unserem Lande in ihrem Wesen nicht real genug eingeschätzt und nicht rechtzeitig die richtigen Schlußfolgerungen gezogen«, gesteht er. Zur Ausreisewelle von über hunderttausend meist jungen DDR-Bürgern heißt es: »Ihren Weggang empfinden wir als großen Aderlaß. Jeder von uns kann die Tränen vieler Mütter und Väter nachempfinden.« Noch am 1. Oktober hatte es in einem von ADN verbreiteten Kommentar der SED-Führung zur Flüchtlingswelle zynisch geheißen: »Sie alle haben durch ihr Verhalten die moralischen Werte mit Füßen getreten und sich selbst aus unserer Gesellschaft ausgegrenzt. Man sollte ihnen deshalb keine Träne nachweinen.« Krenz bekennt sich zu einer »fortwährenden Erneuerung der sozialistischen Gesellschaft« und verkündet die Einleitung einer »Wende«, mit der die SED die politische und ideologische Offensive wiedererlangen wolle.

Er stellt mit dieser Rede unter Beweis, daß er noch weitgehend im parteiinternen Denken verhaftet ist und die wirkliche Problemlage im Land nicht erkannt hat. Dies entspricht ganz seinem bisherigen Entwicklungsweg. 1937 geboren, beginnt er gleich nach Lehrerausbildung und Armeezeit 1957 eine Funktionärslaufbahn in der FDJ, in deren Zentralrat er 1961 aufrückt. Nach dem Vorsitz der Pionierorganisation (1971–1974) folgt unter Erich Honecker 1973 die Aufnahme ins SED-Zentralkomitee und von 1974 bis 1983 die Leitung der FDJ. Anschließend wird er ins SED-Politbüro berufen, wo er für Sicherheit und Kaderfragen zuständig ist, und 1984 zum stellvertretenden Staatsratsvorsitzenden gewählt wird. Direkt in einem Beruf hat er nie gearbeitet.

Donnerstag, 19. Oktober

Die Ausreisewelle, die letztlich die Umbrüche ausgelöst hat, bleibt eines der zentralen Themen in der öffentlichen Diskussion. Der Wirtschaftswissenschaftler Prof. Peter Thal macht folgende Rechnung auf: Bei einem Nationaleinkommen von 268,4 Milliarden Mark und gegenwärtig 8,6 Millionen Berufstätigen der DDR gingen pro zehntausend Ausreisende jährlich 0,12 Prozent des Nationaleinkommens verloren. Das seien 330 Millionen Mark. Da es sich vornehmlich um junge Leute handele, verliere die DDR auf die noch vor ihnen liegenden Arbeitsjahre berechnet rund zehn Milliarden Mark pro zehntausend Ausreisende. Dieser Entwicklung müsse politisch begegnet werden.

In einem Telefoninterview sagt die Mitbegründerin des Neuen Forum, Bärbel Bohley, sie könne sich noch nicht vorstellen, mit den Herrschenden Gespräche am »Runden Tisch« zu führen, wie sie in Polen zwischen Staatsmacht und Opposition praktiziert wurden. »Aber ich denke, daß die Demonstrationen demnächst auch sicher von mehr politischen Forderungen begleitet sein werden. Dann wird es darauf ankommen, ob die Regierung bereit ist, auf diese Forderungen einzugehen.«

SED-Bezirkschef Hans Modrow meldet sich in Dresden zu Wort. Der Dialog müsse jetzt mit allen Kräften in der DDR geführt werden. Die politische Lage erfordere einen tiefen Wandel. »Bei dieser umfassenden Erneuerung sollten auch in der Sowjetunion gesammelte Erfahrungen genutzt werden.« Der in Gang gekommene Dialog dürfe nicht beim Meinungsstreit stehenbleiben, fordert Modrow. Er müsse zur Entscheidungsfindung beitragen und Entscheidungen selbst bringen.

Egon Krenz trifft sich nach Beratungen mit den Blockparteien auch mit Vertretern der evangelischen Kirche. Dabei macht er Landes-

bischof Werner Leich jedoch keine verbindlichen Zusagen für gesellschaftliche Veränderungen, sondern fordert die Kirche statt dessen auf,
dafür Sorge zu tragen, daß keine »unbedachten Handlungen« den geplanten Dialog gefährdeten. Alt-Bischof Albrecht Schönherr bemerkt
lakonisch zu Egon Krenz: »Der Mann ist bekannt für das, was er in
der Vergangenheit getan hat«, womit er auf dessen Verantwortung für
die Fälschungen der Kommunalwahlen am 7. Mai und die öffentliche
Rechtfertigung der gewaltsamen Niederschlagung der chinesischen
Demokratiebewegung anspielt. Der Katholische Bischof von Berlin,
Georg Sterzinsky, fordert so schnell als möglich freie Wahlen.

Der Ministerrat beschließt, seine Arbeitsweise »lebensnaher« zu
gestalten, und beauftragt das Innenministerium, ein Reisegesetz auszuarbeiten. Das Postministerium soll das Verbot der sowjetischen Zeitschrift in deutscher Sprache »Sputnik« aufheben. Die ein Jahr zuvor
verhängte Zwangsmaßnahme hatte zu öffentlichen Protesten geführt.
Begründet wurde der Schritt damals mit dem Hinweis, die Zeitschrift
leiste keinen Beitrag zur deutsch-sowjetischen Freundschaft. Sie
bringe statt dessen »verzerrende Beiträge zur Geschichte«. Damit war
der Dissens zwischen der DDR-Führung und der Politik Michail Gor-
batschows endgültig sichtbar geworden. Die DDR-Medien hatten bereits zuvor von der Abteilung Agitation des ZK der SED ein striktes
Verbot erhalten, die Begriffe »Glasnost« und »Perestroika« zu ver-
wenden.

Am Abend diskutieren erstmals Politiker, Wissenschaftler und Journalisten bei einer Live-Diskussion im Fernsehen über die Lage im
Lande. Alle sprechen die Erwartung aus, daß eine vom Ministerrat in
Aussicht gestellte Reiseregelung zu einem Paß für jeden Bürger und
der uneingeschränkten Möglichkeit des Reisens führen werde.

Am Abend nehmen in Zittau im Süden der DDR 20 000 Menschen
an einer Veranstaltung des Neuen Forum teil. Der Rat der Stadt genehmigt die Lautsprecherübertragung aus der Johanniskirche ins Freie, wo
sich Tausende versammelt haben – ein Vorgang, der vor Tagen noch
undenkbar gewesen wäre. Dennoch reicht der Platz der vereinbarten
Sicherheitszone nicht aus. Es müssen zwei weitere Kirchen in der Stadt
für das Neue Forum geöffnet werden.

In Halle werden dagegen Vertreter des Neuen Forum bei dem Versuch, eine öffentliche Veranstaltung zu organisieren, von der Polizei
verhaftet. Zu Demonstrationen für ernsthafte Reformen kommt es
in Rostock (10 000 Teilnehmer), Zeulenroda (3 000), Stendal (500),
Erfurt (300).

Freitag, 20. Oktober

Die Regierung bietet jedem Bürger, der das Land verlassen hat, die Rückkehr an. »Wir werden allen, die zurückkehren wollen, soweit nicht triftige Gründe entgegenstehen, im Rahmen des Möglichen dabei behilflich sein, in ihrer angestammten Heimat wieder Fuß zu fassen«, teilt Außenministeriumssprecher Wolfgang Meyer mit. Zugleich appelliert er an jene Landsleute, die das Land noch verlassen wollen: »Niemand sollte Entschlüsse fassen und überstürzte Handlungen begehen, die er später möglicherweise bereut.« Es ist erstmalig, daß die DDR-Führung jenen eine Rückkehr erlaubt, die dem Land den Rücken gekehrt haben.

In Rostock wird bekannt, daß sich der Stadtrat bereit erklärt hat, über »Parteienpluralismus und Bürgermitbestimmung zu diskutieren«. Angesichts der innenpolitischen Krise solle kein Problem ausgeklammert werden. Als erstes Angebot werden Themen wie Stadtentwicklung und Umweltschutz, Medien- und Informationspolitik, Warenangebot und Versorgung genannt.

In Halle, wo es in den zurückliegenden Tagen immer wieder zu gewaltsamen Übergriffen der Staatsmacht gekommen war, ist noch keine Bereitschaft zum Dialog zu spüren. In der Georgenkirche fordern Teilnehmer der Mahnwache das Gespräch mit den Stadtoberen. Überraschend bahnt sich ein Fernsehteam der Jugendsendung »ELF99« des DDR-Fernsehens den Weg durch die Absperrungen, die von den Sicherheitskräften rund um die Kirche aufgebaut worden sind. Teilnehmer der Mahnwache, darunter auch Pfarrer Hans Hanewinckel, kommen zu Wort. Stunden später wird zur großen Überraschung aller Beteiligten dieser Beitrag auch im DDR-Fernsehen gesendet. Es ist das erste Mal, daß dort die Opposition zu Wort kommt.

Der Eisenacher Oberkirchenrat Martin Kirchner fordert ein neues Wahlgesetz und ein Parteiengesetz für die DDR. In einem Interview mit dem Westberliner Radiosender »Hundert,6« sagt er: »Ich denke, die Debatte, die in den letzten Tagen geführt worden ist, die nächsten Wahlen auf der Grundlage des vorhandenen Wahlgesetzes wahrheitsgemäß durchzuführen, das heißt, die tatsächlichen Stimmergebnisse zu vermelden, wird nicht mehr reichen. Man muß sich überlegen, ob in der Zeit bis zu den nächsten Wahlen 1991 demokratische Grundlagen durch ein neues Wahlgesetz geschaffen werden können.«

Der Kirchenvertreter trifft damit ein Thema, das immer aktueller wird: Nach einem Fürbittgottesdienst in der Kreuzkirche ziehen am

Abend fast 50000 Menschen durch die Dresdner Innenstadt und fordern freie Wahlen. Zum Abschluß stellen viele Menschen ihre mitgebrachten Kerzen vor das Polizeipräsidium in der Schießgasse.

In Gotha (6000), Karl-Marx-Stadt (5000), Klingenthal (2000) und zahlreichen anderen Kleinstädten der Südbezirke finden weitere Demonstrationen statt.

Sonnabend, 21. Oktober

In Halle kommt es am Morgen zu einem ersten Gespräch zwischen Teilnehmern der Mahnwache für die Opfer von Polizei- und Justizgewalt und dem SED-Oberbürgermeister. Für ihn ist es leicht, die Stimmung zu erfassen: An die Außenmauern der Georgenkirche haben Bürger ihre Forderungen, Wünsche und Sorgen wie auf eine Klagewand geschrieben.

In Ostberlin formiert sich eine Menschenkette, die über gut einen Kilometer vom Palast der Republik bis zum Polizeipräsidium in der Keibelstraße reicht. Die Teilnehmer fordern die landesweite Freilassung aller am 7. und 8. Oktober bei Protesten Inhaftierten und die Einstellung der Verfahren gegen gewaltlose Demonstranten.

SED-Politbüro-Mitglied Günter Schabowski und Ostberlins Oberbürgermeister Erhard Krack stellen sich an der Volkskammer der Diskussion mit den Demonstranten. Die Debatten drehen sich um Presse, Rede- und Versammlungsfreiheit, Reisemöglichkeiten und Formen des Dialogs zwischen Bürgern und Staatsführung. Schabowski bittet darum, »politische Konflikte nur mit politischen Mitteln« zu lösen. Er sei gekommen, um zu reden und zu verhindern, daß es zu Auseinandersetzungen mit den Sicherheitskräften komme.

In alter Manier reagiert die Nachrichtensendung »Aktuelle Kamera« fast reflexartig auf einen Bericht des ZDF über Mißhandlungen von festgenommenen Frauen: Es handele sich um eine »infame Behauptung«, die vom DDR-Innenministerium unter Protest zurückgewiesen worden sei. Der Korrespondent des ZDF habe »nicht den Schatten eines Beweises« vorgelegt. »Wer so unter die Gürtellinie geht, kann nichts anderes im Sinn haben, als Menschen zu verhetzen, die einen sachlichen, konstruktiven Dialog erschweren oder gar unmöglich machen sollen«, heißt es dort. Die Wirklichkeit holt diese Propaganda jedoch bald ein: Der Bericht der mißhandelten Frau, die aus Vorsichtsgründen ihr Gedächtnisprotokoll zunächst nicht namentlich ge-

40

zeichnet hatte, wird bekannt und erweist sich als stichhaltig. Das Innenministerium ist gezwungen, seinen Protest zurückzunehmen. Ein offizielles Dementi im DDR-Fernsehen bleibt jedoch aus.

Die LDPD fordert den einstigen Verbündeten, die SED, auf, nicht nur mit einzelnen Mitgliedern des Neuen Forum zu reden, sondern diese Demokratiebewegung auch offiziell anzuerkennen. Die Liberaldemokraten seien bereit, Mitglieder des Neuen Forum in die eigenen Reihen aufzunehmen und »auf eigenen Listen kandidieren zu lassen«. Vom Neuen Forum wird für die öffentliche Unterstützung gedankt, aber der Wille zur Eigenständigkeit bekräftigt. Kritiker sprechen von unangemessenen Vereinnahmungsversuchen, mit denen sich einzelne Blockparteien zu profilieren suchten.

Im Land wird weiterhin demonstriert. In Plauen beteiligen sich 35 000 Menschen; es ist damit die größte Demonstration in der 80 000 Einwohner zählenden Industriestadt im Bezirk Karl-Marx-Stadt nahe der bundesdeutschen Grenze zu Hof. Die Forderungen richten sich auf eine sofortige Demokratisierung der Gesellschaft, freie Wahlen, die Zulassung des Neuen Forum, Reisefreiheit und erstmalig auch die deutsche Einheit. Die Kundgebung in der Stadt am 7. Oktober, an der sich 10 000 Bürger beteiligt hatten, war noch von der Volkspolizei gewaltsam auseinandergetrieben worden. Seitdem finden jeden Sonnabend Protestkundgebungen statt. Zu weiteren Demonstrationen kommt es in Rostock, Potsdam, Dresden, Jena und Karl-Marx-Stadt.

Sonntag, 22. Oktober

In der berüchtigten Haftanstalt Bautzen, im Volksmund das »Gelbe Elend« genannt, meldet die Leitung um 10.40 Uhr ein »schweres Vorkommnis«: Mit Zahnpasta ist ein Zettel in der Toilette im Freistundenhof von Haus 1 an die Wand geklebt worden, der zu einer »Häftlingskonzentration« führt. Es ist ein Aufruf an alle Strafgefangenen: »Wehrt Euch gegen jede Form des Machtmißbrauchs! Solidarisiert Euch – seid einig!« Außerdem wird bei der Kontrolle des sogenannten Erzieherbriefkastens ein Kettenflugblatt entdeckt. Darin wird die Wahrung der Menschenwürde gefordert – auch im Strafvollzug.

Zur öffentlichen Aussprache treffen sich zur gleichen Zeit 500 Leipziger im Gewandhaus. Kapellmeister Kurt Masur spricht als erster: »Was wir hier lösen können, kann für die ganze Republik richtungweisend sein.« Es seien Gedanken einzubringen, wie der »Modellfall

Leipzig« als beispielhafte Verhaltensweise wirksam werden könne. In der mehrstündigen Debatte werden zunächst Themenschwerpunkte umrissen' Umgestaltung der politischen Verhältnisse, Reform des Bildungswesens, Ökologie, Stadtentwicklung die künftig in Kommissionen unter Beteiligung aller Interessierten beraten werden sollen, um konkrete Beschlußempfehlungen zu geben. Man verabredet, sich jetzt jeden Sonntag zum »Dialog am Karl-Marx-Platz« zu treffen.

Die Vereinigte Linke kündigt für Ende November eine zweitägige Beratung in Ostberlin an, auf der sie ihr Konzept erstmals der Öffentlichkeit vorstellen will. In einem Positionspapier macht sie deutlich, daß sie sich als Opposition zum Obrigkeitsstaat, nicht aber als Opposition zur Idee des Sozialismus verstehe. Sie erklärt sich ausdrücklich für die Beibehaltung des gesellschaftlichen Eigentums an Produktionsmitteln, nur müßte das über Arbeiterräte in direktes Eigentum der Werktätigen umgewandelt werden. Es gelte, eine Alternative zum parteienzentrierten Parlamentarismus zu schaffen. Zu den Initiatoren der Vereinigten Linken gehören in Ostberlin Mitarbeiter der »Umweltbibliothek«, der »Kirche von unten«, des »Friedrichsfelder Friedenskreises« und Studenten der Humboldt-Universität.

Montag, 23. Oktober

In der evangelischen Kirchengemeinde am Ostberliner Fennpfuhl übergeben Vertreter mehrerer Bürgerinitiativen und Gruppen, darunter des Neuen Forum, eine hundertseitige Dokumentation mit Erlebnis- und Tatsachenberichten zu den Polizeieinsätzen am 7. und 8. Oktober. Der 1. Vize-Generalstaatsanwalt von Ostberlin, Klaus Voß, verspricht, daß »alle diesbezüglichen Anzeigen, Sachverhalte und Eingaben unvoreingenommen und umfassend geprüft« werden. Konsistorialpräsident Manfred Stolpe fordert »Mut zur Wahrheit, auch wenn sie schmerzt«. Für die Vertreter der oppositionellen Gruppen steht fest: Die Gewalttaten am 7. und 8. Oktober hatten System. Es geht nicht um die Bestrafung einzelner Polizisten, es geht um politische Konsequenzen.

Welche Blüten das verzweifelte Klammern der bislang Herrschenden an ihre Macht treibt, macht am Nachmittag eine Veranstaltung in Schwerin deutlich: Es ist die eigenwilligste Demonstration dieser Tage. Die SED-Bezirksleitung versucht, einen Aufruf des Neuen Forum zur Protestkundgebung gegen die geplante Wahl von Egon

Krenz auch zum Staatsratsvorsitzenden zu unterlaufen, mobilisiert die eigene Basis für eine Kundgebung zugunsten der Wende am gleichen Ort und bemächtigt sich der Mikrofone bei der öffentlichen Debatte. Die anwesenden 50000 Menschen erleben zunächst ein Wechselbad konträrer Standpunkte: Die Menge ist gespalten, Klatschen und Pfiffe wechseln sich ab. Das Neue Forum fordert daraufhin seine Anhänger auf, den Platz zu verlassen und sich an einem anderen Ort wiederzutreffen. Die meisten Menschen folgen diesem Appell. Die SED-Bezirksleitung steht zum Schluß fast allein da.

Wie wenig sich bislang im DDR-Fernsehen geändert hat, macht am Abend der unbeliebteste Kommentator des Landes, Karl-Eduard von Schnitzler, in seiner berüchtigten Sendung »Der schwarze Kanal« deutlich. Für ihn ist klar, der Westen hat die Ereignisse im Herbst '89 in der DDR inszeniert und gesteuert.

Die Menschen auf der Straße antworten auf ihre Weise: In Leipzig beteiligen sich knapp 300000 Menschen an der weiterhin offiziell nicht genehmigten Demonstration. Es ist die bisher größte Protestkundgebung in der Geschichte der DDR. Erstmals berichtet auch das DDR-Fernsehen über die Massendemonstration mit aktuellen Filmberichten. »Die ganze Stadt ist voller Menschen«, schildert der Reporter. »Der sechsspurige Ring um die Altstadt kann die Menge nicht mehr fassen. Der Verkehr ist völlig zum Erliegen gekommen.« Diesmal sind auch deutlich mehr Transparente zu sehen als sonst. Da ist zu lesen: »Visafrei bis Hawai«, »Freie Wahlen«, »Die führende Rolle dem Volk« und »Wer gestern noch schrie ›Stalin hurra‹ ist heute als neuer Reformer da«. Sprechchöre fordern ein Ende der SED-Herrschaft und eine Dezentralisierung der Macht.

Während die Demonstration noch andauert, spricht sich SED-ZK-Sekretär Kurt Hager in der abendlichen Nachrichtensendung »Aktuelle Kamera« für die Wahl von Egon Krenz auch in die Ämter des Staatsratsvorsitzenden und des Vorsitzenden des Nationalen Verteidigungsrates aus, »um die Wende zu sichern«.

Zur gleichen Zeit verlangt in Dresden der evangelische Bischof Johannes Hempel, daß sich die Regierung öffentlich für die Brutalität der Sicherheitskräfte entschuldigen solle. Vor der Dresdner Semperoper sprechen SED-Bezirkschef Modrow und Oberbürgermeister Berghofer zu mehreren Zehntausenden. Modrow teilt mit, daß Ausschüsse geschaffen würden, um den Dialog zwischen den Bürgern, Vertretern des Staates, Parteien und Kirchen fortzusetzen.

In Ostberlin ziehen Demonstranten vor das Gebäude des Staatsrates, wo eine Petition verlesen wird, in der Initiativgruppen die Aufstellung von mehreren Kandidaten für das Amt des Staatsoberhauptes fordern. Vor dem Parlamentsgebäude brennen die ganze Nacht über Kerzen. Protestdemonstrationen gibt es am Abend in 25 Städten des Landes, darunter in Zwickau (15000 Teilnehmer), Magdeburg (10000), Halle (10000) Stralsund (4000) und Eisenach (3500).

Dienstag, 24. Oktober

Ungeachtet der Proteste läßt sich SED-Chef Egon Krenz am Morgen von der Volkskammer zum Staatsratsvorsitzenden und auch zum Vorsitzenden des Nationalen Verteidigungsrates wählen, womit die alte Machtkonzentration wiederhergestellt ist. Zuvor war der bisherige Amtsinhaber Erich Honecker von diesen Funktionen abgelöst worden. Erstmals in der vierzigjährigen Geschichte des Parlaments ist das Votum für einen Staatschef nicht einstimmig: 26 Abgeordnete votieren gegen den Vorschlag, 26 enthalten sich der Stimme. Volkskammerpräsident Horst Sindermann hat sichtliche Mühe, mit dieser neuartigen Praxis zurechtzukommen. Er verzählt sich, wendet sich an seinen Nachbarn mit den Worten »Zähl mal mit hier!« und verspricht: »Ich werde das Ergebnis nicht verfälschen!«.

Das Neue Forum kritisiert die Volkskammer als »Zustimmungsmaschine«. Wenige Stunden nach der Abstimmung demonstrieren 12000 in Ostberlin gegen die Wahl von Krenz. Die Menge ruft vor dem Gebäude der Volkskammer: »Wir sind keine Fans von Egon Krenz«, »Egon – deine Wahl nicht zählt, dich hat nicht das Volk gewählt« und »Egon Krenz – keine Lizenz«. Vor dem Staatsratsgebäude, das von einer Kette uniformierter Angehöriger des Ministeriums für Staatssicherheit umgeben und damit abgesperrt ist, stellen die Demonstranten Kerzen ab. Besonders unbeliebt ist Krenz, da er als Leiter der Wahlkommission bei den Kommunalwahlen am 7. Mai 1989 die Verantwortung für die offensichtliche Manipulation der Ergebnisse trug und im Juni die Massaker an Demonstranten in China verteidigt hatte.

Im Ostberliner »Haus der jungen Talente« diskutieren am Abend erstmals Vertreter von Bürgerbewegungen, Funktionäre und Künstler. Das Thema lautet: »Die DDR – wie ich sie mir träume«. Sein Traum, so der Schriftsteller Christoph Hein, sei, daß die DDR ein sozialistisches Land werde. »Noch ist nichts entschieden, kein Schritt zur Überwindung der stalinistischen Strukturen ist getan.« Markus Wolf, ehe-

Protestaktion vor dem Berliner Staatsratsgebäude gegen die Wahl von Egon Krenz zum Staatsoberhaupt.

maliger Generaloberst der Staatssicherheit, der drei Jahre zuvor wegen politischer Kontroversen aus dem Ministerium ausgeschieden war, wünscht sich Politiker, die ihr Gesicht nicht dann erst dem Volke zuwenden, wenn sie mit dem Rücken an der Wand stehen. Bärbel Bohley vom Neuen Forum bekennt, daß sich ein Teil ihres Traums erfüllt habe, als Hunderttausende in Leipzig auf die Straße gingen und riefen »Wir sind das Volk!«. Auch nach dem Wechsel in der Parteiführung bleibe das Wort des Tages »Glaubwürdigkeit«, so Stefan Heym. Man erwerbe sie »durch Taten und nicht durch Worte, seien sie noch so rührend«. Ihn erinnere das Verhalten vieler DDR-Bürger jetzt an die Situation von 1945: Keiner will es gewesen sein.

In zehn Städten kommt es erneut zu Protestdemonstrationen, wobei neben Anklam und Demmin im Norden das Schwergewicht vor allem im Süden liegt: Dresden, Meißen, Nordhausen, Wernigerode, Aschersleben.

Mittwoch, 25. Oktober

In Westberlin sind die Auffanglager für DDR-Übersiedler an ihren Kapazitätsgrenzen angelangt. Doch niemand rechnet ernsthaft mit einem Nachlassen des Flüchtlingsstromes. Die Messehallen unter dem Funkturm, wo die »Grüne Woche« oder die »Internationale Funkausstellung« stattfinden, werden zu Notaufnahmelagern umgerüstet. Die Alliierten bringen 1 000 Betten, die dort zusätzlich aufgestellt werden.

In Ostberlin hält die Empörung über die Wahl von Krenz zum Staatsoberhaupt an. Es werden Flugblätter verteilt, die Stimmung ist gespannt. Das spürt auch die Staatssicherheit. Minister Erich Mielke gibt den Befehl zur »erhöhten Einsatzbereitschaft«. Es werden Einsatzreserven gebildet, um auf alle Eventualitäten vorbereitet zu sein. Urlaub wird nur noch von Fall zu Fall gewährt, die Dienstwaffen haben griffbereit zu sein.

Die Bürger nutzen die Straße, um ihren Forderungen Nachdruck zu verleihen. In Neubrandenburg versammeln sich rund 20 000 Menschen zu einem »Marsch der Hoffnung«, der sich nach einem Friedensgebet in der Johanniskirche formiert. Im Zentrum der Stadt werden sie schon von einigen tausend SED-Anhängern erwartet. Oberbürgermeister Heinz Hahn stellt Bedingungen: Ein Dialog werde nicht in Gang kommen, wenn er mit Schuldzuweisungen beginne und die Akzeptanz und Kompetenz des Partners in Frage stelle. Der SED-Bezirkschef des

Bezirkes Neubrandenburg, Johannes Chemnitzer, will die Bürger von der Straße holen. Die Lösungen sollten nicht länger in Demonstrationen gesucht werden. Man schenkt ihm wenig Gehör.

Ähnlich die Situation auch in Jena und Halberstadt, wo an diesem Tag jeweils 10000 Menschen demonstrieren, in Rostock und Greifswald, wo auch der Ruf erschallt:»Demokratie–jetzt oder nie!«. Insgesamt gehen in etwa 30 Städten Menschen aus Protest auf die Straße.

Donnerstag, 26. Oktober

Die Initiatoren des Neuen Forum Bärbel Bohley und Jens Reich werden in der SED-Bezirksleitung von Günther Schabowski, Mitglied des Politbüros, empfangen. Damit spricht erstmals ein hochrangiger Parteivertreter mit den Vertretern der Bürgerbewegung. In einem Kommentar macht»Neues Deutschland« die Motive des Sinneswandels klar:»Wir brauchen den Dialog, nicht Unruhe und Gebrüll.« Damit sind offenbar die anhaltenden Demonstrationen gemeint, die noch immer nicht als selbstverständliche Form der Willensäußerung akzeptiert werden, sondern für die SED-Führung Störgrößen und Gefahrenherde darstellen.»Ist es nicht so, daß Demonstrationen, so friedlich sie von vielen, vielleicht von der Mehrheit der Teilnehmer, gedacht werden, immer die Gefahr in sich bergen, anders zu enden, als sie begonnen haben?«

Keine Entlastung bringt das erste Telefonat zwischen Egon Krenz und Helmut Kohl für die DDR-Führung. Man spricht mehr oder weniger unverbindlich über Wirtschaftsfragen. In dem rund zwanzigminütigen Gespräch macht Krenz klar, daß die DDR auch nach der Wende ein sozialistisches Land bleibe. Er bittet Kohl um die Respektierung der DDR-Staatsbürgerschaft. Eine Annäherung der Standpunkte wird nicht erreicht.

In Ostberlin räumt SED-Bezirkschef Schabowski auf einer Diskussionsveranstaltung in der Humboldt-Universität ein:»Die eingeleiteten Veränderungen in der DDR sind sehr spät gekommen, aber nicht zu spät.« Im Verlauf der Versammlung wird eine Resolution eingebracht, in der Veränderungen in den Strukturen des politischen Systems der DDR und die Institutionalisierung des gesellschaftlichen Dialogs gefordert werden.

Das Kollegium der Rechtsanwälte der DDR veröffentlicht ein unter Federführung von Gregor Gysi erarbeitetes Positionspapier zur Erhöhung der Rechtssicherheit im Land. Angesichts der ernsten Lage sei es unabdingbar, grundlegende Reformen einzuleiten, heißt es dort. Ungenügend formulierte Bürgerrechte, mangelnde Unabhängigkeit der Richter und ein nicht der Zeit entsprechendes Strafrecht müßten verändert werden. Dringend seien die Erarbeitung neuer Gesetze zum Wahl- und Versammlungsrecht sowie ein neues Reisegesetz.

Der Ministerrat versucht unterdessen, mit Trostpflastern die Situation zu beruhigen. Regierungschef Willi Stoph kündigt am Abend Sofortmaßnahmen zur besseren Versorgung der Bevölkerung an, darunter auch den zusätzlichen Import von Konsumgütern und Lebensmitteln.

Hunderttausende versammeln sich am Abend zu Kundgebungen in Dresden (100 000), Rostock (25 000), Erfurt (15 000) und Gera (5 000). Sie fordern die Abschaffung des Führungsanspruchs der SED, freie Wahlen und uneingeschränkte demokratische Rechte.

In Gera führt Oberbürgermeister Horst Jäger im Anschluß an die Demonstration einen Dialog mit Bürgern der Stadt. Dabei geht es um die überfällige Sanierung der Altstadtgebiete, unzureichende Dienstleistungen, die herabwürdigende Behandlung der Bürger durch Verwaltungsorgane, die Offenlegung der Umweltdaten sowie grundlegende Fragen einer Wirtschaftsreform.

In Dresden kommen 100 000 Bürger zum Gespräch mit Oberbürgermeister Berghofer und SED-Bezirksparteichef Modrow, der erklärt: »Das jetzt Begonnene wird in der DDR einen revolutionären Wandel auslösen!« Berghofer informiert über die Ergebnisse einer außerordentlichen Stadtratssitzung, die im Laufe des Tages stattgefunden hat. Dort sind Arbeitsgruppen gebildet worden, in denen interessierte Bürger für eine befristete Zeit politisch mitgestaltend wirken können, darunter auch Vertreter der Gruppe der 20. Dr. Frank Tellkamp vom Neuen Forum erinnert daran, daß in den letzten 40 Jahren 3,5 Millionen Menschen die DDR verlassen haben. Als einer aus der Menge der hunderttausend Zuhörer die Frage nach der Zukunft des Sozialismus stellt, bleiben die Redner auf dem Podium schweigend eine Antwort schuldig.

In insgesamt 20 Städten treffen sich Zehntausende Menschen zu Veranstaltungen des Neuen Forums, zu Friedensgebeten und öffentlichen Protestkundgebungen.

Freitag, 27. Oktober

Am Morgen dürfen die letzten Flüchtlinge aus der bundesdeutschen Botschaft in Prag nach wochenlangem Warten endlich nach Bayern ausreisen. Damit sind seit Monatsbeginn etwa 14 000 DDR-Büger über die ČSSR in den Westen gelangt. Von den 2 400 DDR-Bürgern, die in der Bonner Vertretung in Warschau auf eine Reisegenehmigung in die Bundesrepublik warten, sind inzwischen rund 1 500 ausgeflogen worden. Die übrigen sollen in Kürze folgen. Der ab dem 3. Oktober eingeschränkte Reiseverkehr in die ČSSR soll nach einem Beschluß des Ministerrates ab 1. November wieder ohne Visum möglich sein.

Der Mitbegründer der Sozialdemokratischen Partei in der DDR, Steffen Reiche, der sich zu einem privaten Verwandtenbesuch bei seiner Großmutter in der Bundesrepublik aufhält, gibt in Bonn eine Pressekonferenz. Dort ruft der Pfarrer seine Landsleute auf, in der Heimat zu bleiben und die DDR nicht zu verlassen.

Der Staatsrat beschließt eine Amnestie für alle DDR-Bürger, die illegal ausgereist sind oder es versucht haben. Darauf haben die meisten der noch immer über 2 000 wegen dieses Deliktes Eingesperrten lange gewartet. Binnen drei Tagen sollen sie freigelassen werden. Sämtliche Strafverfahren wegen dieses Vergehens werden eingestellt. Die Häftlinge erfahren zu dieser Stunde zunächst nichts von ihrer baldigen Freiheit. Erst im Laufe des Tages verbreitet sich die Nachricht in Windeseile von Zelle zu Zelle. Doch dann kommt für einige der Schock: Entgegen der bisherigen Praxis wird nicht mehr in den Westen abgeschoben, sondern in die DDR entlassen. Einzelne Häftlinge wollen darum das Angebot zur Amnestie gar nicht annehmen. Die Amnestie gilt zugleich auch für Personen, die bei nichtgenehmigten Demonstrationen festgenommen worden sind. Damit kommt die Staatsführung den massiven Forderungen der Demonstranten nach.

Generalstaatsanwalt Günter Wendland lehnt in einem Interview des Fernsehens jedoch ausdrücklich die Abschaffung des Straftatbestandes »ungesetzlicher Grenzübertritt« ab. Die Grenze zwischen der DDR und der BRD trenne nun einmal »zwei Systeme, die miteinander nicht vereinbar« seien. Sie müsse daher zuverlässig geschützt werden.

Am Abend demonstrieren wieder Zehntausende auf den Straßen für spürbare Veränderungen im politischen, wirtschaftlichen und kulturellen Leben des Landes. In Dresden fordern 12 000 Demonstranten mehr Rechtssicherheit und die schonungslose Aufklärung von Übergriffen der Polizei. In Karl-Marx-Stadt (10 000) dominieren Transparente mit der Aufschrift »Wir wollen endlich Taten sehen«. Zuvor hatte der Oberbürgermeister Vertreter der Bürgerinitiativen, darunter auch des Neuen Forum, zu Konsultationsgesprächen empfangen. Konkrete Entscheidungen fallen noch nicht. Bis auf wenige Ausnahmen, wie in Dresden und Leipzig, warten die meisten Behörden auf zentrale Entscheidungen aus Ostberlin, so wie sie es seit Jahrzehnten gewöhnt sind. Doch da herrscht weitgehend Ratlosigkeit und Unentschlossenheit. Derweil nimmt der Druck der Straße beständig zu. Protestkundgebungen finden nunmehr auch verstärkt in mittleren und kleineren Städten statt, an diesem Abend an über 30 Orten, darunter Güstrow (20 000), Dessau (15 000), Saalfeld (10 000), Olbernhau (4 000), Parchim (4 000), Lauchhammer (3 500) und Großräschen (1 500).

Sonnabend, 28. Oktober

Die bereits 1985 gegründete »Initiative Frieden und Menschenrechte« (IFM), die zu den ersten unabhängigen Oppositionsgruppen im Lande zählt und aus deren Mitte auch die Initiatoren des Neuen Forum kommen, konstituiert sich in Berlin offiziell zu einer »politischen Vereinigung«. Die Vertreter setzen sich für äußere wie innere Abrüstung und Entmilitarisierung ein, für das Recht auf Wehrdienstverweigerung, rechtsstaatlichkeit und die Trennung von Partei, Staat und Gesellschaft. In der Folgezeit bilden sich zahlreiche Regionalgruppen, die an einer Vernetzung der Oppositionsbewegung mitarbeiten.

Die Suche nach einer Neubestimmung des politischen Platzes in der sich stürmisch verändernden Gesellschaft erfaßt auch die traditionellen »Blockparteien«. Die Christlich-Demokratische Union (CDU) der DDR veröffentlicht in ihrem Zentralorgan »Neue Zeit« an diesem Tag ein Grundsatzdokument, in dem sie sich als unabhängige und eigenständige Partei zu definieren versucht. In acht Punkten wird unter anderem ein grundlegend verändertes öffentliches Leben gefordert, in dem ethische Werte obenan stünden. Es müsse sich durch lebendige Demokratie, strikte Rechtsstaatlichkeit und realistische Medien auszeichnen. Ferner seien die unbedingte Gleichberechtigung aller Bürger sowie ein neues konstruktives Verhältnis zwischen Staat und Kirche notwendig. Die CDU setzt sich ferner für eine Volkswirtschaft ein, die Ökonomie und Ökologie als Einheit verstehe und ehrliche Arbeit leistungsgerecht bewerte.

Der Mitbegründer des Neuen Forum Rolf Henrich, der wegen der

Veröffentlichung seines Buches »Der vormundschaftliche Staat« in der Bundesrepublik aus der Anwaltskammer des Bezirkes Frankfurt (Oder) ausgeschlossen wurde, beschreibt in einem Interview mit der liberaldemokratischen Zeitung »Der Morgen« die Bewegung als eine Plattform unterhalb der Parteien, die Bürgern die Möglichkeit schaffen soll, sich politisch zu artikulieren. Vorläufig wolle man ohne ein umfassendes Programm auskommen. »Wir müssen auch die ganze Kläglichkeit eines Anfangs ertragen lernen.«

Auf die Frage, ob die Demonstrationen weitergehen werden, antwortet Dresdens Oberbürgermeister Berghofer (SED) in einem Interview mit der »Berliner Zeitung«: »Sicher, das ist morgen nicht zu Ende. Da können wir zehnmal sagen, daß uns das nicht gefällt. Die Menschen, die kein Gehör gefunden haben, sind auf die Straße gegangen, um sich zu artikulieren. Und das machen wir nicht von heute auf morgen rückgängig. Das passiert erst dann, wenn gravierende Änderungen im Leben der Menschen spürbar werden.«

Laut sind die Forderungen auf der Straße, wo sich wieder Zehntausende zu Protestaktionen treffen. In Leipzig, Erfurt und Jena finden kontroverse Diskussionen mit lokalen SED-Vertretern statt. Nahezu 40 000 Menschen versammeln sich vor dem Rathaus in Plauen und verlangen die Zulassung des Neuen Forum. Umweltschutz und Kommunalprobleme stehen im Mittelpunkt der Diskussionen in Jena. In Erfurt gesteht SED-Politbüro-Kandidat Gerhard Müller ein, offenbar habe seine Partei zu lange gezögert, stelle sich aber jetzt den neuen Aufgaben und werde nicht zulassen, daß auf halbem Wege stehengeblieben werde. Er findet wenig Gehör. Noch einige Tage zuvor war er mit scharfmacherischen Parolen aufgetreten. Um die politische Verantwortung für Fehlentscheidungen und Schönfärberei geht es in Neubrandenburg. Dabei werden in einer hitzigen Debatte auch Privilegien von Funktionären und persönliche Konsequenzen daraus erörtert. Auch in der Innenstadt von Rostock demonstrieren 10 000 Einwohner für Demokratie und Pressefreiheit. In Greiz nehmen 6 000 Menschen an einer erstmals genehmigten Kundgebung teil. Auf Transparenten ist wieder zu lesen: »Keine Reden mehr – wir wollen Taten sehen«. In Senftenberg kommen 3 500 Menschen zusammen, in Freiberg 3 000.

70 prominente Schriftsteller, Künstler und Wissenschaftler, unter ihnen Christa Wolf, Christoph Hein, Stefan Heym, Heiner Müller, Stephan Hermlin, Günther de Bruyn und Helga Königsdorf, kommen am Abend in der Ostberliner Erlöserkirche unter dem Motto »Gegen den Schlaf der Vernunft« zusammen. Das öffentliche »Nachdenken

über die schmerzliche Entwürdigung« der Verhafteten des 7. und 8. Oktober ist der eigentliche Anlaß des Abends. Augenzeugen kommen zu Wort. Eine junge Frau, die für das Kleben von Handzetteln mehrere Tage in Untersuchungshaft gehalten wurde, berichtet von unglaublichen Gewaltaktionen und von den subtilen Mechanismen der Einschüchterung. Neben Fotos und Fingerabdrücken nahmen die Sicherheitskräfte auch eine »Geruchskonserve« von ihr und ihrer zwölfjährigen Schwester – für später, als Suchhilfe für die Spürhunde, wie es hieß.

Zur gleichen Zeit findet im Deutschen Theater eine aufsehenerregende Premiere statt. Der Schauspieler Ulrich Mühe liest in der Reihe »Texte zur Lage« aus Walter Jankas Erinnerungen »Schwierigkeiten mit der Wahrheit«. Janka, ehemaliger Leiter des Aufbau-Verlages, war 1956 unter der falschen Anschuldigung des versuchten Sturzes der Regierung Ulbricht verhaftet und später zu fünf Jahren Zuchthaus verurteilt worden. Mit dem Auftritt von Walter Janka wird die Staatssicherheit erstmals öffentlich angeprangert und gestaltet sich der Abend zu einer politischen Manifestation für die Rehabilitierung aller Opfer des Stalinismus.

Sonntag, 29. Oktober

»Offene Türen – offene Worte« heißt das Motto der ersten Großveranstaltung in Ostberlin, auf der sich Spitzenfunktionäre der Diskussion mit der Bevölkerung stellen. Der vorgesehene Magistratssaal im Roten Rathaus erweist sich als viel zu klein. 20 000 Menschen sind gekommen. Die Debatte wird ins Freie verlegt, entwickelt sich zu einer Kundgebung. Sie beginnt mit einer Schweigeminute: »Man muß an diejenigen denken, die eine individuelle Lösung ihres Problems mit dem Leben bezahlen mußten, in Minenfeldern oder durch Selbstschußanlagen oder die im Wasser der Spree für ihr Begehren, sich einmal die Welt anzuschauen, zu Tode gekommen sind«, erklärt ein Redner.

In der folgenden Debatte müssen der Ostberliner SED-Chef Günter Schabowski, Polizeipräsident Friedhelm Rausch, Oberbürgermeister Erhard Krack sowie zahlreiche andere Vertreter von Parteien und Organisationen auf sie herniederprasselnde Fragen beantworten. Bereits zu Beginn der Aussprache haben sich hinter den Mikrofonen auf dem Rathausvorplatz Dutzende Bürger aufgereiht, um von der Führung Rechenschaft zu fordern und ihre Meinung öffentlich kundzutun. Hart kritisiert werden im Verlauf der insgesamt sechsstündigen Aussprache die »Schutz- und Sicherheitsorgane«, namentlich das Ministerium für Staatssicherheit, deren Auflösung hier erstmals öffentlich gefordert wird.

Ähnliche Forderungen stellt man auch bei Diskussionsveranstaltungen in Karl-Marx-Stadt und Leipzig. »Der Patient Leipzig ist krank, Rezepte nutzen nichts mehr, wir brauchen radikale chirurgische Korrekturen«, heißt es dort in der siebeneinhalbstündigen Diskussion m Gewandhaus. Dem größten industriellen Ballungszentrum der DDR müsse mehr Aufmerksamkeit zukommen. Alle nach Ostberlin zwangsdelegierten Bauarbeiter sollten sofort zurückkommen, um den weiteren Verfall der Innenstadt aufzuhalten und überfällige Arbeiten an der Infrastruktur vorzunehmen. Honeckers Politik des schnellen, repräsentationsorientierten Aufbaus der Hauptstadt habe dem ganzen Land schweren Schaden zugefügt.

Im Anschluß an die sonntäglichen Gottesdienste kommt es auch in vielen anderen Städten zu Demonstrationen, so in Ueckermünde am Ostseehaff, in Rostock und im thüringischen Bad Salzungen. Unter der Losung »Wir sind das Volk« richten sich die Forderungen unter anderem auf die Zulassung des Neuen Forum, die Schaffung eines zivilen Wehrersatzdienstes und die Durchsetzung von Pressefreiheit.

Montag, 30. Oktober

Auf Drängen der Gewerkschaftsbasis tritt nach mehrmaliger Verzögerung der FDGB-Bundesvorstand zusammen, um dem Vorsitzenden Harry Tisch, zugleich Mitglied des SED-Politbüros, die Vertrauensfrage zu stellen. Doch entgegen der Forderung vieler Betriebsgruppen spricht ihm der Vorstand nicht das Mißtrauen aus. Die Entscheidung wird auf den 17. November verschoben. Die Presse ist zur Tagung zwar eingeladen worden, wird aber sofort wieder ausgeschlossen. Erst nach wiederholten Forderungen und lauten Protesten werden die Medien zur direkten Berichterstattung zugelassen. Auf der Veranstaltung kursieren Flugblätter, die zur Gründung freier und unabhängiger Gewerkschaften aufrufen.

Im Ministerium für Staatssicherheit wird ein Informationsschreiben »über antisozialistische Sammlungsbewegungen« verfaßt. Es ist für die Politbüro-Mitglieder bestimmt. Darin wird eine vorläufige Bilanz gezogen: Allein in der Vorwoche gab es vor allem in den Kirchen des Landes etwa 200 »politisch geprägte« Veranstaltungen mit etwa 200 000 Teilnehmern. Über eine halbe Million Menschen hätten gegen die SED demonstriert.

Der Demokratische Aufbruch gibt bekannt, die Bewegung bis spätestens zum 1. Mai 1990 in eine Partei zu verwandeln. Die 200 Abgesandten wählen den Rostocker Anwalt Wolfgang Schnur zum Vorsitzenden. Pressesprecher wird Pfarrer Rainer Eppelmann. Dritter prominenter Vertreter ist Pfarrer Friedrich Schorlemmer aus Wittenberg, der den Demokratischen Aufbruch im Bezirk Halle vertritt. In einer vorläufigen Grundsatzerklärung, die zahlreich kopiert verbreitet wird, spricht sich die entstehende Partei für eine gesellschaftliche Kontrolle des Staates, die Förderung privater Klein- und Mittelbetriebe, die Anwendung marktwirtschaftlicher Prinzipien, den ökologischen Umbau der Industriegesellschaft, den Schutz sozial Schwacher und für ein »aktives Aufeinanderzugehen der beiden deutschen Staaten« aus.

Um ökologische Probleme geht es inzwischen auf fast jeder öffentlichen Veranstaltung. Die extreme Umweltbelastung und die Verschleierung der entsprechenden Daten löst gerade in den industriellen Ballungsgebieten starke Proteste aus. In Karl-Marx-Stadt wird auf Drängen der Bevölkerung zugesichert, daß alle Umweltdaten freigegeben werden. Außerdem wird eine Smogverordnung für alle Großstädte in Aussicht gestellt. Der Regionalsender Magdeburg beginnt bereits mit der Veröffentlichung erster Daten. Die Zeitung »Der Morgen« berichtet, daß 1987 im gesamten Land Emissionen von fast fünf Millionen Tonnen Schwefeldioxid und fast einer Million Tonnen Stickoxiden gemessen worden seien. Diese Daten durften aber bislang nicht veröffentlicht werden.

In Dresden kommt es zu einer weiteren Begegnung zwischen Oberbürgermeister Berghofer und Bürgerabordnungen, wobei Berghofer die Gruppe der 20 als Interessenvertretung der Einwohner offiziell anerkennt. Zusätzlich zu den bereits vereinbarten 14 Arbeitsgruppen mit Beteiligung der Bürger werden zwei weitere gebildet, die sich mit zivilem Wehrersatzdienst und der Einreise und Wiedereingliederung ehemaliger DDR-Bürger befassen sollen.

Am Abend wird in allen Teilen des Landes wieder demonstriert. Leipzig erlebt mit rund 250 000 Teilnehmern wieder eine der größten Demonstrationen der Nachkriegszeit. Im Mittelpunkt steht die Forderung nach Aufgabe des Machtmonopols der regierenden SED. Sprechchöre fordern freie Wahlen und die sofortige Zulassung des Neuen Forum. Auf Transparenten ist zu lesen: »Ein Land ohne Mauer, ein

Land ohne Draht – dort ist keiner sauer auf seinen Staat.« Die »Aktuelle Kamera« berichtet erstmals mit einer Live-Schaltung direkt vom Ort des Geschehens.

50 000 Hallenser demonstrieren unter der zentralen Forderung nach konsequentem Umweltschutz im höchstbelasteten Industriebezirk der DDR. »Laßt Taten folgen, wir sind dabei«, heißt es auf Transparenten. Hier in Halle zeigen sich an diesem Abend erstmals Volkspolizisten, die Schärpen mit der Aufschrift »Keine Gewalt« tragen.

50 000 Magdeburger und 40 000 Bürger von Schwerin fordern die Abschaffung von Privilegien und die Gleichberechtigung aller Parteien. In Karl-Marx-Stadt demonstrieren 20 000 für Demokratie Jetzt und die Einführung eines zivilen Wehrersatzdienstes. Im thüringischen Pößneck ziehen 5 000 Menschen in einem Schweigemarsch durch den Ort. 20 000 demonstrieren auch in Cottbus. Mit rund 50 Großaktionen im ganzen Land erreicht die Protestwelle einen ersten Höhepunkt.

Am Abend sendet das DDR-Fernsehen die 1 519. und letzte Sendung des »Schwarzen Kanals«, in der Karl-Eduard von Schnitzler 30 Jahre lang eine »ideologische Auseinandersetzung mit dem BRD-Kapitalismus« geführt hat.

Staatssekretär Alexander Schalck-Golodkowski, zugleich Mitglied des ZK der SED, stellt sich erstmals den Fragen des DDR-Fernsehens. Es geht um die Themen Finanzen und Reisen. Er versucht mühsam, eine Rechtfertigung für die Privilegien der SED-Elite zu finden, und bleibt in seinen Aussagen vage. Dabei kennen nur wenige wie er die wahren Verhältnisse im Land. Der SED-Devisenbeschaffer hat ein geheimes Memorandum verfaßt, aus dem hervorgeht, daß die DDR kurz vor der Zahlungsunfähigkeit steht.

Dienstag, 31. Oktober

Stasi-Minister Erich Mielke erläßt den Befehl 84/89: Die Dienstobjekte der Staatssicherheit sind mit allen Mitteln zu sichern. Dazu werden pioniertechnische Sperren und »chemische Abwehrmittel« zur Verfügung gestellt. Im Fall einer Annäherung von Fremden gilt die Anweisung, per Megaphon folgenden Text zu sprechen: »Achtung! Achtung! Verlassen Sie diesen Straßenabschnitt! Sie zwingen mich, zum Schutz dieses Objektes Maßnahmen der Gewaltanwendung zu befehlen!«

Das Ministerium für Volksbildung kündigt auf einer Pressekonferenz an, daß vier Schüler der Ostberliner Carl-von-Ossietzky-Schule ihre Schulausbildung fortsetzen dürfen. Sie waren im Oktober 1988 relegiert worden, weil sie an einer Schulwandzeitung gefragt hatten, ob die Militärparade zum Republikgeburtstag angesichts der allgemeinen Abrüstungsbemühungen noch zeitgemäß sei. Der Hinauswurf war damals auf zentrale Weisung erfolgt und galt fortan als Symbol für die doktrinäre Bildungspolitik von Ministerin Margot Honecker. Er warf zugleich Fragen zur Rolle von Egon Krenz auf, da sein Sohn Karsten in ebendiese Schule ging und er an den Entscheidungen vermutlich beteiligt war. Auf der Pressekonferenz fehlt Margot Honecker. Erst später wird bekannt, daß sie an diesem Vormittag ihren Rücktritt eingereicht hat.

Das Innenministerium informiert darüber, daß die Zulassung der Bürgerinitiative Neues Forum nunmehr ernstlich geprüft werde. Am 22. September hatte es zunächst geheißen, die Zulassung werde abgelehnt, da es sich um eine »staatsfeindliche Plattform« handele, die die Bürger über ihre wahren Absichten täuschen wolle. Später hieß es, für die Bewegung bestünde keine gesellschaftliche Notwendigkeit. Die Unterschriften von mehr als 100 000 Befürwortern dieser Initiative, die Forderungen nach Zulassung bei fast allen Demonstrationen und die konsequenten rechtlichen Schritte, die Rechtsanwalt Gregor Gysi für das Neue Forum eingeleitet hatte, bewirken schließlich das Nachgeben der Staatsmacht.

Der FDGB-Vorsitzende Harry Tisch erklärt sich nun doch zum Rücktritt bereit. Er war in den vergangenen Tagen unter heftige Kritik von seiten einzelner Bezirksvorstände und auch von Einzelgewerkschaften geraten. Besonders der Dresdner FDGB-Vorstand hatte sich stark gemacht, da wachsende Austritte die Existenz der gesamten Organisation gefährdeten.

Nach der allwöchentlichen Politbüro-Sitzung, an der auch Harry Tisch teilnimmt, reist Egon Krenz zu seinem ersten Auslandsbesuch nach Moskau. Vor seiner Begegnung mit Michail Gorbatschow erklärt er in einem Interview für das sowjetische Fernsehen, die sozialistische Gesellschaft in der DDR könne sich nur entwickeln, »wenn die Partei an der Spitze steht«.

Am Abend findet eine Großdemonstration in Wittenberg statt, bei der die gebündelten Demokratieforderungen in Form von sieben Thesen an die Rathaustür geheftet werden. Unverzügliche Reformen werden auf Demonstrationen in Weimar (10 000), Meißen (10 000), Meiningen (5 000) und 15 weiteren Städten gefordert.

November 1989

Mittwoch, 1. November

Seit dem Morgen können DDR-Bürger wieder visafrei ins Nachbarland ČSSR einreisen. Erneut schwillt in der bundesdeutschen Botschaft in Prag der Strom der Flüchtlinge an. Bis 10.00 Uhr haben sich dort bereits 300 DDR-Bürger gemeldet, die bundesdeutsche Papiere beantragen und eine Ausreise gen Westen fordern. Stündlich werden es mehr. Bis zum Nachmittag passieren insgesamt 8000 DDR-Bürger die Grenze.

In Moskau äußert sich Egon Krenz nach seinem Antrittsbesuch bei Michail Gorbatschow zur innerdeutschen Grenze und erklärt, die Gründe für die Errichtung der Mauer bestünden weiter. Auf die Lage im eigenen Land angesprochen, meint er, die Demonstrationen dienten im wesentlichen dazu, das Leben in der DDR schöner zu machen. Den Forderungen nach Parteienvielfalt erteilt er eine Abfuhr. In seinen engen Beziehungen zu Erich Honecker sehe er nichts Kritikwürdiges. Es gebe Zeiten, wo man gemeinsam, und solche, wo man allein gehen müsse. Unter Erich Honecker sei viel Gutes und Bleibendes entwickelt worden, so daß er sich nicht dafür schämen müsse, sagt er vor der internationalen Presse.

In Berlin spricht unterdessen der Staatssekretär für Kultur Dietmar Keller davon, daß die SED eine schwere Schuld vor dem Volk abarbeiten müsse. Die Umgestaltung habe gerade erst begonnen, wichtige strukturelle Veränderungen stünden noch aus.

Auf der Eröffnungsveranstaltung des Philosophiekongresses sind ebenfalls selbstkritische Töne zu hören. Cheftheoretiker Prof. Dr. Erich Hahn, Vorsitzender des wissenschaftlichen Rates für Marxistisch-leninistische Philosophie, bekennt, daß die Philosophie bisher dazu benutzt wurde, »Politik zu realisieren, durchzusetzen, weltanschaulich zu begründen, ja zu rechtfertigen«. Eine Projektgruppe junger Wissenschaftler der Berliner Humboldt-Universität stellt während des Kongresses ihr Konzept zur Überwindung des administrativ-zentralistischen Sozialismus vor, das einen radikalen Bruch mit den bisherigen Strukturen vorsieht. Durch die Herausbildung pluralistischer Verhältnisse soll es zur Freisetzung individueller Kreativität kommen. Das Land könne nicht mehr von einer Zentrale aus geführt werden. Es müßten sich unterschiedliche Eigentumsformen und vielfältige Interessengruppen herausbilden können, die auf dem Boden realer Demokratie Entfaltungsmöglichkeiten haben.

Die Protestwelle im Land hält an. Am Abend wird wieder in 30 Städten demonstriert.

Donnerstag, 2. November

Es ist der Tag der Rücktritte. FDGB-Vorsitzender Harry Tisch vollzieht, was die Gewerkschaftsbasis seit längerem fordert und er selbst schon angekündigt hatte. Nachfolgerin wird die 55jährige Annelis Kimmel. Sie hat einen Karriereweg hinter sich, wie er für viele Funktionäre typisch ist: Erlernen eines Berufs bzw. Studium einer Fachrichtung, in der man nie richtig arbeiten wird – in diesem Fall Maschinenbau, gleich nach Abschluß der Ausbildung Übernahme einer Parteifunktion, dann später Delegierung zur Parteihochschule, wo der Grad des Diplom-Gesellschaftswissenschaftlers erlangt wird. Ab 1979 ist Annelis Kimmel Vorsitzende des Berliner Bezirksvorstandes des FDGB, Mitglied des FDGB-Präsidiums und der Bezirksleitung der SED in Berlin. 1981 erfolgte die Wahl in die Volkskammer, aber nicht als Abgeordnete der SED, sondern als Angehörige der FDGB-Fraktion.

Auch der SED-Bezirkssekretär Hans Albrecht in Suhl tritt nach 21 Jahren zurück, nachdem Korruptionsvorwürfe immer lauter wurden. Ihm folgt Amtskollege Herbert Ziegenhahn in Gera, der 27 Jahre im Amt war. Konsequenzen aus früheren Verstrickungen ziehen auch zwei Spitzenpolitiker der Blockparteien: Die Vorsitzenden der National-Demokratischen Partei (NDPD), Heinrich Homann, und der Christlich-Demokratischen Union (CDU), Gerald Götting, nehmen ihren Abschied. Gefordert werden auch der Rücktritt der Regierung Stoph und des Volkskammerpräsidiums. Dafür machen sich besonders die Liberal-Demokraten stark, die ihren Vorsitzenden Manfred Gerlach zum Parlamentspräsidenten vorschlagen.

In Rostock treffen sich Mitglieder des Neuen Forum mit Vertretern der SED-Bezirksleitung und der Stasi. Die Bürgerrechtler informieren ihre Gesprächspartner ausführlich über Pläne und Ziele, erhalten aber keinerlei Kooperationsangebote. Ein Dialog wie in Dresden kommt nicht in Gang.

Generalleutnant Willy Nyffenegger, Polizeichef des Bezirkes Dresden, erklärt gegenüber der »Sächsischen Zeitung«, daß die Volkspolizei aus den gewaltsamen Zusammenstößen der Vergangenheit gelernt habe und sich künftig für politische Lösungen, für einen fruchtbaren Dialog einsetzen werde. Sie wolle Kundgebungen und öffentliche Aussprachen durch Bereitstellen von Tontechnik unterstützen.

Ludwig Mehlhorn von der Bewegung Demokratie Jetzt erklärt in einem Interview mit der Westberliner »tageszeitung«: »Ich kann mir den Reformprozeß in der DDR schwer vorstellen in der Konfrontation mit der SED.« Die Partei müsse sich jedoch grundlegend wandeln. »Es wird eines längeren, evolutionären Prozesses bedürfen, in dem wir uns alle verändern – auch die Partei. In diesem Prozeß müßte der SED die Chance gegeben werden, sich innerparteilich hin zu mehr Demokratie zu wandeln. Da bin ich gar nicht so pessimistisch, daß das nicht geschehen wird.«

Am Abend gehen die Bürger in über 20 Städten wieder auf die Straße, um spürbare Veränderungen anzumahnen. In Erfurt sind es 30 000 Menschen, 15 000 in Guben, jeweils 10 000 sind es in Gera und Halle.

Freitag, 3. November

Das »Neue Deutschland« entschuldigt sich bei den Lesern für eine Räuberpistole, die es in der Ausgabe vom 21. September 1989 unter der Überschrift »Ich habe erlebt, wie BRD-Bürger gemacht werden« präsentiert hatte. Danach sei ein Koch der Schlafwagengesellschaft MITROPA in Budapest mit einer Menthol-Zigarette betäubt und über Österreich gegen seinen Willen in die BRD verschleppt worden. Damit sollte offensichtlich der Eindruck erweckt werden, DDR-Bürger würden nicht aus Enttäuschung und Verärgerung das Land verlassen, sondern von Schlepperbanden regelrecht entführt werden.

Unterdessen wird die bundesdeutsche Botschaft in Prag erneut von einer Flüchtlingswelle überrollt. Stündlich werden es mehr. 4 000 warten hier schon auf ihre Ausreise. Nur noch Mütter und Kinder gelangen ins Innere des Palais Lobkovic. Alle anderen müssen bei kaltem Novemberwetter im Freien übernachten. Es fehlt an Schlafsäcken und Sanitäreinrichtungen. Es wird ernst, der Ausbruch von Seuchen ist nicht mehr ausgeschlossen. Nun erklärt sich auch die Botschaft der DDR in Prag bereit, Urkunden über die Entlassung aus der Staatsbürgerschaft auszustellen.

Nach harscher Kritik tritt Leipzigs Oberbürgermeister Dr. Bernd

Seidel zurück. Er hatte sich lange Zeit einem ernsthaften Dialog mit den Bürgern verweigert und das Vertrauen selbst im Rat der Stadt verloren. Auch der Vorsitzende der Gewerkschaft Kunst, Herbert Bischoff, stellt sein Amt zur Verfügung, nachdem ihm die Basis »Verletzung innergewerkschaftlicher Demokratie« vorgeworfen hatte. Vor ihm war bereits der Vorsitzende der IG Metall, Gerhard Nennstiehl, zurückgetreten. Er steht im Verdacht, aus unlauteren Quellen ein luxeriöses Eigenheim gebaut zu haben.

Postminister Rudolph Schulze gesteht ein, daß es noch Jahre dauern wird, die rund eine Million laufenden Anträge auf den Anschluß eines Telefons realisieren zu können. Jährlich erhalte er 100 000 Eingaben zu diesem Thema. Er veranschlagt die Investitionen zur Erfüllung der Telefongesuche auf rund neun Milliarden Mark. Im nächsten Fünfjahrplan könnte höchstens die Hälfte der Anträge abgearbeitet werden.

Das Sekretariat der SED-Bezirksleitung Dresden unter Leitung von Hans Modrow legt ein Positionspapier vor, in dem unter anderem eine neue Führung des Landes gefordert wird, die eine »tiefgreifende Erneuerung des Sozialismus will und auch zielstrebig leiten kann«.

Am Abend wendet sich Staats- und Parteichef Egon Krenz überraschend mit einer von Fernsehen und Rundfunk übertragenen Erklärung an alle Bürger. Es sind nur noch wenige Stunden bis zu einer angekündigten Großdemonstration in Berlin, die seit Wochen von Theaterleuten und Künstlern vorbereitet wird und erstmals auch offiziell genehmigt wurde. Es werden Hunderttausende erwartet, und der Druck auf die Führung nimmt spürbar zu. Um den Protesten die Spitze zu nehmen, kündigt Krenz weitreichende Reformen und den Rücktritt führender Politiker an. In Aussicht gestellt werden die Abdankung der SED-Politbüro-Mitglieder Herrmann Axen (ZK-Sekretär für Außenpolitik), Kurt Hager (ZK-Sekretär für Wissenschaft und Kultur), Erich Mielke (Minister für Staatssicherheit), Erich Mückenberger (Chef der Parteikontrollkommission) und Alfred Neumann (Vizepremier). Das von Krenz angekündigte Programm umfaßt die Einrichtung eines Verfassungsgerichtshofes, Verwaltungsreformen, die Einführung eines zivilen Wehrersatzdienstes, zeitliche Begrenzung bei Wahlfunktionen, eine tiefgreifende Wirtschaftsreform, Demokratisierung der Kaderpolitik und umfangreiche Änderungen in der Bildungspolitik. Zur Rechtfertigung des langsamen Umgestaltungsprozesses heißt es: »In wenigen Wochen oder gar in ein paar Tagen können nicht Entwicklungen korrigiert werden, die sich über Jahre zu einem Knäuel ernsthafter Widersprüche und Krisenerscheinungen angehäuft haben. Unüberlegtes, überhastetes Vorgehen würde letztlich mehr Schaden als Nutzen bringen.«

Sieben Oppositionsgruppen, darunter das Neue Forum, Demokratie Jetzt, Demokratischer Aufbruch und SDP, verabschieden eine gemeinsame Erklärung, die auf Flugblättern verteilt wird. Darin fordern sie eine Verfassungsreform zur Beendigung des Führungsanspruches der SED, baldige freie Wahlen, Versammlungs- und Pressefreiheit. Die Bürger werden aufgefordert, dies durch vielfältige eigene Aktionen zu unterstützen.

Am Abend kommt dann die vielbejubelte Nachricht: Alle 4500 DDR-Bürger, die Zuflucht in der bundesdeutschen Botschaft in Prag gesucht haben, dürfen ohne irgendwelche Formalitäten in die Bundesrepublik ausreisen. Damit ist ein Präzedenzfall geschaffen. Noch in der Nacht strömen Tausende in die ČSSR, um sich dem Strom Richtung Bayern anzuschließen.

Sonnabend, 4. November

Schon seit dem frühen Morgen ist die gesamte Ostberliner Innenstadt mit Demonstranten gefüllt. Der Verkehr ruht vollständig. Schauspieler mit grün-gelben Schärpen und der Aufschrift »Keine Gewalt« wirken als Ordner und werden von allen wohlwollend akzeptiert. Mit der Volkspolizei wurde eine Sicherheitspartnerschaft verabredet. Uniformierte sind fast nirgends zu sehen, nicht einmal vor der Volkskammer und dem Staatsratsgebäude, wo nun fünf Stunden lang Hunderttausende vorbeiziehen, um Presse- und Versammlungsfreiheit zu fordern sowie radikale Reformen einzuklagen. Offizielle Schätzungen sprechen später von nahezu einer Million Menschen, der größten Demonstration in der Geschichte der DDR.

Besonders auffällig sind die originellen Transparente, Spruchbänder und Plakate, auf denen steht, was das Volk wirklich will (und nicht, was die SED-Führung als Losungen beschlossen hat):

Freiheit, Gleichheit, Ehrlichkeit
Glasnost und nicht Süßmost
Skepsis bleibt die erste Bürgerpflicht
Eine Lüge tötet hundert Wahrheiten
Privilegien für alle
Dem Land ein neues Antlitz ohne Kalk aus Wandlitz

Rechtssicherheit ist die beste Staatssicherheit
Volksauge sei wachsam
Stasi an die Stanze
Macht die Volkskammer zum Krenz-Kontrollpunkt
Krenz zu Tisch
Öko-Daten ohne Filter
Gebt Ausländerhaß keine Chance
Für harte Arbeit hartes Geld
Kein Artenschutz für Wendehälse
SED allein – das darf nicht sein
Pässe für alle – der SED den Laufpaß
Rücktritt ist Fortschritt
Sägt die Bonzen ab – nicht die Bäume
Wir wollen endlich Taten sehen, sonst sagen wir Auf Wiedersehen
Mein Vorschlag für den 1. Mai: Die Führung zieht am Volk vorbei
Es lebe die Oktoberrevolution 1989
Wir sind das Volk!

Zum Abschluß der Demonstration findet auf dem Alexanderplatz eine Kundgebung statt, zu deren Eröffnung der Schauspieler Ulrich Mühe ausspricht, was alle fühlen: »Es war einfach wunderbar«. Der Schriftsteller Stefan Heym meint: »Es ist, als habe einer die Fenster aufgestoßen nach all den Jahren der Stagnation – der geistigen, der wirtschaftlichen, der politischen –, nach all den Jahren der Dumpfheit und des Miefs, des Phrasengewäschs und bürokratischer Willkür.« Die Schauspielerin Steffi Spira zitiert aus dem Gedicht »Lob der Dialektik« von Bert Brecht: »So wie es ist, bleibt es nicht ... Wer seine Lage erkannt hat, wie soll der aufzuhalten sein?« Der Schriftsteller Christoph Hein warnt jedoch davor, die Euphorie dieser Tage mit den noch zu leistenden Veränderungen zu verwechseln. »Lassen wir uns nicht von der eigenen Begeisterung täuschen! Wir haben es noch nicht geschafft: die Kuh ist noch nicht vom Eis. (...) Schaffen wir eine demokratische Gesellschaft auf einer gesetzlichen Grundlage, die einklagbar ist!« SED-Politbüro-Mitglied Günter Schabowski und Ex-Stasi-General Markus Wolf, die sich mit Redebeiträgen als Reformer zu präsentieren versuchen, werden von der Menge lautstark ausgepfiffen. »Zu spät, zu spät«, erschallt der Ruf.

Nicht dabei ist Wolf Biermann, der 1976 ausgebürgerte Liedermacher. Obwohl von den Organisatoren zur Demonstration eingeladen, verweigern ihm die Grenzorgane die Einreise.

Zur größten Protestdemonstration in der Geschichte der DDR kommen in Berlin nahezu eine Million Menschen zusammen. Die zentralen Forderungen sind Versammlungs-, Meinungs- und Pressefreiheit.

Am gleichen Tag versammeln sich in Magdeburg 40 000 Bürger auf dem Domplatz, um Politiker und Staatsfunktionäre zur gesellschaftlichen Erneuerung zu befragen. In Suhl protestieren 20 000 Bürger gegen die Errichtung einer neuen Mülldeponie. 5 000 Demonstranten ziehen durch das Zentrum von Arnstadt und fordern die Zulassung des Neuen Forum. Auch in Potsdam, Rostock, Lauscha, Plauen, Schwerin, Altenburg und Dresden sowie an 40 weiteren Orten demonstrieren Zehntausende für Pressefreiheit, den Rücktritt der Regierung und freie Wahlen.

Auch wenn die schwierigste Phase der Umgestaltung noch bevorsteht, sind sich an diesem Tag doch alle darin einig: In den letzten vier Wochen hat sich in der DDR mehr verändert als in vier Jahrzehnten zuvor. Der 4. November wird zum Markstein. Von nun an kann die SED-Führung an den Forderungen der Massen nicht mehr vorbei, geht es nicht mehr zu alten Herrschaftspraktiken zurück.

Die Ostberliner CDU-Fraktion fordert eine sofortige Tagung der Volkskammer. Angesichts der massiven Unmutsäußerungen in der Bevölkerung gelte es, ein neues Wahlgesetz auszuarbeiten und erforderlichenfalls neue Kommunalwahlen durchzuführen. Bei den Wahlen im Mai 1989 waren amtlich 98,85 Prozent Ja-Stimmen verkündet worden. Oppositionelle Gruppen hatten jedoch vielerorts wesentlich mehr Nein-Stimmen gezählt.

Die Grenze zwischen der ČSSR und der BRD ist für ausreisewillige DDR-Bürger inzwischen offen. Damit soll eine erneute Besetzung der Bonner Botschaft in Prag vermieden werden. Für die Ausreise gen Westen genügt jetzt der Personalausweis, während bisher besondere Visa oder eine Entlassung aus der Staatsbürgerschaft notwendig waren. Mit diesem Verfahren wird das »ungarische Modell« übernommen. Schon am 11. September hatte die Budapester Regierung die Grenze zu Österreich für DDR-Bewohner geöffnet, wovon seitdem 40 000 Menschen Gerbauch gemacht haben.

Am Abend erklärt Vize-Innenminister Dieter Winderlich in der »Aktuellen Kamera«, daß Anträge auf ständige Ausreise nunmehr unbürokratisch und schnell entschieden werden. Bürger, die ausreisen wollten, sollten dies bei ihren zuständigen Polizeistellen beantragen und nicht mehr den Weg über die ČSSR nehmen. Seit Jahresbeginn hätten bereits knapp 100 000 DDR-Bürger das Land in Richtung Westen verlassen.

Sonntag, 5. November

Weit über 10000 DDR-Bürger reisen ohne besondere Formalitäten über die ČSSR in die Bundesrepublik aus. Wer keinen Pkw besitzt, läßt sich mit dem Taxi an die Grenze bringen und geht zu Fuß in den Westen. Am Vormittag kommen mit Sonderzügen abermals 6500 Flüchtlinge in Bayern an. Weitere Sonderzüge werden erwartet.

Überall im Lande finden an diesem Sonntag erneut Bürgergespräche statt, bei denen sich Partei- und Staatsvertreter den Forderungen der Bevölkerung stellen. In Leipzig spricht sich Kulturminister Hans-Joachim Hoffmann dafür aus, daß das SED-Politbüro und die Regierung geschlossen zurücktreten. In Halle tagt der Zentralvorstand der Gesellschaft für Denkmalpflege im Kulturbund der DDR, um dringende Maßnahmen zur Rettung der verfallsbedrohten historischen Stadtkerne zu beraten. Es werden harte Sanktionen gegen ungerechtfertigte Abrisse verlangt. Durch die Orientierung der letzten Jahre auf den industriellen Wohnungsbau mit vorgefertigten Betonplatten seien landschaftlich unangepaßte Schlafsilos an den Stadträndern entstanden, während die architektonisch wertvollen Innenstadtbereiche verfallen. Dagegen richte sich zunehmender Bürgerprotest, auf den jetzt mit praktischen Vorschlägen reagiert werden müsse.

In der Ostberliner Bekenntniskirche konstituiert sich die »Initiativgruppe zur Gründung einer Grünen Partei«. In den nächsten Wochen sollen an der Basis die erforderlichen Dokumente diskutiert werden, so daß noch vor Jahresende der entscheidende Schritt zur Partei vollzogen werden kann. In einer Erklärung wird festgestellt: »Für eine Erneuerung unserer Gesellschaft hat die Umgestaltung unserer zerstörten Umwelt entscheidende Bedeutung. Aber nicht nur unsere Umwelt ist bereits verseucht, sondern in noch viel größerem Maße unser Bewußtsein, nämlich durch die Utopie, daß ständig wachsender Wohlstand und – als seine Bedingung – permanentes wirtschaftliches Wachstum zum Ziel gesellschaftlicher Entwicklung gemacht werden. Diese Art von Utopie suggeriert uns, der Mensch könne sich willkürlich im Lebenssystem Erde bewegen.«

Im Laufe des Tages kommt es in über 20 Städten erneut zu Protestkundgebungen, wobei der Führungsanspruch der SED im Zentrum der Kritik steht.

Montag, 6. November

Die Notaufnahmelager in der Bundesrepublik werden von der neuen Flüchtlingswelle überrollt. Am Wochenende kamen 23 200 DDR-Bürger über die offenen Grenzen der ČSSR in die Bundesrepublik. Die Bundeswehr muß an vielen Orten die Kasernen räumen, damit hier die Übersiedler provisorisch untergebracht werden können. In Hamburg werden einige Freudenhäuser auf der Reeperbahn für die Flüchtlinge geräumt.

Der in der Tagespresse veröffentlichte Entwurf für ein neues Reisegesetz stößt einhellig auf Ablehnung. Was vor einem halben Jahr noch als Sensation empfunden worden wäre, gerät jetzt zum Ärgernis. Jede Reise soll einzeln beantragt werden, jeder Antrag kann abgelehnt werden, und die Bearbeitungszeit dauert drei Wochen. Jeder Bürger darf nur 30 Tage im Jahr verreisen und hat keinen Anspruch »auf den Erwerb von Reisezahlungsmitteln« – im Klartext: Es gibt keine Devisen.

In der Ostberliner Staatsoper feiert die SED-Führung den 72. Jahrestag der »siegreichen Oktoberrevolution«. Es scheint, als hätten die Veränderungen der letzten Wochen gar nicht stattgefunden. Selbst vom Geist der Perestroika ist bei dieser Veranstaltung, die völlig im alten Stil begangen wird, nichts zu spüren.

In Dresden wird die Entscheidung des Ministerrates bekanntgegeben, das geplante Reinstsiliziumwerk in Dresden-Gittersee nun doch nicht zu bauen. Wegen der befürchteten Negativfolgen für die Umwelt hatten Bürgerinitiativen das Projekt seit Monaten bekämpft. Erstmals werden an diesem Tag in Presse und Rundfunk auch Umweltdaten veröffentlicht, die die hohe Luftbelastung der industriellen Ballungsräume erkennen lassen. Das DDR-Fernsehen zeigt die aufsehenerregende Dokumentation »Ist Leipzig noch zu retten?« – Tatsachen über den fortschreitenden Verfall der einst blühenden Messestadt, die jahrelang verschwiegen wurden und nun ein Millionenpublikum betroffen machen.

Am Abend erlebt das Land die bis dahin größte Demonstrationswelle. Die Genehmigung der Protestkundgebung zwei Tage zuvor in Berlin und ihre Übertragung durch das Fernsehen haben vielerorts Mut gemacht und neue Kräfte mobilisiert. Hinzu kommt die aktuelle Empörung über das geplante Reisegesetz. In über 70 Städten gehen Hunderttausende auf die Straßen.

Zur traditionellen Montagsdemonstration in Leipzig kommen trotz Regen über 200 000 Menschen. Die Stimmung ist aggressiver als bis-

her. Die Unfähigkeit der Führung, spürbare Veränderungen durchzusetzen, hat die Situation verschärft. »Wir brauchen keine Gesetze – die
Mauer muß weg!« ruft die Menge. »Die Zeichen stehen auf Sturm«, ist
auf einem Transparent zu lesen. Die »Internationale« wird nicht mehr
gesungen, der amtierende Bürgermeister kommt kaum, der neue
1. SED-Bezirkschef überhaupt nicht mehr zu Wort. Hunderttausende
skandieren auch hier: »Zu spät, zu spät«.

In Dresden demonstrieren etwa 100000, unter ihnen auch SED-
Bezirkschef Hans Modrow und Oberbürgermeister Wolfgang Berghofer. In Halle strömen 60000 Menschen auf den Marktplatz. Vor der
SED-Bezirksleitung fordern sie den Rücktritt von Bezirkschef Hans-
Joachim Böhme, der auch dem Politbüro angehört. In Karl-Marx-Stadt
stellt sich Oberbürgermeister Eberhard Langner während einer Kundgebung mit über 50000 Teilnehmern der öffentlichen Diskussion und
versichert, daß er bereits Vertreter des Neuen Forum in die kommunal-
politische Arbeit einbezogen habe. Auch der SED-Bezirkschef, Politbüro-Mitglied Siegfried Lorenz, ergreift das Wort und bekennt: »Der
Aufbruch in der DDR ist den Kundgebungen zu danken.« Noch kurz
zuvor hatte Egon Krenz behauptet, die Wende sei von der SED ausgegangen.

Dienstag, 7. November

Die DDR-Regierung gibt ihren Rücktritt bekannt. Sie wendet sich in
einem letzten Appell an die Bevölkerung, »in dieser ernsten Situation
alle Kraft dafür einzusetzen, daß alle für das Volk, die Gesellschaft und
die Wirtschaft lebensnotwendigen Funktionen aufrecht erhalten werden«. Sie appelliert an die Ausreisewilligen, im Land zu bleiben und
sich ihren Schritt nochmals zu überlegen. Bis zur Formierung eines
neuen Kabinetts bleiben die Minister kommissarisch im Amt. Ihre
letzte Entscheidung: Der Wehrkundeunterricht in den Schulen wird
abgeschafft.

Der Verfassungs- und Rechtsausschuß der Volkskammer fordert die
unverzügliche Einberufung des Parlaments zur Beratung über die Lage
im Land. Er tadelt die Verschleppungspolitik von Parlamentspräsident
Horst Sindermann (SED). Der vorgelegte Reisegesetzentwurf wird
abgelehnt. Das Neue Forum fordert in einer Presseerklärung einen Rei-
sepaß für jeden Bürger sowie ein generelles Ausreisevisum nach allen
Staaten der Welt, das alle zwei bis drei Jahre erneuert wird. Weiterhin

sprechen sie sich gegen eine Befristung der Reisedauer und willkürlich auslegbare Einschränkungen aus. Das Ausreisevisum sollte dazu
berechtigen, jeden Tag die Grenze zu überschreiten.

Die Flüchtlingswelle hält weiterhin an. Stündlich melden sich 300
Übersiedler allein am Grenzübergang Schirnding an der bayerisch-
tschechischen Grenze. Sie werden schnell über ganz Bayern verteilt. In
Hof hat man 200 Betten in die Freiheitshalle gestellt. Nach wenigen
Stunden wird klar, daß das nicht reicht. Weitere 1000 Betten werden
herbeigeschafft.

Die National-Demokratische Partei wählt nach zum Teil kontroverser Debatte Günter Hartmann zum neuen Vorsitzenden. Die Liberal-
demokraten (LDPD), die selbst den Umbruch mit befördert haben und
daher ohne Führungswechsel auskommen, fordern einen Kassensturz
in der Volkswirtschaft und vom künftigen Kabinett eine grundlegende
Wirtschaftsreform.

Am Nachmittag tagt erstmals die zeitweilige Untersuchungskommission der Berliner Stadtverordnetenversammlung zur Aufklärung
der Übergriffe am 7. und 8. Oktober durch die »Schutz- und Sicherheitsorgane«. Es kommt zu einer mehrstündigen Debatte über Verfah-
rensfragen, insbesondere über die Einbeziehung unabhängiger Mitglieder. Einigen kann man sich vorerst nur auf die Schaffung eines
Kontaktbüros im Roten Rathaus, wo betroffene Bürger Anzeige erstatten können.

Im Gebäude des SED-Zentralkomitees in Ostberlin tagt wie an
jedem Dienstag das Politbüro. Die Parteibasis fordert den Rücktritt
der obersten Führung. Vor dem ZK-Gebäude warten 5000 Menschen.
Dann wird bekannt, daß das Politbüro beschlossen hat, am nächsten
Tag dem Zentralkomitee seinen Rücktritt anzubieten. Die meisten Mitglieder wollen sich aber einer Wiederwahl stellen.

Vor dem benachbarten Staatsratsgebäude und der nahegelegenen
Volkskammer demonstrieren Tausende Berliner für freie Wahlen. Sie
skandieren immer wieder: »Alle Macht dem Volke und nicht der SED«.
Ähnliche Losungen sind am Abend bei Demonstrationen in Wismar
(50000), Nordhausen (30000), Meiningen (20000), Erfurt (10000)
und 30 weiteren Städten zu hören.

Mittwoch, 8. November

Das SED-Politbüro tritt – erstmals in seiner Geschichte – geschlossen zurück. Danach wird Egon Krenz vom Zentralkomitee einstimmig zum Generalsekretär wiedergewählt.

In seiner anschließenden Rede versucht er, mit der Vergangenheit abzurechnen. Erstmals kritisiert er auch seinen politischen Ziehvater Erich Honecker. »Es gab Anzeichen politischer Arroganz. Entscheidungen, die kollektive, besonnene Beratung erfordert hätten, entstanden aus spontaner, oftmals aus persönlicher Verärgerung. Der Blick für das Leben war verlorengegangen.« Die Initiative zur Ablösung von Erich Honecker sei von ihm auf der vorangegangenen ZK-Tagung ausgegangen, berichtet Krenz.

Vor dem ZK-Gebäude in Ostberlin versammeln sich auf Initiative von Genossen der Akademie der Wissenschaften etwa 15 000 Mitglieder der Parteibasis, um mit der alten Führung abzurechnen und die Einberufung eines außerordentlichen Parteitages zu fordern. ZK-Sekretär Günter Schabowski informiert als neuer Verantwortlicher für Medienpolitik am Mittag die Wartenden über die erfolgte Neuwahl des obersten Führungsgremiums, in dem nach einem langen Abstimmungsprocedere die Politbüro-Mitglieder Axen, Hager, Krolikowski, Mielke, Mückenberger, Neumann, Stoph, Sindermann und Tisch nicht mehr vertreten seien. Dies bedeutet aber, daß neben neun neuen Mitgliedern, darunter Hans Modrow, der für das Amt des Ministerpräsidenten vorgeschlagen wurde, auch acht alte Mitglieder Funktionen bekleiden, was entsprechende Empörung auslöst. Schabowski erklärt daraufhin: »Wir sind erst am Anfang des Prozesses der Erneuerung.«

Im Innenministerium der DDR erhält zur gleichen Zeit die Bürgerrechtlerin und Mitbegründerin des Neuen Forum Bärbel Bohley die Bestätigung, daß ihre Gruppierung als politische Kraft offiziell anerkannt wird. Korrigiert wird damit die frühere Entscheidung, für oppositionelle Gruppen bestünde in der DDR keine gesellschaftliche Notwendigkeit. Per Fernschreiben Nr. 52 werden alle Bezirke von der revidierten Entscheidung in Kenntnis gesetzt.

Weiterhin verlassen Tausende DDR-Bürger täglich über die ČSSR das Land. Die Massenflucht stellt die westdeutschen Behörden vor kaum lösbare Probleme, nicht nur logistischer Art. An den Grenzübergängen zur DDR taucht erstmals ein neues Phänomen auf: DDR-Bürger wollen wieder zurückreisen. Sie waren nach den neuen Regelungen unkompliziert ausgereist, wollten aber gar nicht für immer in der Bundesrepublik bleiben, sondern sich nur ein eigenes Bild vom Westen machen. Es wird immer offensichtlicher, daß sich das Problem der Ausreise nicht lösen läßt, ohne auch eine Regelung für Besuchsreisen zu treffen.

Inzwischen hat die Ausreisewelle erhebliche Lücken in der Wirtschaft gerissen, die jetzt durch Soldaten sowie Mitarbeiter des Sicherheitsapparates gestopft werden sollen. Die Armee stellt 600 Fahrer für die Versorgung ab, gelernte Lokomotivführer, Fahrdienstleiter und Rangierer werden aus dem Wehrdienst zu zivilen Aufgaben im Verkehrswesen abbeordert. Auch das Ministerium für Staatssicherheit gibt bekannt, daß es 385 Mitarbeiter an die Wirtschaft abgegeben hat.

Am Abend verliest die Schriftstellerin Christa Wolf im Namen zahlreicher Künstler und Vertreter oppositioneller Gruppen im DDR-Fernsehen einen dramatischen Aufruf an alle Ausreisewilligen, ihre Entscheidung zu überdenken und im Lande zu bleiben: »Was können wir Ihnen versprechen? Kein leichtes, aber ein nützliches Leben. Keinen schnellen Wohlstand, aber Mitwirkung an großen Veränderungen. Wir wollen einstehen für Demokratisierung, freie Wahlen, Rechtssicherheit und Freizügigkeit. Unübersehbar ist: Jahrzehntealte Verkrustungen sind in Wochen aufgebrochen worden. Wir stehen erst am Anfang des grundlegenden Wandels in unserem Land. Helfen Sie uns, eine wahrhaft demokratische Gesellschaft zu gestalten, die die Vision eines demokratischen Sozialismus bewahrt. Kein Traum, wenn Sie mit uns verhindern, daß er wieder im Keim erstickt wird. Wir brauchen Sie. Fassen Sie zu sich und zu uns, die wir hierbleiben wollen, Vertrauen.«

Die Forderung nach Reisefreiheit ist bestimmendes Thema bei den abendlichen Protestkundgebungen in über 20 Städten des Landes.

Donnerstag, 9. November

Das SED-Zentralkomitee setzt seine Plenartagung fort. Doch nur 24 Stunden nach ihrer Wiederwahl ins Politbüro setzt die Bezirksbasis die 1. Sekretäre Hans-Joachim Böhme in Halle, Werner Walde in Cottbus und Johannes Chemnitzer in Neubrandenburg wieder ab. Auch die langjährige Frauenbeauftragte des SED-Politbüros, Inge Lange, muß von ihrem Posten zurücktreten. Es herrscht allgemeine Konfusion. Das neu formierte Politbüro einigt sich in einer Mittagspause darauf, mit einem Beschluß des Ministerrates kurzfristig eine neue Regelung für

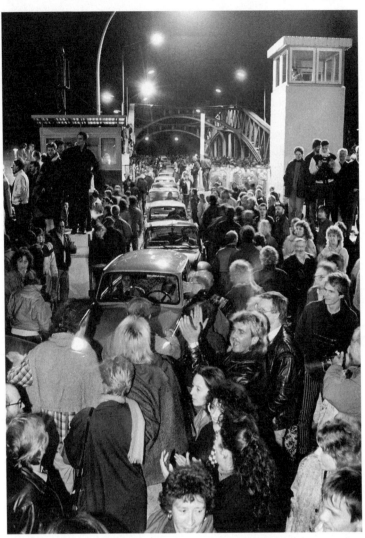

Überraschende Öffnung der Grenzen in der Nacht vom 9. zum 10. November.
Jubel auf der Bornholmer Brücke zwischen Ost- und Westberlin.

Westreisen in Kraft setzen zu lassen, um den anhaltenden Ausreisestrom über die ČSSR künftig über die eigenen Grenzübergangsstellen abzuwickeln. Die entsprechenden Modalitäten, wonach jeder DDR-Bürger zunächst bei der Polizei einen Paß beantragen muß, sollen am nächsten Tag von der Regierung bekanntgegeben werden.

Am Abend informiert Politbüro-Mitglied Günter Schabowski über die Ergebnisse des ZK-Plenums. Kurz vor Ende der Pressekonferenz, exakt um 18.53 Uhr, wird er von einem italienischen Journalisten zum fehlerhaften Reisegesetzentwurf vom 6. November befragt. Daraufhin verkündet Schabowski, daß heute eine neue Entscheidung zur Regelung der ständigen Ausreise getroffen worden sei. Er verliest dann die eigentlich für den nächsten Tag bestimmte Pressemitteilung, wonach künftig auch private Besuchsreisen ohne besondere Voraussetzungen beantragt werden können. Auf die Nachfrage »Wann tritt das in Kraft?« antwortet Schabowski: »Nach meiner Kenntnis ist das sofort, unverzüglich.«

Wenig später verkünden die Nachrichtenagenturen AP und dpa, die DDR habe ihre Grenzen geöffnet. Die Meldung wird zum Aufmacher der Hauptnachrichtensendungen am Abend. Tausende Ostberliner strömen daraufhin zu den Grenzübergängen, um sich von dem Unglaublichen vor Ort zu überzeugen. Doch dort ist alles verschlossen, denn die Offiziere haben bisher keinerlei Weisungen zur Öffnung erhalten. Es spielen sich tumultartige Szenen ab. Tausende drängen von hinten nach, vorn am Schlagbaum wird es immer bedrohlicher. Keiner weiß genau, ob es sich nun um ein Gerücht, einen Versprecher oder tatsächlich um eine gültige Entscheidung handelt. Auch die Grenzsoldaten sind nicht aussagefähig und völlig überfordert. Eine halbe Stunde vor Mitternacht entschließen sich einzelne Grenzkommandanten, die Tore einfach zu öffnen. Die Meldung an die Zentrale lautet: »Wir fluten jetzt.«

Ein Team des DDR-Fernsehens, das zufällig Zeuge der Ereignisse wird, fragt in der Zentrale nach. Dort wird ihnen kategorisch untersagt, die historischen Aufnahmen zu machen. Drehverbot. Auch für die regierungsamtliche Nachrichtenagentur ADN findet das Ereignis schlicht nicht statt.

Der Bundeskanzler wird in Warschau von der Nachricht überrascht. Helmut Kohl äußert sich zunächst sehr zurückhaltend und will es nicht so recht glauben. Der Bundestag beendet um 21.10 Uhr seine Sitzung und stimmt angesichts der Meldungen die Nationalhymne an.

Freitag, 10. November

Lange Schlangen stauen sich vor den Grenzübergängen zur Bundesrepublik und nach Westberlin. Die Soldaten stellen angesichts des
Ansturms und der unklaren Regelungen vielerorts die Kontrollen ein.
Jeder kann ungehindert hinüber und wieder zurück. Keiner kann es so
recht glauben, alles scheint unwirklich. Sektkorken knallen, es wird
gesungen und getanzt, der Ku'damm in Westberlin ist voller Trabis
und Wartburgs. In vielen Ostberliner Betrieben wird nur mit halber
Kraft gearbeitet. Ganze Belegschaften fahren einfach geschlossen in
den Westen. Der Druck ist zu groß, als daß jemand ernstlich dagegen
vorgehen wollte. Einen besonderen Anziehungspunkt bildet in Berlin
die drei Meter dicke Mauer vor dem symbolträchtigen Brandenburger
Tor. Hunderte Menschen sind hinaufgeklettert und tanzen dort, unbeeindruckt von Räumversuchen durch Wasserwerfer.

Unterdessen wird in der Führung der Nationalen Volksarmeee erwo-
gen, die Grenze wieder militärisch gewaltsam zu sichern, wofür mehrere Einheiten in erhöhte Gefechtsbereitschaft versetzt werden. Doch
angesichts des nicht mehr aufzuhaltenden Massenstromes der Menschen von Ost nach West und der fehlenden Unterstützung durch die
sowjetischen Truppen in der DDR läßt man am Abend von dieser Vari-
ante wieder ab.

Vor den Banken und Sparkassen in den grenznahen Städten der Bundesrepublik bilden sich lange Warteschlangen. Gegen Vorlage des Personalausweises oder Reisepasses bekommt jeder DDR-Bürger einma-
lig ein »Begrüßungsgeld« von 100 DM.

Die katholischen Bischöfe der DDR reagieren mit einem Aufruf an
alle Christen: »Unbeschadet des Rechts auf Freizügigkeit bitten wir
dennoch jeden einzelnen zu prüfen, welche Pflicht er gegenüber dem
Nächsten durch die entstandene Lage hat. Wer sich mit der Absicht
trägt, das Land zu verlassen, möge sich vor Gott und seinem Gewissen prüfen, ob sein Schritt gerechtfertigt ist. Und wer dieses Land verlassen hat, soll sich ernstlich fragen, ob er nicht zurückkehren will
angesichts sich verändernder politischer Verhältnisse und ob er nicht
seinen Beitrag zu der notwendigen Veränderung leisten will.«

Unterdessen geht der politische Alltag weiter. Der Hauptvorstand
der CDU wählt den Rechtsanwalt Lothar de Maizière zum neuen Vorsitzenden. Der 49jährige ist als Anwalt von Wehrdienstverweigerern
und als Vizepräses der Evangelischen Kirche hervorgetreten. Er stellt
in seiner Person die Verbindung zwischen Christlich-Demokratischer

Union und Kirche wieder her, die lange Zeit durchaus getrübt war. Zunächst war Lothar de Maizière lange Jahre als Musiker tätig, ehe eine Nervenerkrankung des Armes die weitere Berufsausübung beendete. De Maizière studierte dann Jura, übernahm die Kanzlei des Vaters und wurde 1987 stellvertretender Vorsitzender des Berliner Kollegiums der Rechtsanwälte, dem damals Gregor Gysi vorstand. Ein Onkel von ihm war Generalinspekteur der Bundeswehr, ein anderer Verwandter ist Pressesprecher des Westberliner CDU-Vorsitzenden Eberhard Diepgen.

Generalstaatsanwalt Günter Wendland schlägt der Volkskammer die Einsetzung eines zeitweiligen parlamentarischen Ausschusses zur Untersuchung von Korruption und Amtsmißbrauch vor. »Die Generalstaatsanwaltschaft erhält in wachsendem Maße Eingaben, mit denen Bürger und Kollektive gegen Funktionäre aller Ebenen schwerwiegende Vorwürfe des Funktionsmißbrauchs und der Korruption erheben. Es werden namentlich genannten Personen neben Privilegien persönliche Bereicherung, ungerechtfertigte Vorteilsgewährung oder Vergeudung von Volksvermögen angelastet.«

Die gerade erst gewählte FDGB-Chefin Annelis Kimmel gibt bekannt, daß der Bundesvorstand der Gewerkschaften am 29. November geschlossen zurücktreten wird, um einen neuen Anfang zu ermöglichen.

An der Berliner Humboldt-Universität endet die Auszählung der Urabstimmung zur Schaffung eines unabhängigen Studentenrates mit einer klaren Niederlage der FDJ, der »Kampfreserve der Partei«. Tags darauf konstituiert sich ein unabhängiger Studentenrat, für den sich 85 Prozent der Befragten aussprachen.

Nach dreitägiger Beratung geht die 10. Tagung des SED-Zentralkomitees konfus zu Ende. Von den Ereignissen draußen weitgehend unbeeindruckt, hat man Kaderfragen und Wirtschaftsprobleme erörtert, wobei es zu gegenseitigen Schuldzuweisungen über die Misere im Land kommt. Die ehemaligen ZK-Sekretäre Günter Mittag (Wirtschaft) und Joachim Herrmann (Medien) werden aus dem ZK ausgeschlossen. Ein Aktionsprogramm für Reformen, das unter anderem freie Wahlen, die Entflechtung von Partei und Staat, die Zulassung neuer politischer Vereinigungen und eine an Marktbedingungen orientierte Planwirtschaft vorsieht, wird nur ansatzweise diskutiert. Für den 15. bis 17. Dezember wird eine Parteikonferenz einberufen.

Im Anschluß findet im Berliner Lustgarten eine Großkundgebung mit 150 000 Teilnehmern statt, auf der von der SED-Basis statt der Parteikonferenz ein außerordentlicher Parteitag gefordert wird, auf dem ein neues Zentralkomitee gewählt und eine grundlegende Erneuerung eingeleitet werden soll.

In Westberlin findet zur gleichen Zeit eine Kundgebung vor dem Rathaus Schöneberg statt. Bundeskanzler Helmut Kohl bereut es schon nach kurzer Zeit, seinen Staatsbesuch in Polen extra für dieses Ereignis unterbrochen zu haben: Während Bürgermeister Walter Momper (SPD) von den Berlinern Ovationen erhält, wird Kohl während seiner gesamten Rede von den anwesenden 20000 Menschen aus West und Ost ausgebuht und ausgepfiffen. Das peinliche Ende ist das gemeinsame Absingen des Deutschlandliedes, falsch intoniert von den Herren auf dem Podium und begleitet von dem Gejohle der Zuhörer.

Sonnabend, 11. November

In zwei Tagen wurden an den Grenzübergängen und bei den Dienststellen der Volkspolizei mehr als vier Millionen Visa ausgestellt. Es bilden sich Autoschlangen bis zu hundert Kilometer Länge. »Radio DDR« meldet die »zweihundertprozentige Auslastung« der Züge in Richtung Hannover, und der Verkehrsfunk in Westberlin konstatiert resignierend: »Stehender Fußgängerverkehr auf dem Tauentzien«. Niemand zählt mehr die Einreisenden in die Zweimillionenstadt, es können 500000, es können aber auch eine Million sein. In der Innenstadt ist der Autoverkehr zusammengebrochen, ebenso mehrere U-Bahnlinien. Überall Menschenschlangen, die vor den Sparkassen auf ihr Begrüßungsgeld von 100 DM warten. Fast 70 Millionen DM sind bislang an Begrüßungsgeld ausgezahlt worden. Die Bankangestellten arbeiten rund um die Uhr.

Bundeskanzler Kohl begrüßt in einem Telefonat mit Egon Krenz die neuen Regelungen im Reiseverkehr, die Krenz als Ausdruck der Politik der Erneuerung darstellt. Es sollen alsbald Schritte einer praktischen Zusammenarbeit erörtert werden. Eine Vereinigung beider deutscher Staaten stehe für Krenz aber nicht auf der Tagesordnung.

Die Demonstrationszüge sind an diesem Wochenende weniger stark gefüllt als in den Wochen zuvor. Zehntausende nutzen die Möglichkeit zu einer ersten Erkundungsfahrt in den Westen. Ungeachtet dessen kommt es zu Protestkundgebungen in über 20 Städten, darunter in Plauen (15000), Annaberg (10000), Arnstadt (8000), Fürstenwalde (8000), Schwerin, Lübben und Wittenberge (jeweils 2000).

Für einige DDR-Bürger ist eine Welt zusammengebrochen. Wie an diesem Tag bekannt wird, ist der 1. Kreissekretär der SED in Perleberg (Bezirk Schwerin) »infolge großen seelischen Drucks durch die gegenwärtigen politischen Ereignisse freiwillig aus dem Leben« geschieden. Es ist der dritte Selbstmord eines SED-Kreissekretärs innerhalb von zwei Wochen.

Sonntag, 12. November

Am Morgen wird auf dem Potsdamer Platz in Berlin ein neuer Grenzübergang eröffnet. Es ist der fünfte seit dem Mauerfall. Die Bürgermeister Erhard Krack (Ost) und Walter Momper (West) weihen den Übergang gemeinsam ein. Die Polizeidienststellen beider Stadthälften sind seit Jahrzehnten erstmals wieder über eine Sonderleitung direkt miteinander verbunden.

Die Berliner Initiativgruppe des Neuen Forum verbreitet ein Flugblatt zur Maueröffnung. Darin heißt es: »Bürgerinnen und Bürger der DDR! Eure spontanen furchtlosen Willensbekundungen im ganzen Land haben eine friedliche Revolution in Gang gesetzt, haben das Politbüro gestürzt und die Mauer durchbrochen. Laßt Euch nicht von der Forderung nach einem politischen Neuaufbau der Gesellschaft ablenken! (...) Wir werden für längere Zeit arm bleiben, aber wir wollen keine Gesellschaft haben, in der Schieber und Ellenbogentypen den Rahm abschöpfen. Ihr seid die Helden einer politischen Revolution, laßt Euch jetzt nicht ruhigstellen durch Reisen und schuldenerhöhende Konsumspritzen. Fordert die Erfüllung der politischen Reformen.«

Für viele gibt es an diesem Tag aber andere Entscheidungen zu treffen. Was soll man zuerst vom Begrüßungsgeld kaufen? Südfrüchte? Süßwaren? Kosmetik? Doch lieber noch warten? Der westdeutsche Einzelhandel hat sich schnell auf die neue Lage eingestellt: Das Ladenschlußgesetz wird außer Kraft gesetzt.

Während Berlin vom Taumel erfaßt ist, das erste große gemeinsame Familienwochenende begangen wird und in der Westberliner Deutschlandhalle ein elfstündiges Rockkonzert mit namhaften Gruppen aus Ost und West über die Bühne geht, stellen sich in Leipzig und Dresden ganz andere Probleme. Mit dem Aufruf »Bewahren wir Dresden!« wenden sich Prominente an die Einwohner der Stadt. Darin heißt es: »Jeder, der uns den Rücken kehrt, hinterläßt schmerzhafte Lücken. Es wird immer schwerer, sie zu schließen. Die normalen Lebensprozesse in der Stadt geraten zunehmend in Gefahr. Damit sinken auch die realen Möglichkeiten, unser Dresden zum Besseren umzugestalten.«

Bezirksgerichtsdirektor Stranovsky teilt mit, daß sich im Bezirk Dresden kein Teilnehmer an Demonstrationen der letzten Wochen mehr in Haft befindet. Zu spät sei erkannt worden, daß das Leben bestehende Gesetze längst in Frage gestellt habe, meinte er. Dieser Auffassung ist auch die Dresdner Gruppe des Neuen Forum, die ankündigt, sich als politisch unabhängige Vereinigung nach ihrer Zulassung mit eigenen Kandidaten zur Wahl stellen zu wollen.

Montag, 13. November

In einer spannenden Wahl, erstmals auch mit Stichwahl, entscheiden die Volkskammerabgeordneten über den neuen Parlamentspräsidenten. Die Nachfolge von Horst Sindermann (SED), der am Morgen zurückgetreten war, übernimmt der Vorsitzende der Demokratischen Bauernpartei (DBD) Günther Maleuda, der knapp vor dem LDPD-Vorsitzenden Manfred Gerlach in der Stichwahl gewinnt. Mit Maleuda (58) übernimmt ein kaum bekannter Politiker dieses wichtige Amt. Der Landwirt aus Altbeelitz, zugleich Doktor der Agrarwissenschaften, steht der Demokratischen Bauernpartei erst seit März 1987 vor. Abgeordneter ist er seit 1981.

In der sich anschließenden Aussprache übernimmt die scheidende Regierung unter Premier Willi Stoph die Verantwortung für die Krise im Land. Erschreckt nehmen die Abgeordneten die Mitteilung des scheidenden Finanzministers zur Kenntnis, daß die Inlandsverschuldung 130 Milliarden Mark beträgt. Die Auslandsverschuldung erfahren sie auch an diesem Tag nicht, sie unterliegt, wie Planungschef Gerhard Schürer bestätigt, nach wie vor der strikten Geheimhaltung.

Hans Modrow wird bei nur einer Gegenstimme mit der Bildung der neuen Regierung beauftragt. Der Dresdner SED-Parteichef galt bereits seit längerem als eine Art »Hoffnungsträger« innerhalb der Partei. 1928 in Ueckermünde als Arbeitersohn geboren, war er von 1953 bis 1961 Berliner FDJ-Sekretär und amtierte die nächsten sieben Jahre als SED-Kreissekretär in Berlin-Köpenick. 1967 wurde er ZK-Mitglied und später Sekretär für Agitation und Propaganda in der SED-Bezirksleitung Berlin. 1973 ging er als 1. Bezirkssekretär nach Dresden. Hier stockte seine Karriere, und es entstand der Eindruck, daß man den reformfreudigen und selbstbewußt Auftretenden, dem jeder

Sinn für äußerliche Machtattribute abging, bewußt vom Zentrum der Macht in Berlin fernhielt. Noch im Frühjahr 1989 wurde er von ZK-Sekretär Günter Mittag wegen »schlechter Parteiarbeit« öffentlich gerüffelt.

Einen besonders schweren Stand hat bei der Befragung im Parlament der ehemalige Minister für Staatssicherheit, Erich Mielke. Er nimmt mit sichtbarer Verwunderung die zahlreichen Unmutsäußerungen auf seine verharmlosende Darstellung der Staatssicherheit zur Kenntnis und ruft schließlich verwirrt aus: »Aber ich liebe euch doch, ich liebe doch alle Menschen!«

Das Ministerium für Nationale Verteidigung hebt mit sofortiger Wirkung alle Sperrgebiete entlang der innerdeutschen Grenze auf. Freien Zutritt soll es nun auch zu den Sperrzonen entlang der Berliner Mauer geben. Die Seegewässer der DDR werden entlang der Küste vollständig für den Sportverkehr zugelassen.

Das SED-Zentralkomitee beugt sich dem Druck der Basis und beschließt die Umwandlung der geplanten Parteikonferenz in einen außerordentlichen Parteitag, der vom 15. bis 17. Dezember stattfinden und dann auch die entscheidenden Personalfragen behandeln soll.

Am Abend wird wieder in allen Teilen der Republik demonstriert, in über 50 Städten kommt es zu machtvollen Protestaktionen. Durch die Messestadt ziehen fast 200 000 Menschen. Vier junge Leipziger tragen einen Sarg mit der Aufschrift »Machtanspruch der SED«. Auf Transparenten ist zu lesen: »Die Mauer hat ein Loch, aber weg muß sie doch!« Auch neue Töne sind zu hören: »Deutschland einig Vaterland« ist in schwarzrotgoldener Schrift auf ein weißes Transparent gemalt, und es dauert auch nicht lange, bis ein Sprechchor daraus wird. Doch nur wenige fallen ein, noch gibt es überwiegend Pfiffe. An einem Baum klebt ein handgeschriebener Zettel, auf dem jemand notiert hat: »Die Berliner haben's gut – die haben erreicht, was sie wollten. Aber unser Leipzig ist immer noch kaputt!«

In Dresden (100 000), Karl-Marx-Stadt (50 000), Wismar (20 000), Neuruppin (12 000), Schwerin (10 000), Cottbus (10 000), Magdeburg (10 000), Bautzen (10 000), Heiligenstadt (9 000), Halle (8 000), Sonneberg (7 000), Apolda (5 000), Pößneck (4 000), Neubrandenburg (3 000) und Zwickau (300) verlangen die Demonstranten dauerhaft verbriefte Reisefreiheiten, »Westgeld für mündige Bürger«, einen Volksentscheid über Artikel 1 der Verfassung (Führungsanspruch der SED) und baldige freie Wahlen.

Gegen den Führungsanspruch der SED richten sich immer mehr Proteste auf der Leipziger Montagsdemonstration.

Dienstag, 14. November

»Spassibo, Gospodin Gorbatschow« (Danke, Herr Gorbatschow) steht in kyrillischen Lettern groß auf einer Anzeige in der »Frankfurter Allgemeinen Zeitung«. Ein Münchner Unternehmer hat 37000 DM gezahlt, um so seine Dankbarkeit für die Gewährung der eigenständigen Entwicklung der DDR durch die sowjetische Führung zum Ausdruck zu bringen.

Vor einem Ausverkauf der DDR warnt der bundesdeutsche IG-Metall-Chef Franz Steinkühler. Er sehe diese Gefahr gleich auf zweifache Weise. Zum einen könnte die DDR »alles, was nicht niet- und nagelfest ist«, im Westen verkaufen, um zu Devisen zu kommen, noch schlimmer sei jedoch, wenn sich Verleihfirmen darauf spezialisierten, DDR-Arbeitskräfte an bundesdeutsche Firmen zu vermitteln.

Die jüngsten Veränderungen in der DDR bezeichnet Dresdens Oberbürgermeister Wolfgang Berghofer gegenüber der Wochenzeitung »Sonntag« als eine einmalige historische Chance für die Demokratie in Europa überhaupt. »Ja, es ist für mich eine revolutionäre Volksbewegung, denn sie verändert Qualitäten. Das hat es doch auch noch nicht gegeben, daß sich Politiker auf die Bühne stellen und mit Hunderttausenden reden und nicht Reden halten. Das spricht doch dafür, daß eine ungeheure politische Kultur vorhanden ist.«

Die bisher als Pflichtfach gelehrte marxistisch-leninistische Theorie soll an den Universitäten künftig nicht länger ein Instrument der herrschenden Partei sein, sondern zur Grundlage einer breiten Gesellschaftsdiskussion werden. Dies fordern 46 Hochschulen und Universitäten in einem Offenen Brief an die Regierung.

Am Abend wird erneut in 30 vor allem kleineren und mittleren Städten demonstriert. Die Teilnehmerzahlen liegen zwischen 10000 in Weimar, 7500 in Nordhausen und 1500 in Wittenberg.

Mittwoch, 15. November

Die Bundesregierung erhöht die Mittel zur Auszahlung des Begrüßungsgeldes für DDR-Besucher auf 779 Millionen DM. Sie tritt damit dem Gerücht entgegen, es würde nicht für alle reichen.

Der Sprecher des Neuen Forum Magdeburg, Hans-Jochen Tzschiche, fordert ein Wahlgesetz, das vorher mit dem Volk diskutiert werden soll. »Als zweiter Schritt wären Kommunalwahlen im Sommer

80

oder Herbst nächsten Jahres notwendig und erst 1991 Volkskammerwahlen. Dem muß die Offenlegung des wirtschaftlichen und gesellschaftlichen Zustandes vorausgehen.«

Vor dem Ostberliner Untersuchungsausschuß über die Hintergründe der staatlichen Übergriffe bei Demonstrationen am 7. und 8. Oktober berichtet die Schriftstellerin Christa Wolf, die damalige Führung um Honecker habe die Proteste um den 40. Jahrestag der DDR als eine Konterrevolution mißdeutet, die »mit allen Mitteln« niederzuschlagen gewesen wäre.

Diese Fehleinschätzung ist das Ergebnis eines vom Volk isolierten Lebens, das vorrangig in der von der Außenwelt abgeschirmten Waldsiedlung in Wandlitz, nördlich von Berlin, und in ausgedehnten privaten Jagdrevieren stattfand, die an diesem Tag auf Beschluß des Landwirtschaftsministeriums aufgelöst werden.

Die Selbstherrlichkeit der ehemaligen Führung wird noch durch eine andere Tatsache offenkundig. »Neues Deutschland« berichtet, daß Erich Honecker persönlich den weiteren Vertrieb der sowjetischen Monatszeitschrift »Sputnik« verboten habe, da ihm mehrere Artikel in der Oktoberausgabe des Vorjahres mißfallen hätten. Die Interessen der Abonnenten und Leser standen nicht zur Diskussion. Selbst der Postminister, von dessen Pressestelle die Meldung angeblich ausgegangen sei, soll davon erst aus der Zeitung erfahren haben.

Siegfried Wittenbeck, Staatssekretär im Justizministerium, kündigt an, daß die Justiz von Staat und Partei künftig unabhängig gemacht werden soll. Zu unrecht Verurteilte sollen rehabilitiert werden. Ein neues Gerichtsverfassungsgesetz und ein Richtergesetz seien in Arbeit. Damit solle die Unabängigkeit der Richter gestärkt werden. In der Vergangenheit hätten Partei- und Staatsorgane wiederholt versucht, in schwebende Verfahren einzugreifen. Mit solchen Praktiken müsse rigoros Schluß gemacht werden.

Auf Demonstrationen, die an diesem Abend wieder in über 30 Städten stattfinden, werden die Öffnung weiterer Grenzübergänge, die Aufdeckung von Korruption und Amtsmißbrauch, die Entmachtung der Staatssicherheit und baldige freie Wahlen gefordert.

Donnerstag, 16. November

Beim Durchblättern ihrer Tageszeitungen entdecken die Leser am Morgen eine überraschende Neuerung: Das Fernsehprogramm der westdeutschen Fernsehsender wird erstmals abgedruckt. Noch vor wenigen Wochen wurden diejenigen bestraft, die Programminformationen aus westlichen Zeitungen kopiert und unter Freunden und Bekannten verteilt hatten.

Der anhaltende Reisestrom in die BRD führt zu einem rapiden Verfall des illegalen Umtauschkurses in den Westberliner Wechselstuben. An einzelnen Tagen sackt er auf ein Verhältnis von 1:20, was in der DDR zu Spekulationen über eine mögliche Währungsreform führt. Dem tritt der Präsident der Staatsbank offiziell entgegen und versichert, daß der Staat auch künftig die Sicherheit der Bevölkerungsguthaben gewährleiste.

Im Bundestag bekennen sich alle Parteien zur Nichteinmischung in die ostdeutschen Reformprozesse. Die Bundesregierung hält an einer Wiedervereinigung fest, will sie aber den Menschen in der DDR nicht aufzwingen. Jede freie Entscheidung – wie immer sie auch ausfällt – soll akzeptiert werden.

Die Liberal-Demokratische Partei will auf der bevorstehenden Tagung der Volkskammer den Paragraphen 1 der Verfassung streichen lassen und damit »die Beseitigung des festgeschriebenen Führungsanspruches einer Klasse oder Partei im Staat« beantragen. In einem Positionspapier schlägt die LDPD deutliche Töne an: »Die Bürger haben kein Vertrauen mehr in die politische Führung. ›Das Volk sind wir‹ – mit diesem Sturmruf wendet sich die Bevölkerung unseres Landes gegen unerträgliche Machtarroganz und politische Ignoranz. Das Volk beginnt, seine Souveränität zu verwirklichen. Die Angehörigen aller Klassen und Schichten befinden sich im Aufbruch. Das hat es so in der deutschen Geschichte noch nicht gegeben.«

Die Fraktion der SED gibt bekannt, daß 27 ihrer Abgeordneten, die in den letzten Wochen ihre Parteiämter verloren haben, nun auch ihre Mandate niederlegen. An ihre Stelle sollen Nachfolgekandidaten aufrücken.

Die Akademie der Wissenschaften teilt mit, daß ihre früheren Mitglieder Ernst Bloch und Robert Havemann rehabilitiert und in ihre alten Rechte wiedereingesetzt werden. Der Kommunist Robert Havemann (1910–1982) war 1943 vom Volksgerichtshof zum Tode verurteilt, 1945 aber von der Sowjetarmee befreit worden. Als Chemiker erhielt er 1947 einen Lehrstuhl an der Berliner Humboldt-Universität. Er war Abgeordneter der SED in der Volkskammer, wurde jedoch wegen seiner antistalinistischen Philosophie-Vorlesungen (»Dialektik ohne Dogma«) 1964 aus der SED ausgeschlossen und von der Universität verwiesen. Zwei Jahre später verlor er auch seine Mitgliedschaft in der Akademie der Wissenschaften. 1977 wurde er vorübergehend verhaftet und erhielt anschließend Aufenthaltsbeschränkungen und Kontaktverbot. 1979 erfolgte eine zusätzliche Verschärfung seines Hausarrestes. Man verurteilte ihn wegen angeblicher Verstöße gegen das Zoll- und Devisenrecht zu einer Geldstrafe. Er starb nach schwerer Krankheit 72jährig in Grünheide bei Berlin. Der Philosoph Ernst Bloch (1885–1977) hatte nach seiner Emigration einen Lehrstuhl in Leipzig erhalten, wo sich Anfang der fünfziger Jahre ein Zentrum der theoretischen Diskussion entwickelte. Die Akademie der Wissenschaften berief ihn zum Vorsitzenden ihrer Sektion Philosophie. Die von ihm organisierte Konferenz mit dem Titel »Das Problem der Freiheit im Lichte des wissenschaftlichen Sozialismus« sowie weitere Reden im Herbst 1956 wurden zum Anlaß genommen, ihn als revisionistisch zu attackieren und ihm alle weiteren öffentlichen Auftritte zu verbieten. 1957 verlor er seinen Lehrstuhl. 1961 übersiedelte er in die BRD.

Mit der Zunahme der deutsch-deutschen Kontakte ergeben sich auch gravierende neue Probleme. Es ist inzwischen fast aussichtslos, mit der anderen Seite telefonieren zu wollen. Wie Post-Hauptdirektor Willi Gülzow informiert, sind die Leitungen nach Westberlin und in die Bundesrepublik total überlastet. Der Bedarf sei in den letzten Tagen um ein Mehrfaches angestiegen. Jetzt räche sich, daß dieser Bereich über Jahrzehnte vernachlässigt worden sei.

In 20 Städten wird am Abend demonstriert. 15000 Menschen ziehen in Rostock zur Bezirksverwaltung der Stasi und fordern deren Abschaffung, jeweils 10000 verlangen in Erfurt und Gera die Brechung des Machtmonopols der SED.

Freitag, 17. November

Die Volkskammer tritt zu ihrer 12. Tagung zusammen. Mit Interesse wird die Regierungserklärung des neuen Premiers Hans Modrow verfolgt. »Die Wirtschaft der DDR aus der Krise zu führen, ihr Stabilität zu verleihen und Wachstumsimpulse zu geben«, sieht er als die wichtigste Aufgabe seiner Koalitionsregierung an. Er verspricht »Offenheit und Ehrlichkeit, Ordnung und gesetzliches Verhalten, Bescheidenheit und Sparsamkeit sowie Fachkompetenz«. Im politischen Bereich sollen Reformen des Rechtssystems angegangen werden, wozu neue Gesetze für Wahlen, Medien und Reisen sowie eine Verwaltungsreform gehören.

Statt bislang 44 sind in der neuen Regierung nur noch 28 Ressorts vertreten. 17 Minister gehören der SED an, vier der LDPD, drei der CDU, je zwei der NDPD und der Bauernpartei. Neun dienten schon der alten Regierung. Das in den Mittelpunkt öffentlicher Kritik geratene Ministerium für Staatssicherheit soll aufgelöst und durch ein verkleinertes Amt für Nationale Sicherheit ersetzt werden.

In der anschließenden Aussprache setzt sich Modrow für eine Vertragsgemeinschaft mit der Bundesrepublik (»kooperative Koexistenz«) und für außenwirtschaftliche Stabilität ein, die er als »Überlebensfrage« bezeichnet. Die DDR sei gegenwärtig nicht in der Lage, einen Volkswirtschaftsplan und den Staatsetat für das kommendenJahr aufzustellen. Die neue Regierung müsse erst Ein- und Ausgaben realistisch durchrechnen.

Rudolf Bahro kündigt an diesem Tag seine Rückkehr in die DDR an. Der 1977 aus der SED ausgeschlossene Kritiker des »real existierenden Sozialismus«, den er in seinem Buch »Die Alternative« als System der organisierten Verantwortungslosigkeit charakterisiert hatte und der dafür zu acht Jahren Gefängnis verurteilt wurde, war 1979 aus dem Gefängnis direkt in die BRD übergesiedelt.

Am späten Nachmittag kommen 10000 Studenten aus allen Bezirken zur ersten landesweiten Demonstration nach Berlin. Sie fordern die Anerkennung der mittlerweile an vielen Unis gebildeten unabhängigen Studentenräte, die Abschaffung des obligatorischen Marxismus-Leninismus-Unterrichts und umfassende Mitbestimmung in allen Universitätsangelegenheiten. Es wird dennoch spürbar, daß die Studenschaft in der Wende kein politischer Faktor ist. Zu heterogen sind die Vorstellungen, zu sehr die Forderungen nur auf den eigenen Lebensbereich bezogen.

Für die Einbeziehung der neuen politischen Gruppierungen – nach Angaben des Innenministeriums sind inzwischen 154 offiziell registriert – in die Gestaltung der Gesellschaft und gegen das Machtmonopol der SED demonstrieren am Abend Menschen in 25 Städten.

Sonnabend, 18. November

An diesem zweiten Wochenende mit offener Grenze sind Millionen DDR-Bürger unterwegs, um nahegelegene Städte in der Bundesrepublik oder Westberlin zu besuchen. Die Züge der Reichsbahn sind »zu 400 Prozent ausgelastet«. Auf den Bahnhöfen kommt es zu tumultartigen Szenen. Vor den Autobahngrenzübergängen bilden sich trotz zügiger Abfertigung kilometerlange Schlangen. Erneut fließen große Mengen der DDR-Währung in die Wechselstuben, auch wenn der Kurs mit 1:12 bis 1:20 anhaltend schlecht ist. Ministerpräsident Modrow warnt angesichts dieser Situation seine Landsleute, ihr hart verdientes Geld »im Westen nicht wegzuwerfen«.

Vor der Volkskammer erstattet Generalstaatsanwalt Günter Wendland zum Abschluß der zweitägigen Parlamentsdebatte den Bericht über die bisherigen Ergebnisse der Überprüfung von Übergriffen der Sicherheitsorgane am 7. und 8. Oktober. »Im Spätsommer des Jahres 1989 verschärften sich innere Widersprüche in unserem Land, die von den dafür Verantwortlichen nicht rechtzeitig erkannt und gelöst wurden«, stellt er darin fest. »Das Leben lehrte uns, daß politische Konflikte nicht mit dem Strafrecht gelöst werden können. Daß ich das nicht rechtzeitig genug erkannt habe, ist meine Verantwortung, für die ich einzustehen habe, auch im Sinne der Staatsanwälte, die unter meiner Leitung gearbeitet hatten.« Insgesamt seien landesweit 3 456 Personen »zugeführt« und gegen 630 sei ermittelt worden. 296 seien kurzzeitig inhaftiert gewesen. Gegenwärtig würden 480 Anzeigen wegen Mißhandlungen und Beleidigungen überprüft. In der anschließenden, zum Teil sehr emotional geführten Debatte wird wiederum deutlich, daß es sich um eine Volkskammer alter Zusammensetzung handelt. Es wird nicht nachgefragt, die Nöte der Betroffenen kommen nicht zur Sprache.

Im Staatsrat wird die neue Koalitionsregierung durch den Staatsratsvorsitzenden Egon Krenz vereidigt. Statt einer Eidesformel gibt es einen einfachen Handschlag. Doch es bleibt der Makel, daß es sich um keine demokratisch legitimierte Regierung handelt. Sie ist nicht aus freien Wahlen hervorgegangen. Auch die neuen politischen Kräfte sind nicht vertreten. Es ist eine Übergangsregierung.

Auf der ersten Pressekonferenz der neuen Koalition fehlt der Premier. Dazu der neue Regierungssprecher Wolfgang Meyer: Hans Modrow bitte, ihn zu entschuldigen, weil er an diesem Tag seiner Mutter in Arnstadt zum 90. Geburtstag gratulieren wolle. Meyer gibt eine in letzter Minute noch vorgenommene Umbesetzung des Bildungs-ressorts bekannt. Die SED-Fraktion habe den bisherigen Kandidaten, den Vorsitzenden der Pionierorganisation Wilfried Poßner, gegen Prof. Emons ausgetauscht, weil letzterer größere Sachkompetenz mitbringe.

Der angekündigte Abbau des Verwaltungsapparates löst Unmut bei den Betroffenen aus. Die Gewerkschaft der Mitarbeiter der Staatsorgane und der Kommunalwirtschaft wendet sich an die Öffentlichkeit mit dem Appell, »konzeptionslose und unkontrollierte Entscheidungen« zu verhindern. Es werden Übergangsregelungen für jene Mitarbeiter gefordert, die vom Wegfall der 16 Ministerien nach der Regierungsbildung betroffen seien.

Verunsicherung bei den Nomenklaturkadern lösen auch Berichte über Korruption und Amtsmißbrauch aus, zu deren Aufdeckung die Volkskammer eine Untersuchungskommission eingesetzt hat. Reporter der »Berliner Zeitung« recherchierten zudem, wie sich die Führung der DDR unter strikter Geheimhaltung Luxusbauten errichten ließ. In »noblen Einfamilienhäusern mit sehr großen Wohnflächen« habe der VEB Spezialbau Potsdam »kanadisches Holz, italienisches Fußbodenmosaik, westdeutsche Sanitärkeramik« verbaut. »Wir bekamen einfach alles, woher auch immer«, zitiert das Blatt einen ehemaligen Mitarbeiter des Betriebes, dem eigentlich die Erhaltung der Bausubstanz für die sowjetischen Truppen in der DDR obliegt. Eine Stellungnahme lehnte die Betriebsleitung mit dem Hinweis ab, sie sei zu »absoluter Geheimhaltung« verpflichtet worden.

Zur Gründung einer »Grünen Liga« ruft an diesem Tag die Potsdamer Arbeitsgruppe Umweltschutz und Stadtgestaltung beim Kulturbund, »Argus«, auf. Sie soll unabhängig von der Grünen Partei lokal arbeitende Umweltgruppen vernetzen. Ziel sei eine gemeinsame Dachorganisation zur Rettung der natürlichen Lebensgrundlagen, zur Beförderung alternativer Denk- und Verhaltensweisen und zur Überwindung des ökologischen Handlungsdefizites.

In Leipzig findet die erste genehmigte Kundgebung des Neuen Forum statt, zu der mit etwa 20 000 weniger Menschen kommen als erwartet. Demonstrationen gibt es auch in 30 weiteren Städten. In Dresden setzen sich 50 000 für die Rettung der Baudenkmäler der Stadt ein, in Plauen fordern 10 000 eine schnelle Annäherung an die Bundesrepublik, in Suhl wird von 5 000 eine tiefgreifende Demokratisierung angemahnt.

Sonntag, 19. November

Weder die Maueröffnung noch die angekündigten Reformen der neuen Regierung haben den Unmut der Bevölkerung bremsen können. An diesem Sonntag finden mehr Protestkundgebungen statt als zuvor. Über 40 Städte werden davon erfaßt.

In Dresden fordern 70 000 Menschen freie Wahlen und ein Ende des SED-Führungsanspruches, jeweils 10 000 ziehen mit ähnlichen Forderungen durch Erfurt und Jena, 8 000 kommen in Pirna zusammen, 7 000 sind es in Meiningen und auch in Eberswalde-Finow, wo eine radikale Wirtschaftsreform verlangt wird. Rund 5 000 Ostberliner demonstrieren für freie Wahlen, eine neue Verfassung und tiefgreifende demokratische Reformen. Nach der Kundgebung legen die Teilnehmer Hunderte von Transparenten und Spruchbändern vor dem Palast der Republik, dem Sitz der Volkskammer, ab. Darauf stehen Losungen wie »Die Mauer hat Löcher, aber die Bretter vor dem Kopf bleiben«. Empörung löst die Umbenennung des Ministeriums für Staatssicherheit in »Amt für Nationale Sicherheit« (AfNS) aus. Dies bedeute noch keine neuen Inhalte. Gefordert wird unter starkem Beifall »die Aufdeckung aller Stasi-Spitzel in den Betrieben«. Die angekündigte Wende im Lande sei so lange nicht glaubhaft, so lang sie von einem unglaubwürdigen Staatsratsvorsitzenden proklamiert werde.

Um diesen Stimmungen entgegenzutreten, präsentiert das DDR-Fernsehen am Abend Egon Krenz von einer ganz persönlichen Seite. In einer kurzfristig ins Programm genommenen Sondersendung, die in seinem neuen Privathaus in Berlin-Pankow aufgenommen wurde, nachdem er die Politbüro-Siedlung in Wandlitz verlassen hat, sichert der Staatsratsvorsitzende den Bürgern zu, daß es bei der Öffnung der Grenzen bleibe. »Ein Zurück zu den alten Zuständen wird es nicht geben.«

Die Nationale Volksarmee soll entpolitisiert werden. Auf Beschluß des Verteidigungsministeriums werden die Sekretariate der Partei in der Verwaltung der Armee sofort aufgelöst.

Nach 44 Jahren Unterbrechung wird zwischen Brandstade (Ost) und Hitzacker (West) erstmals wieder eine Fährverbindung über die Elbe hergestellt.

Montag, 20. November

An diesem Tag wird bekannt, daß seit Anfang November fast 100 000 DDR-Bürger in die Bundesrepublik übergesiedelt sind.

Nach einer Stichproben-Befragung des Dortmunder Meinungsforschungsinstitutes Forsa unter 2180 DDR-Bürgern an sechs Grenzübergängen würde die Bürgerbewegung Neues Forum bei Wahlen zum gegenwärtigen Zeitpunkt als stärkste politische Kraft in die Volkskammer einziehen. Das Neue Forum könnte danach mit 22 Prozent der Stimmen rechnen, die LDPD mit 15 Prozent, nur 14 Prozent entfielen auf die SED, die CDU käme auf 12, die SDP auf 10. Die Bauernpartei müßte sich mit 3 Prozent der Stimmen, die NDPD mit nur 2 Prozent begnügen.

Der 79jährige Präsident der »Gesellschaft für deutsch-sowjetische Freundschaft« Erich Mückenberger (SED) tritt zurück. Er habe trotz besten Willens »der Sache der Freundschaft mit der Sowjetunion geschadet und die Bedeutung von Perestroika und Glasnost für die DDR verkannt«, gesteht er ein.

Kanzleramtsminister Rudolf Seiters trifft zu Gesprächen mit Regierungschef Modrow in Ostberlin ein. Er nennt sieben Vorbedingungen für ein wirtschaftliches Engagement der Bundesrepublik in der DDR: 1. freie Wahlen, 2. Zulassung oppositioneller Parteien, 3. Aufgabe des SED-Führungsanspruches, 4. Einführung von marktwirtschaftlichen Mechanismen, 5. Einrichtung eines Devisenfonds für DDR-Reisende, 6. Abschaffung des Pflichtumtausches, 7. Reiseerleichterungen für BRD-Bürger.

Ministerpräsident Modrow legt ein Memorandum vor, wonach die neue Regierung für eine engere Zusammenarbeit mit der Europäischen Gemeinschaft eintritt. Erstmals wird auch eine politische Kooperation in Aussicht gestellt. Die DDR sei im Kontext eigener Interessen zur Förderung gesamteuropäischer Prozesse bereit. Sie wolle ihre Beziehungen zur EG »zügig, kooperativ und konstruktiv« entwickeln.

Zur Gesundung der Wirtschaft seien in den nächsten Jahren finanzielle Mittel im Umfang von bis zu einer Billion Mark notwendig, stellt der Sprecherrat des Neuen Forum Rostock, dem sich rund 1 700 Personen angeschlossen haben, fest. Deshalb plädiert man für die Abschaffung der Armee. In einem Aufruf wird eine »entmilitarisierte DDR« gefordert. Bestehen bleiben sollen Polizei, Grenz- und Zolldienst sowie eine Antiterror- und eine Spionageabwehreinheit.

Den ersten Aufruf zur Unterstützung des Neuen Forum vom September haben inzwischen 200 000 Personen unterschrieben. Wie es in einer Pressemitteilung der Gruppe heißt, wird im Januar ein Koordinierungstreffen in Leipzig stattfinden, um Programm und Statut zu erarbeiten. Dem soll möglichst bald die offizielle Gründungskonferenz folgen.

Am Abend demonstrieren wieder Hunderttausende in über 30 Städten. Allein in Leipzig werden mehr als 200 000 Teilnehmer bei der traditionellen Montagsdemonstration gezählt. Sprecher werfen der SED vor, das Volk »30 Jahre betrogen und belogen« zu haben. »Eine Schlange häutet sich, aber sie bleibt eine Schlange«, lautet ein Spruchband. Zugleich lehnt ein Sprecher des Neuen Forum die Wiedervereinigung beider deutscher Staaten zum gegenwärtigen Zeitpunkt ab. »Ich halte das für eine kurzsichtige Angelegenheit. Die Zäune und Mauern müssen fallen. Aber wir wollen nicht das Armenhaus Großdeutschlands werden.«

»Ich bin Werkzeugmacher und heiße Hans Teschnau«, stellt sich ein Redner vor. Er habe 40 Jahre Sozialismus ertragen und keine Lust mehr auf neue Varianten. »Keine Experimente mehr! Wir sind keine Versuchskaninchen!« lautet seine Losung. Vor der Tür gäbe es schließlich ein funktionierendes Gegenmodell. Freie Marktwirtschaft und Wiedervereinigung seien der einzige Ausweg. Die Reaktion ist eindeutig: langer Beifall und Sprechchöre: »Deutschland einig Vaterland«. Immer wieder skandiert die Menge auch »Freiheit, Freiheit« und »Wir sind das Volk«.

In Halle fordern 50 000 Menschen ebenfalls freie Wahlen und die »unumkehrbare Erneuerung der gesellschaftlichen Prozesse«. Der neugewählte SED-Bezirkschef Roland Claus läuft an der Spitze des Demonstrationszuges, versichert aber öffentlich, daß die SED die Demonstranten nicht für ihre Zwecke vereinnahmen wolle. Auch in Dresden, Cottbus, Schwerin, Magdeburg und Neubrandenburg gehen Zehntausende auf die Straße.

In Karl-Marx-Stadt schlägt ein Vertreter des Neuen Forum den 50 000 Demonstranten die Bildung einer Menschenkette quer durch das ganze Land vor. »Bilden wir am kommenden Sonntag um 12.00 Uhr eine Menschenkette vom Fichtelberg nach Kap Arkona, von der Wartburg bis zur Neiße. Mit dieser Menschenkette wollen wir die alten Zeiten am Totensonntag zu Grabe tragen, damit wir an die Arbeit gehen können für eine neue Zukunft.«

Dienstag, 21. November

In aller Frühe taucht Ministerpräsident Hans Modrow unangemeldet im Berliner Großbetrieb Elektro-Apparate-Werke (EAW) auf, um sich ein reales Bild vom Stand der Produktion zu verschaffen und die Stimmung unter den Kollegen kennenzulernen. Im Gespräch mit den Beschäftigten hört er von deren Sorgen über einen möglichen Ausverkauf des Landes. Er kündigt Maßnahmen gegen Schmuggel und Zollvergehen an. Es sei auch mit unpopulären Maßnahmen zu rechnen.

Die Gewerkschaftszeitung »Tribüne« macht Hintergründe deutlich: Mehr als vier Fünftel der tatsächlichen Kosten für die Herstellung oder den Import von Lebensmitteln werden in der DDR vom Staat getragen. Allein in diesem Jahr schießt der Staat 33,1 Milliarden Mark zu und trägt 84 Prozent der tatsächlichen Kosten. Schnittfeste Salami beispielsweise, die für 10,80 Mark das Kilo über die Ladentheke gehe, bekäme vom Staat 13,99 Mark Zuschuß.

Das Justizministerium rehabilitiert den früheren Rechtsanwalt Götz Berger. Er hatte den Oppositionellen Robert Havemann verteidigt und sich für den ausgebürgerten Liedermacher Wolf Biermann eingesetzt. Daraufhin war ihm vom Kreisgericht Fürstenwalde 1976 die Zulassung als Anwalt entzogen worden.

Rechtsstaatlichkeit ist auch zentrales Thema eines Gespräches von Vertretern des Neuen Forum mit dem neuen SED-Chef des Bezirkes Karl-Marx-Stadt, Norbert Kertscher, das beide Seiten als »aufrichtig und ehrlich« bewerten. In dem zweieinhalbstündigen Meinungsaustausch geht es zugleich um Fragen der Verfassungsänderung, des neuen Wahlgesetzes sowie der Rechtssicherheit. Die Abordnung des Neuen Forum verlangt, daß die eingeleiteten Reformen nicht bei »Fassadenveränderungen« stehenbleiben, sondern daß alte Strukturen und Positionen radikal verändert werden.

Der neue SED-Bezirkssekretär von Halle, Roland Claus, kritisiert die Unentschlossenheit seiner Parteiführung. »Offenbar ist der Kampf um die Erneuerung in der Zentrale noch nicht ausgestanden.« Auf die Frage des Reporters des »Neuen Deutschland«, ob auch SED-Mitglieder im Neuen Forum mitwirken könnten, antwortet der Funktionär: »Warum nicht, solange sich das Neue Forum nicht als Partei konstituiert.«

Die Oppositionsgruppe Demokratie Jetzt lädt alle demokratischen Parteien und Bewegungen der DDR an einen Runden Tisch ein, um zu einem abgestimmten Handeln zu kommen. Demokratie-Jetzt-Mit-

90

glied Gerhard Weigt erklärt, die Gruppe wolle mit ihrem Vorstoß erreichen, daß das Bemühen um die Erneuerung der DDR koordiniert werde. Als erste Partei nimmt die LDPD die Einladung an.

Die wirtschaftspolitische Debatte erhält neue Nahrung durch eine Ankündigung der Staatlichen Plankommission: Die DDR wird künftig alle Planvorgaben drastisch zugunsten einer größeren Eigenverantwortlichkeit der Betriebe und örtlichen Verwaltungen verringern. Diese werden einen Globaletat erhalten und könnten dann eigenverantwortlich über dessen Verwendung entscheiden.

Der Präsident der Staatsbank, Horst Kaminsky, spricht sich dafür aus, neben den Betrieben auch den Banken wirtschaftliche Unabhängigkeit zu gewähren. Nach seinen Angaben haben die Kreditinstitute des Landes derzeit Rücklagen in Höhe von 250 Milliarden Mark, für 150 Milliarden seien Finanzierungskrediten gegenüber. 570 Milliarden an Gebäude-, Maschinen- und Anlagenwerten stehen nach seinen Angaben 60 Milliarden Mark Investgüterkredite vergeben worden. Das Geld- und Kreditvolumen sei in vollem Umfang durch die Leistung der Volkswirtschaft gedeckt, versichert Kaminsky.

Die Generaldirektion des Museums für Deutsche Geschichte in Berlin teilt mit, daß die ständige Ausstellung »Sozialistisches Vaterland DDR« in den Abschnitten 1949 bis 1988 vorübergehend geschlossen wird. Sie müsse grundlegend überarbeitet werden.

Am Abend gibt die legendäre Rockband »Crosby, Stills & Nash« ein spontanes Konzert vor dem Brandenburger Tor in Ostberlin.

In über 20 Städten kommt es erneut zu Demonstrationen, die sich verstärkt gegen die Kreis- und Bezirksdienststellen der Staatssicherheit richten. Es wird Zugang zu den Akten und eine Auflösung desGeheimdienstes gefordert. Vor den Eingängen werden Kerzen aufgestellt.

Mittwoch, 22. November

Der erste Schnee ist in diesem Jahr gefallen. Frost erschwert den Kohleabbau. Um den Betrieb aufrechtzuerhalten, werden Bausoldaten eingesetzt, die den Dienst mit der Waffe verweigert haben, aber auch Mitarbeiter der Staatssicherheit.

Anhaltende Diskussionen gibt es zum »Massenabkauf subventionierter Waren durch Ausländer«, vornehmlich durch Bürger aus dem Nachbarland Polen. Seit in Westberlin ein sogenannter Polen-Markt existiert und dort auch verstärkt Produkte aus der DDR angeboten werden, wächst die Empörung in der DDR, da hier viele Waren knapp sind. Deutlich nationalistische Töne sind mancherorts zu hören.

Auch die SED befürwortet jetzt einen Runden Tisch. Das Politbüro stimmt einem Vorschlag zu, gemeinsam mit den Parteien des Demokratischen Blocks und anderen politischen Gruppen des Landes Kontakt auf höchster Ebene aufzunehmen. Der Sprecher der Gruppe Demokratischer Aufbruch Pfarrer Rainer Eppelmann begrüßt die Bereitschaft der SED als »gutes Zeichen«. Zustimmung erfolgt auch durch Jutta Seidel vom Neuen Forum.

In Westberlin erhält der Wittenberger Pfarrer Friedrich Schorlemmer, Mitbegründer der Gruppe Demokratischer Aufbruch, die Carl-von-Ossietzky-Medaille der Internationalen Liga für Menschenrechte. Sie wird ihm stellvertretend für die Demokratiebewegung in der DDR verliehen, die seit langem zu gewaltfreien Lösungen gesellschaftlicher Konflikte beigetragen habe, heißt es in der Begründung.

Vor dem parlamentarischen Ausschuß der Volkskammer zur Untersuchung von Übergriffen der Sicherheitsorgane am 7. und 8. Oktober behauptet der Berliner Generalstaatsanwalt Dieter Simon, die verantwortlichen Staatsanwälte hätten von Übergriffen nichts gewußt. Kommissionsmitglieder sprechen von »Verschleppungs- und Verschleierungstaktik«. Schockierend empfinden sie die Bemerkung Simons, es hätte an beiden Tagen »noch schlimmer kommen können«.

In Berlin wird gegen einen Polizisten aus Prenzlauer Berg Anklage wegen schwerer Körperverletzung erhoben, da er einen »zugeführten« Demonstranten die Treppe im Polizeirevier hinuntergestoßen haben soll. Insgesamt wurden bis zu diesem Zeitpunkt 76 Ermittlungsverfahren gegen Sicherheitsangehörige eingeleitet, 43 davon gegen Unbekannt. Es geht insbesondere um Delikte wie vorsätzliche Körperverletzung, Nötigung und Beleidigung.

Der neue Verteidigungsminister Theodor Hoffmann erklärt zur Forderung der Rostocker Gruppe des Neuen Forum nach Entmilitarisierung der DDR, der Schutz nach außen müsse erhalten bleiben und die Volksarmee müsse auch ihre Pflichten im Rahmen des Warschauer Paktes erfüllen. Daher sei eine vollständige Auflösung der Nationalen Volksarmee derzeit nicht möglich.

Auf Drängen von Soziologen und Medienwissenschaftlern werden an diesem Tag erstmals die Fernseheinschaltquoten veröffentlicht. Zu den Spitzenreitern gehören die Nachrichtensendung »Aktuelle Kamera« sowie Live-Übertragungen von gesellschaftlichen Ereignissen der letzten Wochen, wie der Demonstration vom 4. November in Berlin.

Bei eisiger Kälte warten Tausende vor der Ostberliner Galerie »Prisma«. Hier stellt Stefan Heym sein Buch »5Tage im Juni« vor. Das vor mehr als 30 Jahren entstandene Werk durfte bisher nicht in der DDR verlegt werden und reflektiert die Hintergründe des 17. Juni 1953.

Demonstriert wird erneut in rund 20 Städten, wobei Losungen wie »Tschüß SED«, »Stasi raus« und – vor allem in den Südbezirken – »Deutschland einig Vaterland« dominieren.

Donnerstag, 23. November

Der Ministerrat beschließt »Maßnahmen gegen Schieber und Spekulanten«. Danach ist ab sofort der Verkauf bestimmter Waren nur noch an DDR-Bürger und an Ausländer, die im Lande leben und arbeiten, gestattet. Bei hochsubventionierten Waren kann auch die Vorlage des Personalausweises gefordert werden. Diese Praxis bestand schon einmal Anfang der fünfziger Jahre in Berlin. Die Regierung versuchte damals, die Auswirkungen der offenen Grenze auf den Handelssektor zu begrenzen.

Der aktuelle Wechselkurs steht bei 1 : 15 – für 100 Westmark müssen 1500 Ostmark bezahlt werden. Seit der Öffnung der Grenze am 9. November sind annähernd drei Milliarden DDR-Mark illegal nach Westberlin und in die Bundesrepublik geschafft worden, ist offiziell zu erfahren. Die Bürgerbewegung Neues Forum appelliert aus diesem Anlaß an alle Landsleute, die offenen Grenzen nicht für Schiebereien und Spekulationen zu mißbrauchen. »Beteiligt Euch nicht am Ausverkauf unseres Landes«, heißt es in dem Appell. »Nehmt keine Schwarzarbeit auf, verkauft keine Kunstwerke und subventionierte Waren, tauscht keine DDR-Mark zum Schwindelkurs – die gleiche DDR-Mark kauft uns später die Regale leer.«

Die Zollkontrollen an den Grenzübergängen werden verschärft. Bei der Ausreise dürfen höchstens 300 DDR-Mark ausgeführt werden.

Die National-Demokraten wollen den Gedanken einer Konföderation beider deutscher Staaten wiederbeleben. Auch die Diskussion einer Rückkehr zur 1952 abgeschafften Territorialgliederung in Länder beginnt.

Mit klaren Forderungen meldet sich auch die CDU zu Wort. Sie verlangt freie Wahlen bis spätestens Mitte 1990. Bis dahin müßte auch ein neues Wahlgesetz geschaffen sein, das freie Entscheidungen zwischen Personen, Parteien und Programmen ermögliche und gleiche Bedingungen im Wahlkampf sichere. Durch einen Volksentscheid solle außerdem eine neue Verfassung verabschiedet werden, die frei ist vom festgeschriebenen Führungsanspruch der SED.

Die Zentrale Parteikontrollkommission der SED gibt den Parteiausschluß des früheren Wirtschaftsverantwortlichen im ZK, Günter Mittag, bekannt. Der Vorsitzende der Kommission, Werner Eberlein, informiert darüber, daß außerdem ein Parteiverfahren gegen Erich Honecker eingeleitet worden ist. Dessen gesundheitlicher Zustand lasse jedoch derzeit keine Aussprache zu.

Der Leiter des neugeschaffenen Amtes für Nationale Sicherheit, (AfNS), Generalleutnant Wolfgang Schwanitz, kündigt an, daß der Geheimdienst um 8000 Mitarbeiter verkleinert werde. Befragt nach den Fehlern der Vergangenheit, räumt Schwanitz gegenüber dem »Neuen Deutschland« ein: »Die wichtigste Ursache für den Vertrauensschwund lag in der falschen politischen Grundorientierung für die Arbeit der Staatssicherheit. Wachsende Widersprüche in der Gesellschaft sollten mit immer umfangreicheren administrativen Maßnahmen zugedeckt werden. Das drückte sich auch in dem Bestreben aus, alles wissen zu wollen.«

Gänzlich unkooperativ erweist sich die Staatssicherheit bei dem Versuch, die Hintergründe für das gewaltsame Vorgehen der Sicherheitskräfte am 7. und 8. Oktober aufzuhellen. Der Direktor der Sektion Theologie der Humboldt-Universität, Prof. Heinrich Fink, berichtet über seine Erfahrung als Mitglied des Untersuchungsausschusses zur Aufklärung der Übergriffe. Er fühle sich »fatal an die drei Affen erinnert, die nichts sagen, hören und sehen«.

Am Abend wird im Berliner Kino »International« der vor über 20 Jahren von der Parteiführung verbotene Film »Spur der Steine« von Frank Beyer aufgeführt. Hauptdarsteller Manfred Krug ist erstmals seit 13 Jahren wieder in der DDR. Nach der Vorstellung erinnert er an die schlimmen Methoden, mit denen der Film 1966 aus den Kinos geholt wurde. Krawallbrigaden seien bestellt worden, die die Vorführungen störten und gegen Andersdenkende vorgingen.

Beim anschließenden Pressegespräch sagt Regisseur Frank Beyer: »Wenn ich mich frage, warum diese Verhältnisse bis vor wenigen Wochen aufrechterhalten werden konnten, fallen mir drei Gründe ein: 1. Die sowjetischen Panzer im Lande. Diese Panzer stehen zwar schon mehrere Jahre nicht mehr als Unterdrückungspotential zur Verfügung, nämlich seit sich Glasnost und Perestroika in der SU durchsetzten, aber es mußte wohl eine Zeitlang vergehen, bis das Volk die neuen Möglichkeiten begriff, Demokratie zu erzwingen. 2. Weil es Antifaschisten waren, die den Sozialismus stalinistischer Prägung bei uns eingeführt haben. Man hätte Antifaschisten bekämpfen müssen, um den Stalinismus zu bekämpfen. Das wollten viele nicht. Es gibt einen großen Respekt im Land vor denjenigen, die viele Jahre ihres Lebens in der Emigration oder in Gefängnissen und Lagern verbringen mußten. Dieser Respekt sollte auch aufrechterhalten werden, bei aller notwendigen Diskussion über tiefgreifende Veränderungen im Lande. 3. Jeder, auch der kleinste Auflehnungsversuch, wurde vom Machtapparat sofort unterbunden. Das Protestpotential wurde immer wieder, wenn es sich auch nur im Ansatz zeigte, zerstreut: Wer sich auflehnte, wurde isoliert, aus dem Lande gedrängt, ausgebürgert.«

»Nach offener, kritischer und selbstkritischer Diskussion« faßt die Vollversammlung des Berliner Schriftstellerverbandes den Beschluß, den 1979 verfügten Ausschluß der Autoren Kurt Bartsch, Adolf Endler, Stefan Heym, Klaus Poche, Klaus Schlesinger, Rolf Schneider, Dieter Schubert und Joachim Seyppel aufzuheben und für »nicht wiedergutzumachendes Unrecht« um Entschuldigung zu bitten.

In Erfurt demonstrieren wieder 10 000 Menschen. Bei einer Kundgebung sprechen sich Redner für die Transparenz aller Vorgänge in Politik und Wirtschaft aus. Gefordert wird auch, den Verfassungsartikel 1, also die Festschreibung der Führungsrolle der SED, aufzuheben. Die Betriebsgruppen der SED sollten aufgelöst werden und alle Parteien gleiche Betätigungsmöglichkeiten erhalten. Eine grundlegende Demokratisierung wird angemahnt.

In Rostock werden am Rande einer Demonstration von 15 000 Menschen Unterschriften für ein neues Wahlgesetz gesammelt. Falls die Regierung dies weiter hinauszögere, solle dazu ein Volksentscheid stattfinden.

Freitag, 24. November

SED-Generalsekretär Egon Krenz, zugleich Vorsitzender des Staatsrates, kündigt im »Neuen Deutschland« an, daß die SED ihren Führungsanspruch aus der Verfassung streichen lassen werde. Dieser Schritt entspricht nur den Realitäten, denn noch immer hat die Partei kein Handlungskonzept und läuft den Ereignissen hinterher.

Egon Krenz erhält bei einer Umfrage nach dem beliebtesten Politiker der DDR ganze 9,6 Prozent der Stimmen, für ein Staatsoberhaupt nicht gerade schmeichelhaft. Wesentlich beliebter ist dagegen Premier Hans Modrow, für den sich 42 Prozent der Befragten aussprechen. Seine ruhige Sachlichkeit erweckt offensichtlich Vertrauen und Sympathie. 33 Prozent geben allerdings an, derzeit gar keinen Politiker sympathisch zu finden.

Während die SED versucht, durch Zeitungsartikel den Eindruck zu erwecken, Egon Krenz habe durch beherztes Eingreifen am 9. Oktober in Leipzig vor Ort ein neues Massaker verhindert, ergeben Recherchen der »tageszeitung« ein anderes Bild: »Krenz ist weder am 9. Oktober in Leipzig gewesen noch hat er rechtzeitig eingegriffen. Als Krenz reagierte, war schon alles vorbei. Wenn es in Leipzig nicht zu einer ›chinesischen Lösung‹ der ›konterrevolutionären Umtriebe‹ gekommen ist, so liegt es an der Eigeninitiative von drei unteren Bezirkssekretären, drei Künstlern – und dem Mut der Leipziger.«

Die Ereignisse in Ostberlin am 7. und 8. Oktober sind Gegenstand eines öffentlichen Prozesses gegen den Volkspolizisten Horst L., dem der Staatsanwalt schwere Körperverletzung zur Last legt. Viele seiner Kollegen sind im Saal und vernehmen, daß der Angeklagte sein Geständnis widerruft. Er habe das Opfer weder die Treppe hinuntergestoßen noch geschubst. Befragt nach seinem Sinneswandel, sagt er: »Ich stand bei den Vernehmungen unter massivem psychischem Druck.« Außerdem sei er in Gesprächen mit anderen zu dem Schluß gekommen, »daß es sowieso keinen Zweck hat«. Da rufen seine Kollegen in den Saal: »Sag doch endlich, daß sie uns verraten haben ...« Das Gericht verurteilt Horst L. zu einem Jahr und zwei Monaten Haft ohne Bewährung und zur Zahlung von Schadensersatz. Der Verteidiger geht in Berufung.

Auf einer Pressekonferenz im neugeschaffenen Amt für Nationale Sicherheit präsentieren Offiziere der Spionageabwehr der Staatssicherheit ein angeblich frisch aufgefundenes Peilgerät der CIA. Das Signal ist deutlich: Für die DDR bleibt auch in Zukunft ein Geheimdienst unverzichtbar.

Einen Erfolg verbucht die grüne Bewegung in Hettstedt. Dort wird bekannt, daß zum Jahresende die örtliche Bessemer-Kontaktanlage der Kupfer-Silber-Hütte geschlossen wird. Damit werden künftig 3500 Tonnen Schwefeldioxid und -trioxid weniger in die Luft geblasen.

Am Nachmittag setzt erneut eine große Reisewelle gen Westen ein. Die Reichsbahn stellt Sonderzüge bereit. Vor den Filialen der Staatsbank bilden sich weiterhin Schlangen, um die möglichen 15 DM im Wert von 1:1 umzutauschen. Wie Staatsbankpräsident Kaminsky mitteilt, haben seit Öffnung der Grenzen 12,8 Millionen DDR-Bürger 200 Millionen DM auf diese Weise bei der Staatsbank erworben. Das Geld – vor allem in kleinen Scheinen – habe mit Lastwagen von der Westberliner Landeszentralbank abgeholt werden müssen.

Diskutiert wird jetzt die Bildung eines gemeinsamen Devisenfonds, in den die DDR und die Bundesrepublik gemeinsam einzahlen und aus dem künftig Reisezahlungsmittel gegen einen geeigneten Umtauschkurs zur Verfügung gestellt werden sollen. Nach Presseberichten gibt es aber von seiten der Bundesregierung noch Vorbehalte. Es seien noch nicht genug Vorbedingungen erfüllt, die Reformen seien noch nicht weit genug vorangetrieben worden.

Einen Monat vor Weihnachten gibt das Handelsministerium bekannt, daß trotz der angespannten Wirtschaftssituation zum Fest zusätzlich 30 000 Tonnen Apfelsinen, 15 000 Tonnen Bananen und 600 Tonnen Nüsse importiert werden.

Die DDR soll auch künftig ein souveräner sozialistischer Staat bleiben. Das meinen 83 Prozent der Teilnehmer einer Umfrage, die von Ostberliner Soziologen veröffentlicht wird. Lediglich 10 Prozent sprechen sich für eine Vereinigung mit der BRD aus. Verbanden noch vor zehn Tagen 48 Prozent der Befragten mit der Erneuerung vor allem Hoffnungen, so sind es jetzt nur noch 30 Prozent. Nach Meinung der Soziologen zeige dies, daß die mit der Öffnung der Grenze verbundene Euphorie verflogen sei. Vielen wäre der große Abstand zu den westlichen Ländern erst jetzt richtig bewußt geworden und somit auch die Vielfalt der bevorstehenden Schwierigkeiten. Ob mit der neuen Regierung die Probleme des Landes bewältigt werden, glauben 35 Prozent, 30 Prozent glauben es nicht.

Aus Prag wird am Abend der Rücktritt der kommunistischen Regierung gemeldet. Es ist der Sieg für die Bürgerbewegung, geführt von Václav Havel und Alexander Dubček. Die Nachricht wird auf den Demonstrationen in der DDR stürmisch begrüßt.

Sonnabend, 25. November

Egon Krenz besucht Leipzig und zeigt sich »tief betroffen« vom Verfall der Stadt, »weil noch einmal das ganze Ausmaß deutlich wurde, wie Leipzig in den vergangenen Jahren durch die Zentrale vernachlässigt worden ist«. Der Staats- und Parteichef sagt, daß ihm »noch nie so deutlich geworden ist wie heute, welche Signale eigentlich von

Leipzig ausgegangen sind für unser Land, für die Erneuerung des Sozialismus, für diese schwere Etappe, die wir vor uns haben«.

Die Schwierigkeiten, vor allem auf ökonomischem Gebiet, sind Gegenstand eines zweitägigen Seminars, das vom Neuen Forum in Berlin veranstaltet wird. Die Wirtschaft der DDR ist nach Meinung der dort anwesenden Ökonomen aus Ost und West zwingend auf die Einführung von Marktmechanismen angewiesen. Zugleich werden aber auch Ängste vor einem wirtschaftlichen Ausverkauf der DDR laut. »Ich habe die Befürchtung, daß wir als günstiges Terrain für eine günstige Kapitalverwertung betrachtet werden«, sagt die Wirtschaftswissenschaftlerin Barbara Hähnchen.

Das Neue Forum ist prinzipiell bereit, politische Verantwortung zu übernehmen, erklärt die vorläufige Sprecherin der Bewegung Ingrid Köppe im Gespräch mit der »Berliner Zeitung«. »Wie das konkret aussehen kann, ist jedoch abhängig von der zukünftigen Entwicklung. Zum Beispiel davon, ob es uns ein neues Wahlgesetz, zu dem wir auch unsere Vorschläge einbringen, gestattet, eigene Kandidaten aufzustellen. Ebenso prinzipiell sind wir bereit, mit allen oppositionellen Parteien und Bewegungen unseres Landes gemeinsam für die demokratische Erneuerung zu wirken, gegebenenfalls in einem Wahlbündnis. Mit den etablierten Parteien, Organisationen und Institutionen sehen wir nur die Möglichkeit punktueller Zusammenarbeit. Sie sind nach unserer Meinung nicht durch freie Wahlen legitimiert. Wir wollen weder Schulterschluß noch Bruderkuß.«

Der Sprecher des Demokratischen Aufbruch Pfarrer Rainer Eppelmann spricht sich dagegen für eine Zusammenarbeit der Opposition mit einer »veränderten SED« aus. Keine politische Kraft könne allein die DDR aus der Krise führen. Im Demokratischen Aufbruch gebe es auch ehemalige SED-Mitglieder. Eppelmann billigt allen Parteien, auch der SED, die Möglichkeit einer grundsätzlichen Änderung zu.

Nach der Sozialdemokratischen Partei (Gründung 7.10.) konstituieren sich an diesem Wochenende auch eine »Freie Demokratische Partei« (FDP) und eine »Grüne Partei«. Die neue FDP versteht sich als Konkurrenz zu der seit 1945 bestehenden Liberal-Demokratischen Partei (LDPD), die bisher mit der SED kooperierte. Die Grüne Partei bezeichnet sich im Gründungsaufruf als »ökologisch, feministisch und gewaltfrei«. Die ökologischen Basisgruppen, die sich zur Grünen Liga zusammengeschlossen hatten, fühlen sich von der plötzlichen Parteigründung überrumpelt. Es hatte vorher keine Abstimmung gegeben.

Die CDU der DDR meldet sich mit einem Positionspapier für den bevorstehenden Sonderparteitag zu Wort. Sie fordert einen vom Volk gewählten Staatspräsidenten als Ersatz für den bisherigen Staatsrat, die Wiederherstellung der 1952 aufgelösten Länder sowie allgemeine, freie und geheime Wahlen. Ein Verfassungsgerichtshof soll alle Rechtsakte überprüfen, Rechtsstaat und Rechtssicherheit sollen auf Gewaltentrennung zwischen Legislative, Exekutive und Justiz beruhen.

Der Vorsitzende der Zentralen Parteikontrollkommission der SED, Politbüro-Mitglied Werner Eberlein, teilt mit, daß der Wissenschaftler Robert Havemann und das ehemalige Politbüro-Mitglied Herbert Häber rehabilitiert werden. Häber sei 1985 statutenwidrig gemaßregelt, Havemann 1964 unrechtmäßig aus der Partei ausgeschlossen worden. Ferner wird mitgeteilt, daß ungerechtfertigte Vergünstigungen wie Ehrenpensionen und Jagdgebiete ab sofort abgeschafft werden. Außerdem wird bekannt, daß die SED bereits ein Fünftel ihrer 2,3 Millionen Parteimitglieder verloren hat.

Auch der Gewerkschaftsbund FDGB baut weitere Privilegien für Führungsmitglieder ab. Die Funktionären vorbehaltenen Gästehäuser werden geöffnet und dem allgemeinen Feriendienst eingegliedert. Dadurch können für das verbleibende Jahr 8 240 Ferienreisen zusätzlich angeboten werden.

Kulturminister Dietmar Keller ruft alle außer Landes gegangenen und gedrängten Künstler zur Rückkehr auf. Er könne sich auch vorstellen, daß es in absehbarer Zeit zu einer Begegnung mit dem Sänger Wolf Biermann komme, dem bereits mehrmals die Wiedereinreise verwehrt wurde.

An diesem Samstagabend demonstrieren bei Schnee und Eis weniger Menschen als an den Wochenenden zuvor. Viele Menschen sind abermals zu Besuchen in die Bundesrepublik gereist. Die Teilnehmerzahlen liegen zwischen 500 und 5 000. Während in einigen Orten die Entmachtung der SED zentrales Thema ist, wird vor allem im vogtländischen Plauen die »Wiedervereinigung« beider deutscher Staaten gefordert.

Sonntag, 26. November

Totensonntag: Im Gedenken an die Verstorbenen bietet sich die Gelegenheit, inmitten der rasanten Veränderungen Einkehr zu halten. Am Morgen wird in den Kirchen wird der Opfer des Stalinismus gedacht und eine weitere Demokratisierung der Gesellschaft gefordert.

Namhafte Persönlichkeiten und Vertreter von Basisgruppen veröffentlichen den Aufruf »Für unser Land«. Darin heißt es: »Unser Land steckt in einer tiefen Krise. Wie wir bisher gelebt haben, können und wollen wir nicht mehr leben. Gewaltfrei, durch Massendemonstrationen, hat das Volk den Prozeß der revolutionären Erneuerung erzwungen, der sich in atemberaubender Geschwindigkeit vollzieht. Uns bleibt nur noch wenig Zeit, auf die verschiedenen Möglichkeiten Einfluß zu nehmen, die sich als Ausweg aus der Krise anbieten. Entweder: können wir auf der Eigenständigkeit der DDR bestehen und versuchen, mit allen unseren Kräften und in Zusammenarbeit mit denjenigen Staaten und Interessengruppen, die dazu bereit sind, in unserem Land eine solidarische Gesellschaft zu entwickeln, in der Frieden und soziale Gerechtigkeit, Freiheit des einzelnen, Freizügigkeit aller und die Bewahrung der Umwelt gewährleistet sind. Oder: wir müssen dulden, daß, durch starke ökonomische Zwänge und durch unzumutbare Bedingungen, an die einflußreiche Kreise aus Wirtschaft und Politik in der Bundesrepublik ihre Hilfe für die DDR knüpfen, ein Ausverkauf unserer materiellen und moralischen Werte beginnt und über kurz oder lang die Deutsche Demokratische Republik durch die Bundesrepublik vereinnahmt wird. Laßt uns den ersten Weg gehen.« Zu den Erstunterzeichnern zählen die Schriftsteller Volker Braun, Stefan Heym, Christa Wolf, Generalsuperintendent Günter Krusche, Pfarrer Friedrich Schorlemmer sowie weitere Vertreter neuer Bewegungen und Gruppierungen.

Die im September ins Leben gerufene Initiative für eine Vereinigte Linke veranstaltet ihr erstes DDR-weites Arbeitstreffen mit etwa 500 Teilnehmern in Berlin. Diskutiert wird, wie das bisherige Volkseigentum in unmittelbares Eigentum der Werktätigen umgestaltet werden kann, welche Formen direkter Demokratie zu entwickeln sind und wie eine veränderte Planwirtschaft aussehen kann. Die Gründung einer »Vereinigten Linken«, in der SED-Mitglieder, Parteilose und unabhängige Gruppen gleichberechtigt zusammenarbeiten sollen, scheitert jedoch. In der Organisationsfrage kann keine Einigung erzielt werden. Während eine Strömung für die Entwicklung hin zu einer Partei eintritt, spricht sich die Mehrheit für eine Art Diskussionsforum und Koordinationsstelle aus. Doch wie das konkret funktionieren soll, bleibt unklar. Verinbart wird die Bildung thematischer Arbeitsgruppen.

In Rostock bildet sich ein Arbeitskreis zur Schaffung von »Vereinigten Bürgerinitiativen für einen neuen Sozialismus«. Er ruft zum koordinierten Vorgehen aller Basisgruppen auf, um wirksame Bürgerkomitees bilden zu können, die reale Kontrollfunktionen ausüben. Zu den Initiatoren gehören Vertreter der Kirche, des Neuen Forum und der SED.

Es wird bekannt, daß sich Regierung und Opposition am 7. Dezember zum ersten Mal am Runden Tisch treffen werden, um gemeinsame Schritte auf dem Weg zur Demokratisierung zu beraten. Es sollen dort alle strittigen Fragen verhandelt werden.

Montag, 27. November

Kulturminister Dietmar Keller spricht sich im Kulturausschuß der Volkskammer dafür aus, daß die DDR-Nationalhymne wieder gesungen wird. Das war lange nicht möglich, hatte es doch schon in der ersten Strophe geheißen: »Auferstanden aus Ruinen und der Zukunft zugewandt, laß uns dir zum Guten dienen, Deutschland, einig Vaterland. Alte Not gilt es zu zwingen, und wir zwingen sie vereint, denn es muß uns doch gelingen, daß die Sonne schön wie nie über Deutschland scheint.«

»Die Opposition in der DDR sollte sich des nationalen Problems innewerden, statt es zu verketzern«, fordert der DDR-Schriftsteller Rolf Schneider in einem »Spiegel«-Essay. »Ihrer sozialen Herkunft zufolge aber sind die Oppositionellen höhere Angestellte, Künstler, freischwebende Intellektuelle. Die Arbeiterschaft ist bei ihnen unterrepräsentiert. Seit dem 10. November strömt diese über die Westgrenzen. Ihr volonté générale ist gesamtdeutsch.« Und er wagt die Prognose: »Die deutsche Einheit wird kommen, früher, als alle mutmaßen. Sie wird kommen und auf das berechtigte, historisch begründete Unbehagen selbst vieler Deutscher stoßen. Es macht Wegblicken die Einheit nicht unwirksam, so daß es besser ist, man setzt solches Unbehagen in praktizierte Politik um.«

Im Amt für Nationale Sicherheit findet ein seit längerem anberaumtes Gespräch mit dem Präsidium des Verbandes der Jüdischen Gemeinden zu rechtsradikalen, neonazistischen und antisemitischen Tendenzen in der DDR statt. Die Gäste kritisieren, daß von den in verschiedenen Bezirken registrierten Vorkommnissen bisher unzureichend Kenntnis genommen worden sei. Es wird auf das Auftauchen von Flugblättern der »Republikaner« hingewiesen, die gezielt an die im Lande vorhandenen Ansätze zur Ausländerfeindlichkeit anknüpfen.

Republikaner-Chef Schönhuber stellt vor der Presse den Entwurf eines neuen Parteiprogramms vor, in dem die »Wiedervereinigung Deutschlands« als Ziel Nummer eins postuliert wird. Das gelte auch für die »Memellandproblematik, für die deutschen Ostgebiete und auch für Berlin«. Endziel müsse ein »blockfreies und wehrhaftes Deutschland« sein. Auch in der DDR gebe es Träger von republikanischem Gedankengut, teilt der ehemalige Waffen-SS-Mann mit. Er versichert, daß in der DDR bereits mehrere Ortsverbände seiner Partei ins Leben gerufen worden seien.

In Dresden beginnt ein Pilotprojekt zum zivilen Wehrersatzdienst, womit seit Jahren vorgetragenen Forderungen vor allem aus kirchlichen Kreisen entsprochen wird. Erstmals in der DDR leisten 25 Jungen einen freiwilligen Einsatz im Bezirkskrankenhaus Friedrichstadt. Unter ihnen sind Bausoldaten, die einen Dienst mit der Waffe ablehnen, und auch sogenannte Totalverweigerer.

Auf den abendlichen Montagsdemonstrationen in mehreren Städten des Landes spielt die Frage der deutschen Einheit jetzt eine zentrale Rolle. In Leipzig fordern 200000 Menschen nicht mehr allein freie Wahlen, Meinungsfreiheit und die Bestrafung ehemals führender SED-Funktionäre, sondern in riesigen Sprechchören verlangen sie auch nach »Deutschland einig Vaterland«. Auf Transparenten ist diesmal zu lesen: »Einigkeit und Recht und Freiheit«, »Europa – gemeinsames Haus« sowie »Wiedervereinigung – der Anfang ist gemacht«. Aufschriften wie »Wir sind das Volk« sind kaum noch zu sehen. Jetzt heißt es: »Wir sind ein Volk«. Die Stimmung kippt. Michael Arnold vom Neuen Forum wird ausgepfiffen, als er von seinen Ängsten vor einer Wiedervereinigung spricht. Von einer Grußadresse an die Reformkräfte in der ČSSR, speziell an Dubček und Hável, will die Mehrheit nichts wissen.

Nicht ganz so einseitig ist die Stimmung in Halle, wo 50000 zusammenkommen. Bei der abschließenden Kundgebung, zu der das Neue Forum eingeladen hat, dominieren Forderungen nach freien Wahlen, einem unabhängigen Gewerkschaftsverband und dem Rückzug der SED aus den Betrieben. In Dresden werden von 50000 Teilnehmern einer Kundgebung auf dem Fučik-Platz ebenfalls das Ende des Führungsanspruches der SED und ein einiges Deutschland verlangt.

Mit lautstarken Rufen wie »Stasi in die Volkswirtschaft« sowie einem Pfeifkonzert geht am Abend eine Demonstration in Schwerin zu Ende, an der 10000 Menschen teilgenommen haben. Mehrere Sprecher des Neuen Forum, der LDPD und der SDP kritisieren den Notstand im

Gesundheitswesen und die unzureichende Reduzierung des aufgeblähten Verwaltungsapparates. Rund 10 000 Demonstranten ziehen durch die Altstadt von Wismar und fordern neben einer Verfassungsreform die öffentliche Rechenschaftslegung der örtlichen Organe.

Dienstag, 28. November

Es ist der Tag der Enthüllungen. Der Druck von unten war in den letzten Tagen derart angewachsen, daß Untersuchungsausschüssen und Medien der Zugang zu wichtigen Informationen nicht mehr länger versperrt werden konnte. Besonders erhitzen sich die Gemüter an der Politbüro-Siedlung in Wandlitz, in der eine Art Versorgungsparadies existierte, das in völligem Gegensatz zum übrigen Land stand. Das betrifft nicht nur die Reichhaltigkeit des Sortiments, sondern vor allem auch seine Zusammensetzung: hochwertige West-Waren, die zudem noch für DDR-Mark angeboten wurden. Auch die Staatsanwaltschaft schaltet sich nun ein. Luxuswaren werden in einem Lager entdeckt, in das sie vorsorglich abtransportiert worden waren. Die Empörung ist groß, zumal der Verwalter kürzlich im Fernsehen erklärt hatte, in der Kaufhalle der Siedlung habe es nur ein »normales Angebot« gegeben.

Journalisten besuchen das Jagdgebiet des früheren Premiers Willi Stoph: »Auf Drängen läßt man uns ins Haus mit seinen fünf Bädern, den vielen Wohn- und Schlafzimmern, den Küchen, dem Videoraum und der Bar im Keller. Mehr als zehn Kühlschränke stehen dort, gefüllt nicht nur mit Äpfeln und Fleisch, sondern auch mit teuren Süßigkeiten und anderen Leckereien – von A bis Z aus westlicher Produktion. Insgesamt macht das Haus einen Eindruck, als sei es panikartig verlassen worden«, heißt es in einem Agenturbericht.

Das Landwirtschaftsministerium in Berlin gibt bekannt, daß die Staats- und Sonderjagdgebiete der ehemaligen politischen Führung aufgrund des großen Widerstands in der Bevölkerung nun doch nicht in Devisenjagdgebiete für ausländische Gäste verwandelt werden.

Die Zeitung »Der Demokrat« berichtet aus Rostock, daß bis vor kurzem noch im Hauptpostamt der Bezirksstadt Mitarbeiter des Ministeriums für Staatssicherheit alle Westpost kontrolliert haben. Dafür war eine ganze Etage im Postamt II geräumt worden. Diese Abteilung habe intern den Spitznamen »Herbert« gehabt.

Aus dem FDGB-Bundesvorstand wird bekannt, daß die Gewerkschaftsführung 100 Millionen Mark aus den Solidaritätsspenden der

Gewerkschafter für die Finanzierung des Pfingstfestivals der Freien Deutschen Jugend abgezweigt hat. Dieses Polit-Festival im Frühjahr 1989 war auf Wunsch Erich Honeckers angesetzt worden, da seiner Meinung nach »jede junge Generation ihr emotionales Grunderlebnis« brauche. Ursprünglich waren die Gelder für notleidende Völker in den Entwicklungsländern bestimmt.

Die Regierung legt einen neuen Entwurf für das Reisegesetz vor. Er entspricht weitgehend dem Gegenvorschlag von Rechtsanwälten, der unter Federführung von Gregor Gysi nach Veröffentlichung des alten, von der Öffentlichkeit einhellig abgelehnten Reisegesetzentwurfes erarbeitet worden war. Danach soll jeder DDR-Bürger uneingeschränkt reisen können und jederzeit in sein Land zurückkehren dürfen. Ferner habe er das Recht, »Reisezahlungsmittel« zu erwerben.

Bundeskanzler Helmut Kohl verkündet in Bonn seinen sogenannten Zehn-Punkte-Plan zur Überwindung der deutschen Teilung. Er schlägt darin einen schrittweisen Ausbau der Beziehungen zwischen der BRD und der DDR hin zu einem Bundesstaat vor. Wirtschaftliche Hilfe wird von »sachlichen Voraussetzungen« abhängig gemacht. Dazu gehören freie Wahlen, der Verzicht der SED auf einen Führungsanspruch, Freilassung der politischen Gefangenen und Abbau der Planwirtschaft zugunsten »marktwirtschaftlicher Bedingungen«. Ziel ist die Entwicklung konföderativer Strukturen, das heißt die Schaffung einer »bundesstaatlichen Ordnung in Deutschland«. Von einer unmittelbaren Vereinigung beider deutscher Staaten ist nicht direkt die Rede. Egon Krenz erklärt dazu, daß er auf der Existenz zweier unabhängiger souveräner deutscher Staaten bestehe.

Der Schriftsteller Stefan Heym sieht in Kohls Konföderationsplänen die »Ouvertüre zur Vereinnahmung« der DDR. Er ruft dazu auf, die Eigenständigkeit des Landes als sozialistischen Staat zu bewahren und sich gegen einen »Ausverkauf« zu wenden.

Mittwoch, 29. November

Der Senat von Westberlin entscheidet, daß die neuankommenden Übersiedler aus der DDR künftig außerhalb der Stadt untergebracht werden müssen, da alle eingerichteten Notunterkünfte überfüllt sind.

Harry Tisch, bis vor wenigen Wochen noch Vorsitzender des Gewerkschaftsbundes, wird aus dem FDGB ausgeschlossen. Der gesamte Bundesvorstand tritt zurück, und ein Arbeitssekretariat übernimmt vorerst die Geschäfte. Im Januar soll ein außerordentlicher Gewerkschaftskongreß stattfinden und neue Leitungsstrukturen wählen.

Kulturminister Dietmar Keller gibt bekannt, daß zum 1. Dezember offiziell die Vorzensur für Bücher abgeschafft werde und auch neue private Verlage zugelassen würden. Bisher gab es nur 78 staatlich lizensierte Verlagshäuser, die für jedes Manuskript vor dem Druck vom Kulturministerium eine schriftliche Genehmigung einholen mußten, selbst wenn es sich um Nachdrucke von Shakespeares Dramen oder Goethes »Faust« handelte. Ferner informiert er darüber, daß die »Kunst und Antiquitäten GmbH« ihre Tätigkeit eingestellt habe, deren Praxis, DDR-Kulturgüter im Westen zu verkaufen, in letzter Zeit heftige Proteste ausgelöst hatte. Immer wieder war in diesem Zusammenhang von einem »Ausverkauf von Kulturschätzen« gesprochen worden. Keller teilt außerdem mit, daß der 1976 ausgebürgerte Liedermacher Wolf Biermann wieder in der DDR auftreten kann. Noch zu Beginn des Monats war Biermann die Einreise verweigert worden.

Am Abend ziehen wieder Zehntausende durch die Straßen, um für die Sicherung der demokratischen Errungenschaften und gegen die Vorherrschaft der SED zu demonstrieren. Selbst in einer vergleichsweise kleinen Stadt wie Limbach-Oberfrohna in Sachsen beteiligen sich 5 000 Bürger an einer Kundgebung, im thüringischen Ilmenau sind es 6 000, in Halberstadt mehr als 5 000. In Leipzig versammeln sich auf dem Dimitroff-Platz Tausende SED-Mitglieder. Sie fordern von der Parteiführung einen konsequenten Abbau von Privilegien und die restlose Aufdeckung von Korruption und Amtsmißbrauch. Die Forderung nach einer Selbstauflösung und Neugründung der Partei findet keine Zustimmung. Der 10-Punkte-Plan von Kohl wird zurückgewiesen und die Eigenständigkeit der DDR befürwortet.

Donnerstag, 30. November

Der Runde Tisch nimmt langsam Gestalt an: Am 7. Dezember werden an ihm je zwei Vertreter der SED, der vier Blockparteien und der Oppositionsgruppen Platz nehmen. Darauf einigen sich alle Beteiligten. Als Themen schlägt die SED eine Verfassungsreform, Wahlrechtsänderungen und die Modalitäten für freie Wahlen vor. Weitere Themen können bei der ersten Begegnung vereinbart werden. Die evangelische Kirche erklärt sich bereit, ihr Dietrich-Bonhoeffer-Haus in Ostberlin als Ort des Dialogs zur Verfügung zu stellen.

Wirtschaftsministerin Christa Luft gibt erstmals offiziell bekannt, daß die DDR gegenwärtig zehn Milliarden Dollar Auslandsschulden hat. Sie versichert aber zugleich, daß die Spareinlagen der Bevölkerung gesichert seien.

An der Berliner Humboldt-Universität bildet sich eine Arbeitsgruppe »Internationale Kooperation und Joint-ventures in der DDR«, die ihre Aufgabe darin sieht, Regierung und interessierten Betrieben Informationen und Entscheidungshilfen bei Kooperationsvorhaben mit westlichen Partnern anzubieten. Die Wissenschaftler fordern die rasche Verabschiedung einer Reihe von Gesetzen zum Investitionsschutz, über den Kapitalverkehr und ein neues Steuergesetz.

Gegen sechs Spitzenpolitiker der alten Führung, darunter auch den früheren Staats- und Parteichef Erich Honecker, hat die Staatsanwaltschaft Untersuchungen wegen Amtsmißbrauchs und Vergeudung von Volkseigentum eingeleitet. Die Ermittlungen laufen im Zusammenhang mit dem Luxusleben der Betroffenen in Einrichtungen der Staats- und Sonderjagdgebiete. Die Jagdhäuser von Honecker, Ex-Premier Stoph und dessen Vize Kleiber werden versiegelt. Nach Angaben des Generalforstmeisters sind alle Sonderjagdgebiete inzwischen aufgelöst.

Egon Krenz, Staats- und Parteichef, kündigt im Fernsehen an, bis zum außerordentlichen SED-Parteitag Mitte Dezember seien alle Fälle von Korruption und Amtsmißbrauch so aufgeklärt, daß die Bevölkerung verstehe: nicht die ganze SED sei korrupt gewesen, sondern nur einige ihrer Mitglieder.

Auf einer SED-Delegiertenkonferenz des Ministeriums für Außenhandel gesteht Staatssekretär Alexander Schalck-Golodkowski ein, daß der ihm unterstellte Bereich »Kommerzielle Koordinierung« von Erich Honecker angewiesen worden sei, jährlich sechs Millionen Westmark für die Versorgung der Familien des Politbüros in der Waldsiedlung Wandlitz bereitzustellen. Noch wenige Tage zuvor hatte Schalck öffentlich erklärt, er habe mit den Privilegien der Führung nichts zu schaffen.

Am Abend machen über 10000 Erfurter ihrer Empörung über die Privilegien der SED-Spitzenfunktionäre, darunter des einstigen SED-Bezirkschefs Gerhard Müller, bei einer Demonstration Luft. Sie fordern unverzügliche Rechenschaft über deren Amtsmißbrauch. In verschiedenen Städten war es aus diesem Grunde im Verlauf des Tages bereits zu Warnstreiks gekommen. In Rostock (15000) und Gera (6000) wird die Auflösung der Staatssicherheit verlangt.

Dezember 1989

Freitag, 1. Dezember

Die Volkskammer beschließt mit überwältigender Mehrheit die Strei-
chung der bisher in der Verfassung verankerten Führungsrolle der
SED. Die CDU unterliegt mit ihrem Antrag, wonach aus dem ersten
Artikel auch die Aussage gestrichen werden sollte, daß die DDR ein
sozialistisches Land ist.

Der Vorsitzende des parlamentarischen Ausschusses zur Untersuchung von Korruption und Amtsmißbrauch, Heinrich Toeplitz (CDU),
breitet vor den Abgeordneten einen langen Katalog von Verfehlungen
der alten Führung aus und belegt an zahlreichen Beispielen, daß in der
DDR zwar auf dem Papier alle Bürger gleich, in Wirklichkeit einige
aber erheblich gleicher waren als andere. Es geht in dem Bericht um
Häuser für die Prominenz und deren Familienangehörige, gebaut mit
Staatsgeldern, um das Jagen nach Gutsherrenart, um Urlaubsflüge mit
der Regierungsstaffel und zusätzliche Einnahmen, wie durch Ehren-
mitgliedschaften, Dotationen und vieles andere mehr.

Toeplitz spricht auch zum Vorgehen der Polizei und der Sicherheitskräfte und fragt, wer sie zum Mißhandeln und Quälen von Festgenommenen ausgebildet habe. Er meint, es könne kein Zufall sein, daß
Polizeidienststellen an weit auseinanderliegenden Orten wie Dresden,
Bautzen und Berlin die Festgenommenen »nach einer einheitlichen
Methode« behandelt hätten. Solche Methoden dürfe es nach dem Ende
der Naziherrschaft nicht mehr geben. Der Leiter des neugeschaffenen
Amtes für nationale Sicherheit, General Wolfgang Schwanitz, teilt den
sichtlich betroffenen Abgeordneten mit, daß er zu den Vorgängen
wenig sagen könne, da er von seinem Amtsvorgänger, Staatssicher-
heitsminister Erich Mielke, nur zwei leere Panzerschränke übernommen habe.

Die Volkskammer entschuldigt sich beim Volk der ČSSR für die
Teilnahme der Nationalen Volksarmee am Einmarsch im August 1968.

Auf die gravierenden Folgen der anhaltenden Ausreisewelle für die
Bevölkerungspyramide verweist der Demograph Prof. Gunnar Wink-
ler. Der in der DDR wie in ganz Mitteleuropa schon durch zwei Welt-
kriege und den »Pillenknick« stark ausgebuchtete Lebensbaum drohe
»bis zum Jahr 2030 zum nahezu ast- und wurzellosen Stamm mit einer
kleinen Krone von Senioren zu werden«. Diese Entwicklung verdeut-

licht auch der Stellvertreter des Oberbürgermeisters von Berlin, Peter Schkölziger. Er teilt mit, daß allein in der DDR-Hauptstadt rund 3000 Mitarbeiter des Handels fehlen. Über 2000 Verkäuferinnen und Lagerarbeiter seien seit Beginn des Jahres in die Bundesrepublik ausgereist.

Die Regierung wechselt die Führungsspitze bei Rundfunk und Fernsehen aus. Zu neuen Generalintendanten werden Manfred Klein und Hans Bentzien berufen.

13 Jahre nach seiner Ausbürgerung überschreitet der Liedermacher Wolf Biermann wieder die Grenze nach Ostberlin. Mehrmals war ihm in den vergangenen Wochen die Einreise verwehrt worden. Er wird zwei Konzerte geben. Zunächst aber empfängt man ihn im Kulturministerium. Danach sagt Kulturminister Dietmar Keller vor der Presse: »Ich habe Herrn Biermann gesagt, daß die Regierung der DDR der felsenfesten Überzeugung ist, daß unterschiedliche Standpunkte, weltanschauliche Haltungen und Meinungsstreite nicht gelöst werden können mit juristischen Entscheidungen, mit Verboten oder einer Ausbürgerung. Die Ausbürgerung war ein Fehler. Wir als diejenigen, die jetzt die Verantwortung haben, bekennen uns dazu, daß das in diesem Land nicht wieder vorkommen wird.« Biermann erwidert, er glaube den Worten des Ministers, weil er davon ausgehe, daß »er es mit einem Menschen zu tun habe und nicht mit einem berufsmäßigen Schweinehund«.

Am Abend singt der 52jährige Biermann in Leipzig vor 6000 Zuhörern. »Die Bundesrepublik ist auch nicht die Lösung des Menschheitsproblems, vor dem wir alle stehen«, sagt er mit Blick auf die jüngst in Leipzig laut gewordenen Rufe nach Wiedervereinigung. »Ich bin nicht froh über diese ›Deutschland, Deutschland über alles‹-Stimmung. Wir wären schön dumm – ihr wäret schön dumm, – wenn ihr rückwärts laufen würdet ins alte Reich à la Kohl. Besten Dank!« rief er dem Publikum zu, das den Worten applaudierte. Besonders begeistert wurde sein »Lied von den verdorbenen Greisen« aufgenommen.

In Leipzig gilt an diesem Tag erstmals für die DDR Smogalarm. In der Stadt ist so dicke Luft, daß gleich Alarm der Stufe zwei ausgelöst und das für den Abend angesetzte Fußballspiel zwischen dem 1. Lok Leipzig und Dynamo Dresden absagt werden muß.

Ein Vertreter des Neuen Forum im südlichen Bezirk Karl-Marx-Stadt ruft für den 6. Dezember zum Generalstreik auf, wenn es nicht zu einer strikten Trennung von Partei und Staat, zur Rückgabe der Vermögenswerte der SED und zur Ansetzung von freien Wahlen komme.

Der 1976 ausgebürgerte Liedermacher Wolf Biermann darf in den Messehallen von Leipzig erstmals wieder vor DDR-Publikum auftreten.

ADN und die »Aktuelle Kamera« verbreiten dies als einen Aufruf des Sprecherrates des Neuen Forum, obwohl es ein Dementi der Organisation gibt. Offensichtlich soll Stimmung gegen die »Chaoten« der Bürgerbewegung gemacht werden.

Demonstrationen mit 500 bis 5000 Teilnehmern finden am Abend in 15 Städten statt, wobei Forderungen nach einer freien Marktwirtschaft und der deutschen Einheit im Zentrum stehen.

Sonnabend, 2. Dezember

Die Meldung über den Generalstreik-Aufruf erzielt ihre Wirkung. »Neues Deutschland« schreibt, eine krisengeschüttelte Wirtschaft wie die in der DDR könnte durch einen Generalstreik nur zum Kollaps geführt werden. Die »Berliner Zeitung« bezeichnet den Aufruf als »ungeheuerlich«. Alle Kräfte der Vernunft seien jetzt herausgefordert, um einem Abenteurertum, das sich gegen alle Interessen der Menschen richte, eine Absage zu erteilen.

Auch aus den Reihen der Bürgerbewegung kommt Widerspruch. Die Berliner Gruppe des Neuen Forum distanziert sich von dem Aufruf zum Generalstreik. So berechtigt die Forderungen seien, sollten sie doch mit anderen Mitteln durchgesetzt werden.

Einwohner des Landkreises Rostock enttarnen eine Lagerhalle in Kavelstorf als Umschlagplatz der IMES GmbH für den internationalen Waffenhandel. Ohne besondere Sicherheitsvorkehrungen lagern hier Handfeuerwaffen, Munition und Granaten. Das Unternehmen unterhalte Kontakte nach Afrika, Lateinamerika und dem Nahen Osten. Die durch das Waffengeschäft erzielten Devisen seien an den Bereich »Kommerzielle Koordinierung« des Staatssekretärs Alexander Schalck-Golodkowski überwiesen worden, teilt Generaldirektor Erhard Wichert mit. Die Lagerhallen werden von der Staatsanwaltschaft versiegelt, ein Bürgerkomitee übernimmt die Kontrolle.

Überraschend erklärt der gerade erst ins SED-Politbüro gewählte Hans-Jochen Willerding seinen Rücktritt. Er sehe »keine Möglichkeit mehr, als Mitglied der derzeitigen Parteiführung überzeugend wirksam« zu werden. Der mit 37 Jahren Jüngste in der SED-Führung verlangt, daß die Partei auf ihrem Sonderparteitag neue »Grundpositionen zu den Perspektiven des Sozialismus und des Selbstverständnisses der SED mit ihren kommunistischen und sozialdemokratischen Traditionslinien« erarbeite.

Am Abend versammeln sich etwa 3000 Mitglieder der SED-Basis vor dem Haus des Zentralkomitees und fordern eine radikale Erneuerung der Partei. Ferner verlangen sie den Rücktritt des gesamten Politbüros, »das Amtsmißbrauch und Korruption verschleiert«, und die sofortige Einberufung eines Sonderparteitages. Egon Krenz stellte sich für wenige Minuten den Demonstranten. Ihm schallen Buhrufe, Pfiffe und »Rücktritt – Rücktritt«-Sprechchöre entgegen.

Auf Demonstrationen in über 20 anderen Städten, darunter Plauen (14000), Magdeburg (10000), Görlitz, Annaberg, Finsterwalde (je 5000), Potsdam, Weißwasser (je 3000) und Rostock (2000), werden verstärkt die Entmachtung der SED und die Auflösung der Staatssicherheit gefordert.

Sonntag, 3. Dezember

Hunderttausende folgen am Mittag dem Aufruf zur Bildung einer Menschenkette quer durch das ganze Land. Sie soll ein Zeichen der Hoffnung und Entschlossenheit für eine demokratische Erneuerung sein. Pünktlich um 12.00 Uhr fassen sich die Menschen an den Händen und treten auf die Fahrbahnen. In den großen Städten ruht für eine Viertelstunde der Verkehr. Viele Fahrer verlassen ihre Autos und reihen sich ein. Wieder sind brennende Kerzen das Symbol für Friedfertigkeit. Exakt um 12.15 Uhr löst sich die Kette wieder auf, die beinahe ohne Löcher war und noch einmal die Entschlossenheit und Disziplin der gesamten Bewegung unter Beweis stellte.

Nach den massiven Forderungen des Vortages, anhaltenden Protestbekundungen vor der Berliner Parteizentrale und dem Druck der neugewählten Bezirkssekretäre reagieren das Zentralkomitee und das Politbüro der SED am Nachmittag mit ihrem geschlossenen Rücktritt. Auf dem bevorstehenden Sonderparteitag soll Rechenschaft über die Ursachen der Krise in Partei und Gesellschaft abgelegt werden. Anstelle des bisherigen Zentralkomitees übernimmt ein Arbeitsausschuß die Geschäfte der Parteiführung. Vertreten sind darin jene SED-Bezirkschefs, die von der Parteibasis als Delegierte zum Sonderparteitag gewählt wurden, sowie Rechtsanwalt Gregor Gysi, Dresdens Oberbürgermeister Wolfgang Berghofer und Ex-General Markus Wolf. Auf seiner ersten Sitzung beschließt der Arbeitsausschuß die Einsetzung eines parteieigenen Untersuchungsausschusses unter Leitung von Gregor Gysi, der noch am gleichen Tag die wichtigsten

Räume im Zentralkomitee versiegeln läßt. Konten werden gesperrt, die zentrale EDV-Anlage unter Kontrolle gebracht.

Der ehemalige Generalsekretär Erich Honecker, Ex-Premier Willi Stoph, Ex-Gewerkschaftschef Harry Tisch, Ex-Parlamentspräsident Horst Sindermann und Ex-Staatssicherheitsminister Erich Mielke werden gemeinsam mit anderen hohen Funktionären wegen schwerer Verstöße gegen das Statut aus der SED ausgeschlossen. Harry Tisch, Ex-Wirtschaftssekretär Günter Mittag sowie die Bezirkschefs Müller (Erfurt) und Albrecht (Suhl) werden verhaftet.

Der seit Tagen in die Schußlinie geratene Staatssekretär Schalck-Golodkowski ist geflohen. Regierungssprecher Meyer erklärt, der bisherige Chef des Bereiches »Kommerzielle Koordinierung« sei sofort aller Ämter enthoben. Schalck hatte noch am Vortag offizielle Verhandlungen in Bonn geführt. Sein Aufenthaltsort ist unbekannt. Der Bereich »KoKo« wurde 1967 mit dem Ziel gegründet, durch internationale, teilweise verdeckte Geschäftsoperationen Valuta zu erwirtschaften und das westliche Hochtechnologieembargo zu unterlaufen. Zu diesem Zwecke kooperierte die Unternehmensgruppe eng mit der Staatssicherheit. Zuletzt haben die Schalck zugeordneten Firmen jährlich 1,4 bis 1,7 Milliarden Valuta-Mark Gewinn abgeworfen.

Die SDP veröffentlicht eine »Erklärung zur deutschen Frage«, in der es heißt: »Wir denken, daß eine Konföderation der beiden deutschen Staaten eine schon bald mögliche Form ist, die Einheit der deutschen Nation zu gestalten.«

In der Berliner Volksbühne gründet sich der »Unabhängige Frauenverband« und spricht sich in seinem Gründungsmanifest für eine deutliche Reform des politischen und wirtschaftlichen Systems aus. Eine Wiedervereinigung wird dagegen abgelehnt, da dies für die Frauen »drei Schritte zurück« bedeuten würde. An die Regierung werden mehrere »Sofortforderungen« gerichtet, darunter die Schaffung eines Frauenförderfonds beim Ministerrat, die Gewährung von Sendezeiten in Rundfunk und Fernsehen sowie die Bildung von Frauenausschüssen auf allen parlamentarischen Ebenen.

In mehreren Strafanstalten kommt es zu Häftlingsrevolten. Die Gefangenen in Berlin-Rummelsburg fordern eine Generalamnestie, bessere Haftbedingungen, Mitspracherecht und eine höhere Vergütung ihrer Arbeit.

Am Abend ziehen in zahlreichen Städten Demonstranten vor die Kreisdienststellen des Amtes für Nationale Sicherheit und fordern eine öffentliche Kontrolle seiner Tätigkeit bzw. dessen Auflösung.

Montag, 4. Dezember

Über den Rundfunk wird ein Aufruf an alle Mitarbeiter des Bereiches »Kommerzielle Koordinierung« verlesen: »Ruft Belegschaftsversammlungen zusammen, die Kontrollgruppen zur Verhinderung weiterer Machenschaften einsetzen. Informiert die Deutsche Volkspolizei und die Öffentlichkeit. Verständigt Euch mit anderen Betrieben und mit Bürgerbewegungen eures Vertrauens. Beschließt, wo nötig, gemeinsame Kontrollmaßnahmen und sorgt für deren Öffentlichkeit.«

Sicherheitsmaßnahmen hat auch die Nationale Volksarmee ergriffen: Sie sperrt den Luftraum in der Umgebung des Kavelstorfer Waffenlagers für alle Tiefflugübungen. Die Bevölkerung in der Umgebung ist durch die Entdeckung der riesigen Munitionsbestände in einfachen Leichtbauhallen höchst beunruhigt und verlangt Abtransport.

Durch den flüchtigen Staatssekretär Schalck-Golodkowski gerät zunehmend auch Generalstaatsanwalt Wendland ins Kreuzfeuer öffentlicher Kritik. Studenten der Sektion Rechtswissenschaften der Humboldt-Universität organisieren eine Demonstration vor dem Haus der Generalstaatsanwaltschaft. Sie tragen folgendes an Günter Wendland gerichtetes Transparent mit sich: »Du hast den Wahlbetrug nicht untersucht, Verantwortliche für den 7./8. Oktober nicht verhaftet, Herrn Schalck entkommen lassen – Jetzt reichts!«

Im Zentralkomitee der SED wird offensichtlich versucht, belastende Unterlagen zu vernichten oder abtransportieren zu lassen. Der Leiter der Abteilung Finanzen wird verhaftet. Mitarbeiter des Flughafens Berlin-Schönefeld machen darauf aufmerksam, daß zwei Sondermaschinen mit Akten beladen werden, die nach Rumänien fliegen sollen. Gregor Gysi als Leiter des neugebildeten Untersuchungsausschusses innerhalb der SED schaltet daraufhin die Staatsanwaltschaft ein, die veranlaßt, daß alle Flüge nach Bukarest gestoppt werden.

In den Medien tauchen Berichte über Fälle von Selbstjustiz auf. Prominente aus Politik, Kultur und Wirtschaft verabschieden daraufhin einen Appell für eine Sicherheitspartnerschaft zwischen Bürgerkomitees und staatlichen Organen: »Im ganzen Land gibt es Bekundungen des Zorns und der Empörung über Machtmißbrauch, Korruption, Verbrechen und Versuche der Verdunkelung krimineller Vorgänge. Das ist auch unser Zorn und unsere Betroffenheit. Es gibt Anzeichen, daß aus diesem berechtigten Zorn Handlungen erwachsen, die in die Gefährdung der Sicherheit der Bürger und des Lebens münden könnten.« Dies dürfe nicht zugelassen werden.

Der Leiter des Amtes für Nationale Sicherheit, General Wolfgang Schwanitz, trifft sich erstmalig mit Vertretern der Bürgerbewegung, die ihren Protest gegen bekanntgewordene Aktenvernichtungsaktionen vorbringen. Sie drohen mit einer Besetzung der Kreis- und Bezirksverwaltungen, falls dem nicht Einhalt geboten werde. Schwanitz erläßt daraufhin am Nachmittag einen Befehl zur Beendigung der breit angelegten Vernichtungsaktion. Ferner teilt er mit, daß bereits 10000 ehemalige Mitarbeiter des Ministeriums für Staatssicherheit entlassen worden seien. Für sie gebe es Überleitungen in die Volkswirtschaft. Zu den Bedingungen dafür äußert er sich nicht.

Erstmals in der DDR gehen auch Volkspolizisten und einzelne Angehörige der Sicherheitsorgane auf die Straße, um gegen Amtsmißbrauch, Korruption und gegen die laufende Aktenvernichtung zu protestieren. Sie erklären, daß sie alles für die Aufklärung dieser Verbrechen tun wollen.

Die Christlich-Demokratische Partei (CDU) und die Liberal-Demokratische Partei (LDPD) erklären ihren Austritt aus dem sogenannten Demokratischen Block. Ein weiteres Zusammenwirken mit anderen politischen und gesellschaftlichen Kräften des Landes werde eher am Runden Tisch für sinnvoll angesehen. Das Präsidium der CDU verlangt zudem den Rücktritt von Egon Krenz als Vorsitzender des Staatsrates und Vorsitzender des Nationalen Verteidigungsrates.

Neues Forum und SDP sprechen sich für baldige Neuwahlen aus. Die SDP befürwortet den 6. Mai 1990. Bislang hatte man ein Datum zwischen September und Dezember 1990 favorisiert.

Die Enthüllungen der letzten Tage treiben am Abend mehr Menschen auf die Straße als in den vorangegangenen Wochen. Zu Protestkundgebungen kommt es in über 50 Städten. Gefordert werden nicht nur schnelle politische Reformen und die Bestrafung verantwortlicher SED-Funktionäre, sondern mit zunehmender Lautstärke auch die Wiedervereinigung Deutschlands. In Leipzig, wo 150000 Menschen demonstrieren, sind zahlreiche schwarzrotgoldene Fahnen zu sehen. Der Sprecher des Neuen Forum Jürgen Tallig erntet ein grelles Pfeifkonzert für seine Bitte, Plakate mit der Forderung nach Wiedervereinigung zunächst zu Hause zu lassen. Auf selbstgefertigten Transparenten ist zu lesen: »SED – leck uns am Arsch!«, »Korrupter SED-Adel an den Pranger!« und »Stasi in die Produktion«. Da sich der Zorn vieler Demonstranten gegen das in unmittelbarer Nähe gelegene Gebäude der Bezirkszentrale der Staatssicherheit richtet, erhalten Vertreter der Bürgerbewegungen und Rechtsanwalt Wolfgang Schnur vom Demokratischen Aufbruch Zugang zur Stasi-Hochburg, um einem Sturm zuvorzukommen. Ein spontan gebildetes Bürgerkomitee veranlaßt mit Hilfe der Polizei die Versiegelung zahlreicher Räume, um weitere Aktenvernichtungen zu verhindern.

Die Forderung nach Beendigung der Aktenvernichtung ist auch zentrales Thema der Demonstration in Dresden, wo 60000 vor die Bezirksverwaltung des AfNS und das Gericht marschieren. In Karl-Marx-Stadt gehen 60000 mit der Forderung nach Auflösung der Kampfgruppen und der Zurückbenennung der Stadt in Chemnitz auf die Straße. Sprecher regen die Einberufung einer gesamtdeutschen Nationalversammlung an. Die wichtigsten Losungen bei der Demonstration von 60000 Magdeburgern sind »Stasi raus« und »SED raus«. In Potsdam fordert das Mitglied des SDP-Parteivorstands Steffen Reiche während einer Kundgebung vor der Nikolaikirche einen Friedensvertrag für Deutschland. Andere Redner sprechen sich für einen Volksentscheid in beiden Teilen Deutschlands zur Wiedervereinigung aus. In Cottbus fordern Tausende Frauen auf einer Kundgebung des Neuen Forum eine veränderte Familien- und Bildungspolitik. Zentrales Thema der Demonstration in Halle ist der Umweltschutz. 20000 verlangen wirksamere Maßnahmen zur Reinhaltung der Luft und den Rücktritt von Umweltminister Reichelt (DBD). In Schwerin verlangen 10000 die Bestrafung korrupter SED-Funktionäre.

Dienstag, 5. Dezember

Generalstaatsanwalt Günter Wendland tritt zurück. Sein Nachfolger Harri Harland gibt bekannt, daß der frühere SED-Generalsekretär Erich Honecker und andere abgesetzte Vertreter der alten Parteiführung in der Prominentensiedlung Wandlitz unter Hausarrest stehen. Es handele sich bei dieser Maßnahme um eine Art »Staatsnotwehr«.

Vom geflüchteten Staatssekretär Schalck-Golodkowski fehlt dagegen jede Spur. Westberlins Innensenator schließt nicht aus, daß er sich in der Stadt befindet. Konkrete Anhaltspunkte lägen aber nicht vor.

In Berlin wird am Hintereingang des Hauses der Elektroindustrie ein Mann mit zwei Koffern voller Geld und Dokumenten festgenommen. Der Wert des Geldes wird mit einer halben Million DM und mehreren hunderttausend DDR-Mark angegeben. Der Mann, der sich als Institutsdirektor ausgibt, soll, wie später verlautet, dem Amt für Nationale Sicherheit angehören.

Das Kollegium des Amtes für Nationale Sicherheit tritt nach internen Machtkämpfen geschlossen zurück. Einheiten des Wachregiments »Feliks Dzierzynski« hatten zuvor das Amt umstellt und keine Fahrzeuge mehr passieren lassen, um den heimlichen Abtransport weiterer Materialien zu verhindern. In einer Presseinformation heißt es, daß die Stellvertreter des ehemaligen Ministers für Staatssicherheit, die Generäle Mittig und Neiber, sowie 17 Leiter von größeren Dienstbereichen des früheren Ministeriums mit sofortiger Wirkung von ihren Ämtern entbunden wurden. Auf einer Pressekonferenz informierte der Parteisekretär des neuen Amtes für Nationale Sicherheit, man stelle mit Verbitterung und Sorge fest, daß der Prozeß der Erneuerung im Amt hinter der Entwicklung im übrigen Land zurückbleibe. Dafür trage direkt der Chef des Amtes, General Schwanitz, die Verantwortung. Gerade dieser verbleibt jedoch weiterhin in seiner Funktion.

In Suhl erzwingen 2 000 Menschen den Zutritt in das Bezirksamt für Nationale Sicherheit. Der Leiter des Amtes gibt später zu, daß in Suhl ebenso wie in Leipzig, Erfurt oder Berlin massenhaft Akten vernichtet wurden. Auch in den meisten anderen Bezirksstädten und mehreren Kreisstädten dringen Bürger in die Räume der Bezirksverwaltungen ein, um die Vernichtung von weiterem Belastungsmaterial zu verhindern. Gemeinsam mit Polizei und Staatsanwaltschaft werden die entsprechenden Räume versiegelt. Die Schriftstellerin Christa Wolf und der Dokumentarist Konrad Weiß (Demokratie Jetzt) rufen zur Bildung von Bürgerkomitees auf, die weitere Aktenvernichtung verhindern und bei den anstehenden Ermittlungen helfen sollen.

Die Waffen, Technik und spezielle Ausrüstung der Betriebskampfgruppen in der DDR werden ab sofort eingezogen, teilt ein Sprecher des Innenministeriums mit. »Schützenpanzerwagen, Granatwerfer, rückstoßfreie Geschütze und Zwillingsflak sollen aus den Betrieben vollständig in Dienststellen der Organe des Ministeriums« überführt werden. Die betrieblichen Waffenkammern würden von der Volkspolizei übernommen.

Nach CDU und LDPD kündigt nun auch die Demokratische Bauernpartei (DBD) ihre Mitarbeit im Demokratischen Block auf. Sie fordert zugleich den Rücktritt von Egon Krenz und aller Mitglieder des Staatsrates. Die National-Demokratische Partei (NDPD) hat vorerst mit sich zu tun. Sie gibt bekannt, daß ihr früherer Parteivorsitzender Prof. Heinrich Homann eine Viertelmillion Mark veruntreut hat. Eine Untersuchungskommission werde der Sache nachgehen.

Große Probleme gibt es auch im Innern der FDJ. Wie der neue Vorsitzende Frank Türkowsky mitteilt, hat der Jugendverband bereits eine Dreiviertelmillion seiner 1,7 Millionen Mitglieder verloren. Ein Ende der Austritte sei noch nicht abzusehen.

Es verschärft sich die Lage in den Strafvollzugsanstalten. Die Gefangenen in Bautzen befinden sich im Hungerstreik für eine Überprüfung ihrer Urteile und bessere Bezahlung. Der Chef des Strafvollzugs, General Lustig, informiert, daß die Häftlinge der DDR jährlich einen Anteil von 12,5 Milliarden Mark der industriellen Warenproduktion erarbeiten, und verweist auf die »hervorragende Disziplin« der Gefangenen.

Ministerpräsident Modrow und Kanzleramtsminister Seiters vereinbaren die Schaffung eines deutsch-deutschen Devisenfonds, der es künftig ermöglicht, daß jeder DDR-Bürger einmal im Jahr 200 DM eintauschen kann. (100 DM zum Kurs 1 : 1 und noch einmal soviel zum Kurs 1 : 5). Beide Seiten verständigen sich außerdem über den Wegfall von Visum und Mindestumtausch für BRD-Bürger zum 1. Januar 1990.

Der VW-Konzern und der volkseigene Industriebetrieb IFA wollen einen gemeinsamen Nachfolger des »Trabant« entwickeln. Dazu wird eine zu gleichen Anteilen besetzte Planungs-GmbH mit Sitz in Wolfsburg gegründet.

Mit der Aufführung von Beethovens neunter Symphonie ehren am Abend Mitglieder des Rundfunk-Symphonieorchesters Berlin und des Schauspielhauses die Opfer stalinistischer Verfolgungen in der DDR. Schriftsteller Christoph Hein erinnert daran, daß es »unendlich viele Opfer des Stalinismus« gegeben habe. »Der Terror reichte von Mord und Justizmord bis zur kleinen alltäglichen Drangsalierung. In den letzten Jahren drohte nicht mehr der Henker, sondern Gefängnis oder eine geschlossene psychiatrische Klinik oder die Ausbürgerung.«

Bei den abendlichen Demonstrationen in über 30 Städten werden weitere Kreisämter für Nationale Sicherheit besetzt, so in Görlitz, Gotha, Nordhausen, Stendal und Weimar.

Mittwoch, 6. Dezember

Egon Krenz tritt als Staatsratsvorsitzender und Vorsitzender des Nationalen Verteidigungsrates zurück. Amtierendes Staatsoberhaupt wird der bisherige Stellvertreter des Vorsitzenden des Staatsrates, Prof. Manfred Gerlach (LDPD). In der Abschiedserklärung von Krenz heißt es: »Meine mehrjährige Mitgliedschaft im Staatsrat und im Politbüro unter Führung Erich Honeckers minderte bei nicht wenigen Bürgern die Glaubwürdigkeit der von mir vertretenen Politik der Erneuerung des Sozialismus.«

Manfred Gerlach, der mitteilt, daß er die neue Funktion nur übergangsweise ausüben und sich für dieses Amt nicht bewerben werde, gehört zu den Mitbegründern der FDJ und hatte stets gute Beziehungen zur SED und zu Erich Honecker. Der geborene Leipziger ist seit 1949 ununterbrochen Mitglied der Volkskammer und war 1950 mit 24 Jahren der jüngste Bürgermeister von Leipzig. Schon 1960 wurde er Stellvertreter des Staatsratsvorsitzenden der DDR. 1967 übernahm er den Vorsitz der LDPD. Im Sommer 1989 erkannte er früher als die meisten anderen Politiker die Krise im Land und setzte sich demonstrativ vom Gesellschaftsverständnis der alten SED-Führung ab. Er überlebte politisch als einziger der alten Politikergarde die Wende.

Die Suche nach dem flüchtigen Ex-Staatssekretär Schalck-Golodkowski geht weiter. Israel dementiert seine Anwesenheit im Land, in der Bundesrepublik läuft die Fahndung an, und auch in der Schweiz ist ein entsprechendes Ersuchen eingegangen. Unterdessen wird der stellvertretende Chef des Bereiches »Kommerzielle Koordinierung«, Manfred Seidel, festgenommen. Er steht im Verdacht, gemeinsam mit Schalck Valuta-Beträge in einer Höhe von 200 Millionen DM ins Ausland verbracht zu haben.

Rechtsanwalt Wolfgang Vogel, der im Zusammenhang mit der Schalck-Affäre zeitweilig festgenommen worden war, wird wieder auf freien Fuß gesetzt und erklärt seinen Rückzug aus der Politik: »In jüngster Zeit habe ich schwerwiegende Vorwürfe und Kränkungen ertragen müssen. So soll der Freikauf und Austausch von Inhaftierten plötzlich unmoralisch und nicht rechtsstaatlich gewesen sein. Ich sehe mich einer Kampagne ausgesetzt, die bis zum Vorwurf der Erpressung reicht. Ich habe niemals daran gedacht und denke auch nicht daran, die DDR zu verlassen. Nach 35 Jahren Anwalt zwischen beiden deutschen Staaten danke ich allen, die mir vertraut haben. Ich will nicht mehr.« Justizminister Heusinger entschuldigt sich für die Verhaftung in aller Form. »Die Tatsache, daß ein Rechtsanwalt in Ausübung seiner anwaltlichen Tätigkeit vorläufig festgenommen wurde, ist in unserem Staat eine Unmöglichkeit.« Es gibt die Vermutung, daß über diesen Weg erreicht werden sollte, von Vogel Auskünfte zu erhalten, die man nicht bekommt, wenn er in Freiheit ist.

Das Verteidigungsministerium dementiert öffentlich jede Beteiligung am Waffenhandel der »KoKo«-Firma IMES. Wie ein Sprecher erklärt, seien allerdings auf Anweisung von Erich Honecker 200 Panzer nach Äthiopien verschickt worden. Der Zorn der Bevölkerung schwillt trotzdem an. Die Regierung und die militärische Führung sehen sich gezwungen, die Bürger vor Übergriffen auf Armeeangehörige und militärische Einrichtungen zu warnen. Beschwörend heißt es in einem Appell: »Nur gemeinsam können wir die Souveränität der DDR wahren und unser Land vor Anarchie und Chaos retten.«

Der Landessprecherrat des Neuen Forum unterstützt in einem Aufruf die Bürgerkontrolle der Staatssicherheit und fordert die vollständige Auflösung aller auf das Inland gerichteten Strukturen.

Im Laufe des Tages übernimmt die Volkspolizei die Bewachung einzelner Gebäude des früheren Ministeriums für Staatssicherheit bzw. seiner Nachfolgeorganisation, des Amtes für Nationale Sicherheit. Die Aufgabe ist eine doppelte. Zum einen soll verhindert werden, daß weiter belastendes Material vernichtet oder abtransportiert wird, zum anderen sollen gewalttätige Übergriffe aufgebrachter Bürger ausgeschlossen werden.

Es wird bekannt, daß der Mann, der versucht hatte, zwei Koffer voller Geld aus dem Berliner Haus der Elektroindustrie zu schaffen, sich in der Untersuchungshaft erhängt hat. Seine Identität ist zuvor geklärt worden. Es handelt sich um einen Mitarbeiter des Amtes für Nationale Sicherheit im Rang eines Obersten.

Ein Sprecher des Innenministeriums teilt mit, daß im Rahmen des Abbaus von Privilegien ab sofort die Sonderausweise »Freie Fahrt« für Partei- und Staatsfunktionäre außer Kraft gesetzt würden. Diese gestatten die vorsätzliche Mißachtung der Straßenverkehrsordnung, zum Beispiel der vorgeschriebenen Höchstgeschwindigkeit.

Die Belegschaften mehrerer Plauener Betriebe folgen einem Aufruf des Regionalzentrums des Neuen Forum zu einem zweistündigen politischen Warnstreik. Sie fordern den Auszug der SED aus den Betrieben und die Wiedervereinigung der beiden deutschen Staaten. Auch in der Musikinstrumenten-Stadt Markneukirchen beteiligen sich 8000 Menschen an einem Warnstreik.

Erstmals werden in der Untersuchungskommission des Berliner Magistrats die Namen der Verantwortlichen für die Einsätze der Polizei und Sicherheitskräfte am 7. und 8. Oktober genannt: Federführend war der damalige Minister für Staatssicherheit, Erich Mielke. Wie ein Bereitschaftspolizist aussagt, habe Mielke, der die Demonstranten im Schutz der Polizeikette beobachtete und direkt neben ihm stand, gerufen: »Haut sie doch endlich zusammen, die Schweine!« Der Berliner Staatssicherheitchef, General Hähnel, gibt bekannt, daß die Einsatzleitung in Berlin unter dem Befehl von Politbüro-Mitglied Günter Schabowski stand. Der hatte bei zahlreichen früheren Gesprächen nie seine eigene Rolle in dem Geschehen klar benannt. Der Ausschuß fordert die sofortige Einleitung von Ermittlungsverfahren gegen Mielke, Hähnel, den Berliner Polizeichef Rausch und den Berliner Generalstaatsanwalt Simon.

In einer Sondersendung des Jugendfernsehens »ELF99« berichtet der frühere ZK-Sekretär der SED Herbert Häber, der auch ein Jahr lang dem Politbüro angehörte, daß er nach inhaltlichen Auseinandersetzungen mit Honecker seiner Ämter enthoben und als hoffnungsloser Fall in eine psychiatrische Klinik eingeliefert worden sei.

Der Arbeitsausschuß der SED, der seit der Abdankung des Zentralkomitees und des Politbüros die Geschäfte der Partei führt, gibt bekannt, daß man sich angesichts der bedrohlichen Lage im Lande entschlossen habe, den für den 16. und 17. Dezember vorgesehenen Sonderparteitag vorzuziehen und bereits am Freitag, dem 8. Dezember, mit dem ersten Teil zu beginnen. Es sickert durch, daß sich in den Südbezirken die ersten Parteiorganisationen aufzulösen beginnen und daß der allgemeine Autoritätsverlust im Lande zur Zersetzung weiterer Strukturen führe.

Der flüchtige Alexander Schalck-Golodkowski stellt sich am Abend den Westberliner Behörden und wird in das Untersuchungsgefängnis Moabit eingeliefert.

Zu kleineren Demonstrationen, die sich verstärkt gegen SED-Kreisleitungen und Verwaltungen der Staatssicherheit richten, kommt es in etwa 20 Städten.

Donnerstag, 7. Dezember

Die Situation im Lande spitzt sich weiter zu. Regierungssprecher Meyer teilt mit, daß die sich verstärkende Unzufriedenheit über Verdunklungsversuche und schleppende Ermittlungen bei der Aufdeckung von Amtsmißbrauch und Korruption zu spontanen Aktionen führten, »die die Arbeit von staatlichen Organen behindern und damit nicht im Interesse des Bürgers liegen«. Leben und Gesundheit von Mitarbeitern des Amtes für Nationale Sicherheit und ihrer Familien seien »in höchster Gefahr«.

Der Chef des Amtes, General Wolfgang Schwanitz, teilt mit, daß vier Bezirksämter die Arbeit bereits einstellen mußten, in weiteren sei die Arbeit stark eingeschränkt. In Berlin muß die Zentrale des früheren Ministeriums für Staatssicherheit in der Normannenstraße wegen des großen öffentlichen Druckes zur kurzzeitigen Besichtigung durch eine Kontrollgruppe freigegeben werden. Die Ausrufung des Ausnahmezustandes sei jedoch »noch nicht im Gespräch«.

In dieser Situation tritt der zentrale Runde Tisch erstmals im Berliner Dietrich-Bonhoeffer-Haus zusammen. An ihm beteiligt sind 14 Parteien, politische Gruppierungen und Organisationen, die mit unterschiedlichen Erwartungen in diese erste Beratung gehen. Nach kontroverser Debatte einigt man sich auf folgende Funktionsbestimmung: »Die Teilnehmer des Rundes Tisches treffen sich aus tiefer Sorge um unser in eine Krise geratenes Land, seine Eigenständigkeit und seine dauerhafte Entwicklung. Sie fordern die Offenlegung der ökologischen, wirtschaftlichen und finanziellen Situation in unserem Land. Obwohl der Runde Tisch keine parlamentarische oder Regierungsfunktion ausüben kann, will er sich mit Vorschlägen zur Überwindung der Krise an die Öffentlichkeit wenden. Er fordert, von der Volkskammer und der Regierung rechtzeitig vor wichtigen Rechts-, Wirtschafts- und finanzpolitischen Entscheidungen informiert und einbezogen zu werden. Er versteht sich als Bestandteil der öffentlichen Kontrolle in unserem Land. Geplant ist, seine Tätigkeit bis zur Durchführung freier, demokratischer und geheimer Wahlen fortzusetzen.« Auf ein konkretes Resultat einigen sich die Teilnehmer des ersten Beratungstages schon: Die ersten freien Parlamentswahlen in der DDR werden für den 6. Mai 1990 angesetzt. Bis dahin soll der Entwurf für eine neue Verfassung erarbeitet werden. In einem Beschluß zur Rechtsstaatlichkeit wird die Regierung außerdem aufgefordert, das Amt für Nationale Sicherheit unter ziviler Kontrolle vollständig aufzulösen.

Die Initiatoren des Aufrufs »Für unser Land«, in dem gegen eine mögliche Vereinnahmung durch die Bundesrepublik Stellung genommen wird, reagieren empört auf die Erklärung des Chefs des Sicherheitsamtes, Schwanitz, daß alle Mitarbeiter des von ihm geleiteten Amtes hinter dem Aufruf stünden. In einer Presseerklärung dazu heißt es: »Wir hatten wiederholt darauf hingewiesen, daß niemand, schon gar kein Leiter, das Recht hat, sich im Namen anderer, noch dazu ihm dienstlich Unterstellter, zu diesem Appell zu äußern. (...) Die Äußerung von Herrn Schwanitz kann in der gegenwärtige Situation nicht anders gewertet werden als eine Provokation, die offenbar darauf abzielt, einen Minimalkonsens unterschiedlichster politischer Strömungen unseres Landes in Frage zu stellen. Sie fördert Konfrontation, behindert innenpolitischen Dialog und demokratische Kooperation.«

Der Vorstand des Demokratischen Aufbruch äußert sein Erschrekken über die Wirkung des Aufrufes, der unter anderem inzwischen auch von Egon Krenz unterzeichnet worden ist.»In einer Kampagne haben auch diejenigen sich des Aufrufes bedient, die den befürchteten Ausverkauf materieller, ideeller und moralischer Werte bereits seit Jahrzehnten betrieben haben.«

Nach dem Austritt der NDPD an diesem Tag und somit dem völligen Zerfall des Demokratischen Blockes sowie nach der Konstituierung des Runden Tisches wird der Sinn des Nationalrates der Nationalen Front, in dem bisher die traditionellen Parteien und Massenorganisationen unter Führung der SED zusammengeschlossen waren, immer fraglicher. Sein Präsident, Prof. Lothar Kolditz, erklärt seinen Rücktritt. Gegen einen prominenten Vertreter des Demokratischen Blockes, den früheren Vorsitzenden der CDU, Gerald Götting, ermittelt inzwischen die Generalstaatsanwaltschaft wegen Veruntreuung von Parteigeldern.

Wie der Pressesprecher der Generalstaatsanwaltschaft mitteilt, werden im Rahmen einer Teilamnestie 15 000 Personen freigelassen. Nicht unter die Amnestie fallen Personen, die unter dem Verdacht der Korruption, des Amtsmißbrauches und der Bereicherung stehen, auch nicht jene, gegen die in diesem Zusammenhang Ermittlungsverfahren eingeleitet wurden. Die Generalstaatsanwaltschaft erklärt, eine Generalamnestie sei nicht vorgesehen, hätte sie doch auch die Freilassung von Nazi- und Kriegsverbrechern, Personen, die schwerste Tötungsverbrechen begangen hätten, und auch von »Gewaltverbrechern und Skindheadgruppen« zur Folge.

Ministerpräsident Modrow ernennt für alle Bezirke des Landes »Persönliche Bevollmächtigte«. Sie sollen in seinem Auftrag mit Bürgerinitiativen zusammenarbeiten, die sich um Aufdeckung von Amtsmißbrauch und Korruption bemühen und dafür engagieren, daß aus ehemaligen Staatssicherheitsdienststellen nichts beseitigt werde.

Weitere ehemalige Mitglieder des Politbüros des ZK der SED werden festgenommen. In Haft befinden sich nun auch Erich Mielke, Willi Stoph, Günter Kleiber und Werner Krolikowski. Haftverschonung erhalten Erich Honecker, auf Grund seines Gesundheitszustandes, und Hermann Axen, der sich zu einer Augenoperation in Moskau aufhält. Die Wohnungen der Beschuldigten wurden bereits durchsucht. Wie die

Generalstaatsanwaltschaft mitteilt, werden ihnen Korruption, Amtsmißbrauch und schwere Schädigung der Volkswirtschaft vorgeworfen.

Wie an jedem 7. des Monats kommt es auch an diesem Tag in Berlin
wieder zu Demonstrationen, wird auf dem Alexanderplatz auf die
Wahlen vom 7. Mai gepfiffen. Dieses Mal veranstalten die rund 2000
Demonstranten nach einem Zug durchs Stadtzentrum auch vor dem
Staatsrat ein Trillerpfeifenkonzert, mit dem sie ihren Willen nach
einem freien und unverfälschten Votum bekunden. Vor dem ZK-Gebäude verlangen sie die Revision der Wahlergebnisse vom Frühjahr.
Sie rufen:»Wir brauchen weder Krenz noch Kohl – nur wenn wir selbst
regieren, wird uns wieder wohl!«

Auch in 20 anderen Städten wird demonstriert – die größten Kundgebungen finden in Erfurt und Rostock mit je 15000 Teilnehmern
statt –, wobei die Forderung des Runden Tisches nach vollständiger
Auflösung der Stasi lautstarke Unterstützung findet.

Freitag, 8. Dezember

Die Volkspolizei wird mit der Sicherung der Stasi-Objekte beauftragt,
nachdem Regierungschef Modrow intern die Auflösung des Amtes für
Nationale Sicherheit angeordnet hat. Zuvor hatte Innenminister
Ahrendt erklärt, die Bürger dürften nicht zulassen, daß die gegenwärtige Situation zu Gewalttätigkeiten genutzt werde. Das Innenministerium sei bereit, dafür mit allen demokratischen Gruppierungen und mit
der Kirche zusammenzuarbeiten.

Die Lage in den Strafvollzugsanstalten ist weiterhin gespannt. Die
Gefangenen protestieren mit Streiks gegen die verfügte Teilamnestie
und fordern eine Freilassung aller Häftlinge. Ein Sprecher der Generalstaatsanwaltschaft bekräftigt die getroffene Entscheidung und weist
noch einmal darauf hin, daß es eine Generalamnestie nicht geben
werde. Man sei allerdings bereit, in einer Reihe von Fällen zu prüfen,
ob die Aussetzung von Strafen angemessen sei. Das Bürgerkomitee
Leipzig wiederum äußert seine große Besorgnis über die angeordnete
Amnestie, die zu einer äußerst ungünstigen Zeit und unter ungünstigen
Bedingungen vollzogen werde.

Finanzministerin Uta Nickel legt eine erste volkswirtschaftliche
Bestandsaufnahme vor. Danach weist der Staatsetat ein Defizit von
17 Milliarden Mark auf. Handelsminister Manfred Flegel verweist auf
eine komplizierte Situation bei der Versorgung mit Industriewaren.

Nach der Bekanntgabe der 135 Milliarden Mark Inlandsschulden habe die Bevölkerung überstürzt hochwertige Konsumgüter wie Waschmaschinen, Kühlschränke, Farbfernseher, Pelze und Schmuck gekauft. Die dadurch entstandenen Angebotslücken könnten kurzfristig nicht geschlossen werden. Die Versorgung zu den bevorstehenden Festtagen sei im wesentlichen aber gesichert.

Am Abend beginnt in der Berliner Dynamo-Sporthalle der erste und vorgezogene Teil des Sonderparteitages der SED, der von der Basis erzwungen wurde. Ministerpräsident Modrow appelliert an die 2700 Delegierten im Saal, die SED nicht zerbrechen oder untergehen zu lassen. Modrow plädiert für einen raschen Aufbau der Wirtschaft, auch mit fremder Hilfe: »Wir müssen Wind in die Segel bekommen und auch fremdes Kapital für uns pusten lassen.« Im Auftrag des Arbeitsausschusses spricht sich Rechtsanwalt Gregor Gysi gegen eine Auflösung und Neugründung der SED aus, wie sie wiederholt gefordert worden war. Das dadurch entstehende politische Vakuum würde die Krise »mit unabsehbaren Folgen verschärfen«.

In über zehn Städten wird unterdessen gegen die anhaltende Vorherrschaft der SED demonstriert.

Sonnabend, 9. Dezember

Nach einer Marathonsitzung von 16 Stunden hat die SED einen neuen Vorsitzenden: mit 95,3 Prozent der Delegiertenstimmen wird der 41jährige Rechtsanwalt Gregor Gysi gewählt, nachdem der zunächst von vielen Delegierten favorisierte Dresdner Oberbürgermeister Wolfgang Berghofer überraschend erklärt hat, daß er für das Amt des SED-Vorsitzenden nicht zur Verfügung stehe. Statt Blumen bekommt der neue Vorsitzende einen riesigen Besen überreicht, um dafür Sorge zu tragen, daß der Parteiname künftig nicht mehr so übersetzt werden muß: »S wie Sauwirtschaft, E wie Egoismus und D wie Diebstahl«. Gregor Gysi, Sohn des früheren DDR-Kulturministers Klaus Gysi, hatte sich als Anwalt einen Namen gemacht, da er seit Mitte der siebziger Jahre zahlreiche Oppositionelle verteidigte, so Robert Havemann und Rudolf Bahro. Anfang Oktober hatte er auch das Mandat des Neuen Forum übernommen und sich für ein neues Reisegesetz engagiert. Nach der Wahl der 100 Vorstandsmitglieder verabschieden sich die Delegierten bis zum nächsten Wochenende, um den Sonderparteitag mit Debatten zu Statut und Programm fortzuführen.

Pfarrer Rainer Eppelmann, Mitbegründer des Demokratischen Aufbruch, rechnet mit guten Chancen bei den kommenden Wahlen. Dennoch spricht er sich für eine breite Koalition aus: »Die Macht liegt auf der Straße. Das heißt: Keiner hat sie. Es gibt keine demokratische Partei oder Bewegung, die die Legitimation hätte, sie zu ergreifen. Wir brauchen darum eine ›Große Koalition der innenpolitischen Vernunft‹. Der Runde Tisch ist diese Koalition nicht. Das ist der Versuch, die DDR der Zukunft aufzubauen, Schneisen dafür zu schlagen.« Eppelmann sieht die Aufgabe seiner Partei vor allem darin, die politisch inaktive Mehrheit der DDR-Bevölkerung zu aktivieren. »Wir müssen uns ihren Wünschen, Empfindungen, Erwartungen stellen. Das heißt nicht, daß wir zu allem Ja und Amen sagen dürfen. Aber es kann uns Linken nicht gleichgültig sein, was 70 Prozent der DDR-Bevölkerung bewegt. Sonst sorgen sich die anderen um sie.«

Der frühere Vorsitzende der National-Demokratischen Partei (NDPD), Prof. Heinrich Homann, wird aus der Partei ausgeschlossen. Die weitere Untersuchung seines Finanzgebarens wird der Staatsanwaltschaft übergeben, da es sich um Dimensionen handelt, die den Rahmen der internen Parteikontrolle übersteigen.

Unsaubere Finanzaktionen, wie die mißbräuchliche Verwendung von Solidaritätsgeldern, führen auch zum Rücktritt des FDGB-Arbeitssekretariats und der neuen Vorsitzenden Annelis Kimmel. Sie waren nur fünf Wochen im Amt und hatten nicht das Vertrauen der Gewerkschaftsbasis gefunden.

Wirtschaftsministerin Christa Luft bezeichnet die Sicherung der Produktion, eine Stabilisierung der Staatsfinanzen und die Aufrechterhaltung der internationalen Zahlungsfähigkeit als vorrangige Aufgabe der aktuellen Politik. In einem Interview erklärt die Ministerin, die DDR steuere eine bunte Vielfalt in den Eigentumsformen an. Das gesellschaftliche Eigentum werde die Dominanz behalten, aber es solle ergänzt werden durch halbstaatliche Eigentumsformen, Privateigentum und ausländische Kapitalbeteiligung.

Das Bezirksamt für Nationale Sicherheit in Gera schickt ein Telegramm an den Innen- und den Verteidigungsminister. Darin fordern die früheren Stasi-Mitarbeiter »die unverzügliche Wiederherstellung der Rechtsstaatlichkeit. Alle Anstifter, Anschürer und Organisatoren haßerfüllter Machenschaften gegen die Machtorgane des Staates sind zu entlarven und zu paralysieren.« Die Staatssicherheit solle erhalten bleiben. Zur gleichen Zeit beginnt in Suhl und Neubrandenburg bereits die Auflösung der Bezirksverwaltungen.

Zu einer Kundgebung unter dem Motto »Vorausdenken und Handeln, damit es eine Zukunft gibt« laden Wissenschaftler und Künstler in den Berliner Lustgarten. Die Demonstration offenbart den Riß, der sich quer durch die Gesellschaft zieht: Der Wunsch der meisten Teilnehmer nach schneller Wiedervereinigung mit der BRD, dargestellt auf vielen Transparenten, steht in krassem Gegensatz zu den Äußerungen der meisten Redner.

In Plauen wird bei einer Demonstration von 10000 Menschen ein Volksentscheid zur Wiedervereinigung gefordert. Auf Protestveranstaltungen in 15 anderen Orten geht es u.a. um eine Bildungsreform, ökologische Fragen und die Umnutzung von Militärgeländen.

Sonntag, 10. Dezember

Als erste Außenstellen des früheren Ministeriums für Staatssicherheit stellen die Bezirksverwaltungen in Neubrandenburg und Suhl ihre Tätigkeit ein. Obwohl die von Regierung und Opposition geforderte Auflösung des Amtes für Nationale Sicherheit noch nicht offiziell beschlossen, sondern erst angekündigt ist, ziehen die Behörden dort, wo der Druck am größten ist, bereits die Konsequenzen. Unabhängige Untersuchungsausschüsse sichern nun die Aktenbestände, nehmen Beschwerden entgegen und erstatten Anzeige.

Auf der Landesdelegiertenkonferenz des Neuen Forum in Leipzig wird ein Veto- und Kontrollrecht gegenüber den staatlichen Verwaltungen auf allen Ebenen verlangt. Eine direkte Übernahme der Macht steht nicht zur Diskussion. Noch vor der Volkskammerwahl sollten Kommunalwahlen stattfinden, um die Eigenständigkeit und Selbstverwaltung der Kommunen zu stärken. Für die Übergangszeit bis dahin ist an Bürgerräte gedacht, die mit entsprechender Kompetenz ausgestattet werden sollten.

Unter dem Namen »Die Nelken« konstituiert sich eine weitere politische Gruppierung. Sie strebt die Gründung einer marxistischen Partei an. In einer ersten Erklärung unterstützt sie einen sozialistischen Entwicklungsweg in der DDR.

Auf die Unumkehrbarkeit der Veränderungen und weitere Reformen drängen auch Teilnehmer von Demonstrationen, die an diesem Sonntag wieder in über 20 Städten in allen Teilen des Landes stattfinden. Während in Rostock vor einem Wiederaufleben faschistischer Kräfte gewarnt und eine schnelle Vereinigung beider deutscher Staaten abgelehnt wird, dominieren in Plauen und Ilmenau, wo jeweils 15 000 Menschen zusammenkommen, gesamtdeutsche Töne. In Erfurt bilden 5 000 Personen einen »Bürgerwall« gegen den drohenden Verfall architektonisch wertvoller Gebäude und gegen Abrißpläne im historischen Stadtkern, dem größten Flächendenkmal der DDR. In Gotha kommen anläßlich des Tages der Menschenrechte ebenfalls 5 000 zu einer Kundgebung.

Montag, 11. Dezember

Die Entwicklung in der DDR ist Gegenstand eines Viermächtetreffens, das erstmals nach 18 Jahren wieder zustande kommt. Die Botschafter der USA, Frankreichs, Großbritanniens und der Sowjetunion beraten im Gebäude des Alliierten Kontrollrates in Westberlin über mögliche Konsequenzen aus den bisherigen Veränderungen in der DDR und über die künftige Einbeziehung Westberlins in den gesamteuropäischen Prozeß.

Um ähnliche Fragen geht es bei einem Telefongespräch von Michail Gorbatschow mit dem SED-Vorsitzenden Gregor Gysi, in dem sich Gorbatschow ausdrücklich für eine stabile DDR und deren Souveränität ausspricht.

Das Innenministerium zieht die Schußwaffen leitender Funktionäre ein, um in der überreizten Situation mögliche Fehlreaktionen auszuschließen.

Ex-Staatssekretär Schalck-Golodkowski läßt aus seiner Westberliner Untersuchungshaft mitteilen, daß er in die DDR zurückkommen werde, wenn ihm ein »faires Verfahren« garantiert werde. Sein Anwalt vertritt jedoch die Auffassung, daß die »verständlichen Emotionen« noch so stark seien, daß ein derartiges Verfahren derzeit nicht gegeben sei.

Die SED-Kreisleitung im Berliner Neubaugebiet Hellersdorf stellt ihre Räume den Oppositionsgruppen SDP, Neues Forum und Vereinigte Linke zur Verfügung.

Auf den besorgniserregenden Zustand vieler alter Städte in der DDR machen Künstler, Denkmalpfleger, Architekten und Restauratoren während einer Veranstaltung der Akademie der Künste in Ostberlin aufmerksam. Unter dem Motto »Gegen den Untergang unserer Städte – für eine neue Baupolitik« unterbreiten sie Vorschläge, wie dem rasch fortschreitenden Verfall Einhalt geboten werden kann. Dazu gehören ein Abrißstopp für alte Städte, Substanzschutz und Sofortprogramme sowie Gründung eines Nationalfonds.

Das Bundesinnenministerium in Bonn teilt mit, daß seit Jahresbeginn 317548 Übersiedler aus der DDR in die Bundesrepublik gekommen seien. Allein in den ersten zehn Dezembertagen seien es wieder 17000 gewesen.

Nach Angaben des Gesundheitsministers haben 1989 rund 1500 Ärzte und Zahnärzte sowie rund 4000 mittlere medizinische Mitarbeiter die DDR verlassen. Das Gesundheits- und Sozialwesen, so Prof. Klaus Thielmann, befinde sich in einer sehr schwierigen Situation. Kompliziert sei die Lage vor allem bei mittlerem medizinischem Personal.

Bei der traditionellen Leipziger Montagsdemonstration, an der sich wieder über 100000 Menschen beteiligen, werden die Auseinandersetzungen pro und contra deutsche Vereinigung heftiger. Auf dem Karl-Marx-Platz fordert eine deutliche Mehrheit die deutsche Einheit. Transparente wie »Wiedervereinigung ja – sozialistische Armut nein« oder »Staatsrechtliche Vereinigung bringt Wachstum« zeigen die Erwartungshaltung. Eine Minderheit setzt sich für eine souveräne DDR ein. Die Gruppe sammelt sich um das Transparent »Zehn Punkte von Kohl – außen glänzend, innen hohl«. Ein Vertreter der CDU der Bundesrepublik verteilt Aufkleber mit der Aufschrift »Wir sind ein Volk«. In Karl-Marx-Stadt demonstrieren 40000 für die Wiedervereinigung. Besonders findet der Zehn-Punkte-Plan große Zustimmung. Immer stärker wird die Forderung nach einer Volksabstimmung über die deutsche Einheit noch vor den Volkskammerwahlen. In Dresden wandelt sich eine Kundgebung von 100000 Menschen für den Umweltschutz zu einer Veranstaltung für die deutsche Einheit. Auch in Halle, wo 35000 dem Aufruf der SDP zur Demonstration folgen, dominiert dieses Thema. Ein Sprecher mahnt zur Gewaltlosigkeit, die bisher »das große Argument unserer Revolution« war. In Schwerin demonstrieren 7000 Anhänger des Neuen Forum für radikale politische Reformen. Auffällig ist, daß in den Nordbezirken der Ruf nach deutscher Einheit lange nicht so laut erschallt wie im Süden. Insgesamt wird an diesem Montag in über 40 Städten demonstriert. Dabei kommt es zu weiteren friedlichen Besetzungen von Stasi-Verwaltungen.

Wahrnehmbar ist eine veränderte Zusammensetzung der Demonstrationszüge. Während im Oktober und Anfang November eher die alternative Szene, Studenten und junge Intellektuelle das Bild prägten, die sich inzwischen in den Führungsgremien der neuen Oppositionsparteien, in unabhängigen Arbeitsausschüssen und am Runden Tisch wiederfinden, beherrschen auf der Straße jetzt Arbeiter das Geschehen. Damit kommen auch andere Interessen zur Geltung.

Dienstag, 12. Dezember

Premier Hans Modrow trifft in Potsdam mit US-Außenminister James Baker zusammen, wobei Baker seine Unterstützung für den demokratischen Reformprozeß in der DDR zum Ausdruck bringt. Modrow setzt sich dafür ein, den Weg vom Dialog zur Kooperation zu beschreiten. Das Thema der deutschen Einheit kommt nicht zur Sprache. Wenige Tage zuvor hatten sich Gorbatschow und Bush bereits darüber verständigt, daß dies momentan nicht auf der Tagesordnung stehe.

In der gesamten DDR werden die Kontrollstellen des früheren Ministeriums für Staatssicherheit in den Haupt- und Bahnpostämtern aufgelöst. In Magdeburg teilen Geheimdienstoffiziere auf einer lokalen Pressekonferenz mit, daß in diesen Spezialabteilungen der Post nicht nur die Briefpost kontrolliert, sondern auch Telefongespräche abgehört und mitgeschnitten worden seien.

Das Neue Forum erstattet Strafanzeige gegen den ehemaligen Staats- und Parteichef Egon Krenz und den Chef des Amtes für Nationale Sicherheit, General Wolfgang Schwanitz, da sich beide »der Verdunklung durch die Vernichtung strafrechtlich relevanter Akten« schuldig gemacht hätten.

Im Zuge der vom Staatsrat beschlossenen Amnestie werden die ersten Häftlinge auf freien Fuß gesetzt. Die Amnestie – es ist die dritte seit 1987 – erfaßt all jene, die vor dem 6. Dezember dieses Jahres wegen »vorsätzlicher und fahrlässiger Vergehen zu einer Strafe bis drei Jahren verurteilt wurden«, unabhängig davon, ob die Urteile rechtskräftig sind oder nicht. Ausgenommen sind Schwerstdelikte wie Raub, Erpressung, vorsätzliche Tötung, Rowdytum und Sexualdelikte.

Am Abend gehen in etwa zehn Städten wieder Menschen aus Protest auf die Straße, wobei es neben Vereinigungsforderungen um die Auflösung der Stasi und die Entmachtung der SED geht.

Mittwoch, 13. Dezember

Die SPD betrachtet künftig die Sozialdemokratische Partei in der DDR (SDP) als ihren Gesprächspartner, leistet ihr Wahlkampfhilfe und beendet die Zusammenarbeit mit der SED, erklärt Parteivorsitzender Hans-Jochen Vogel in Berlin.

Später antwortet SED-Vorsitzender Gregor Gysi in Westberlin vor Journalisten: »Wenn es so ist, daß Herr Vogel mit den früheren Generalsekretären besser zurechtgekommen ist als mit den neuen Parteigremien, so muß ich das zur Kenntnis nehmen. Ich glaube nicht, daß es sein letztes Wort bleiben wird. Er unterschätzt unsere Kraft zur Erneuerung.«

Deutsch-deutsche Parteienzusammenarbeit deutet sich auch auf der anderen Seite des politischen Spektrums an. Die Republikaner wollen sich an den Volkskammerwahlen in der DDR beteiligen, verkündet deren Westberliner Vorsitzender Carsten Pagel. Seine Partei sei durch die Forderungen nach Wiedervereinigung in der DDR zur Wahlteilnahme ermutigt worden.

Gegen eine deutsche Wiedervereinigung, aber für eine Konföderation beider deutscher Staaten spricht sich der Vorsitzende der National-Demokratischen Partei (NDPD) Günter Hartmann aus. »Bei einer Wiedervereinigung hätten wir bald vollere Läden, aber sicher auch einen rapiden Sozialabbau, wir hätten sicher schneller modernere Technik in den Betrieben, aber ebenso sicher auch Hunderttausende Arbeitslose.«

Die Notwendigkeit einer neuen ökologischen Politik, für die seit Jahren grüne Basisgruppen kämpfen, wird durch erschreckende Presseveröffentlichungen noch einmal erhärtet. Bei einer Kontrolle von 4000 legalen und illegalen Müllkippen in verschiedenen Landesteilen durch die Arbeiter-und-Bauern-Inspektion (ABI) wurde festgestellt, daß lediglich 920 den gesetzlichen Vorschriften entsprachen, also nicht einmal ein Viertel.

Bundesdeutsche Gäste werden künftig gemeinsam mit DDR-Bürgern im Ferienhaus Erich Honeckers am Schweriner See Urlaub machen können, teilt der Hamburger Reiseveranstalter »Hansa Tourist« mit. Zu dem Ferienkomplex gehören zwei massive Häuser mit 50 Betten, Sauna, Badestelle am See sowie als besondere Attraktion Honeckers Haus-Hirsch »Rudi«, der täglich zum Äsen in den Garten kommt.

Als einen würdigen Abschluß der Demonstrationsbewegung dieses

Herbstes schlagen Vertreter der Kirche und demokratischer Gruppierungen für den kommenden Montag ein schweigendes Gedenken an die Opfer des Stalinismus in der DDR vor. Nach den traditionellen Friedensgottesdiensten soll sich um das Leipziger Stadtzentrum ein Menschenring schließen. Auf Plakate und Sprechchöre soll verzichtet werden. Statt dessen sollten Kerzen brennen. Die Kirchen der Stadt werden zum Abschluß läuten und den Wunsch der Christen zum Ausdruck bringen, daß sich die Erneuerung des Landes in Wahrhaftigkeit, Friedfertigkeit und Gewaltlosigkeit vollziehen möge. Über die Fortführung der Demonstrationen im neuen Jahr, so schließt der Aufruf, entscheide die von der politischen Lage abgeleitete Notwendigkeit.

Am Abend ruft Bundespräsident Richard von Weizsäcker im ersten Interview für das DDR-Fernsehen die Deutschen in Ost und West zur Besonnenheit auf. Jetzt gelte es, die erkämpfte Freiheit verantwortlich zu gebrauchen. An seine Landsleute gewandt, sagt der Bundespräsident: »Nun haben wir zunächst einmal mit großer Achtung den Deutschen in der DDR zu begegnen. Wir haben die Freiheit geschenkt bekommen, sie haben sie selbst erstritten.«

Donnerstag, 14. Dezember

Der Ministerrat beschließt, den Forderungen des Runden Tisches nachzukommen und das Amt für Nationale Sicherheit aufzulösen. Dessen bisheriger Chef, General Wolfgang Schwanitz, wird beurlaubt. Zugleich sollen ein »Verfassungsschutz« und ein »Nachrichtendienst« geschaffen werden, ohne jedoch bisherige Führungskräfte zu übernehmen. Vier Bezirksverwaltungen sind zu diesem Zeitpunkt bereits lahmgelegt, die übrigen nur noch stark eingeschränkt arbeitsfähig. In Leipzig wird unter Aufsicht eines Bürgerkomitees in der Bezirkszentrale der Stasi eine Abhöranlage unbrauchbar gemacht, mit der es möglich war, 350 Telefongespräche gleichzeitig zu belauschen.

Entscheidungen fallen auch zum Abbau von Privilegien, um dem wachsenden Druck zu begegnen, der immer radikalere Formen annimmt. Die Politbüro-Siedlung Wandlitz soll einem Beschluß des Ministerrates zufolge in ein Rehabilitationszentrum für Erwachsene und Kinder umgewandelt werden. Laut Regierungssprecher Meyer werden ab Februar 1990 dort die ersten 400 Personen betreut.

Das Innenministerium warnt erneut vor Selbstjustiz und Übergriffen. Mehreren Kaderleitungen in Betrieben der Bezirke Potsdam und

Halle wurde bei Einstellung von ehemaligen Mitarbeitern des aufgelösten Ministeriums für Staatssicherheit mit Gewaltakten gedroht. Jetzt stünde die Forderung »Stasi in die Produktion« auf dem Prüfstand.

Die Bürgerbewegung Demokratie Jetzt stellt auf einer Pressekonferenz einen »Dreistufenplan der nationalen Einigung« vor. Sie reagiert damit auf die veränderte Stimmungslage im Land. Den Forderungen der Straße nach sofortiger Wiedervereinigung will man ein langfristiges Konzept entgegensetzen. Danach soll der demokratische Konsolidierungsprozeß in der DDR mit einer schrittweisen politischen Annäherung der beiden deutschen Staaten gekoppelt werden, so daß am Ende eine »neue politische Einheit der Deutschen, gegründet auf einer solidarischen Gesellschaft«, entsteht. In der ersten Phase ist an politische Reformen in beiden deutschen Staaten gedacht: Wahl-, Verfassungs- und Wirtschaftsreform in der DDR, soziale und ökologische Reformen in der BRD. Danach soll der Grundlagenvertrag in einen Nationalvertrag verwandelt werden, der einen Staatenbund mit doppelter Staatsbürgerschaft und doppelter Mitgliedschaft in EG und RGW konstituiert. In der dritten Phase schließlich ist nach dem Abzug der Alliierten und der Verabschiedung eines Europäischen Friedensvertrages an einen »Bund Deutscher Länder« gedacht, der die politische Einheit herstellen soll.

Mehrere Umweltgruppen kommen überein, einen gemeinsamen Dachverband zu gründen, der zu den kommenden Volkskammerwahlen im Mai 1990 kandidieren soll. Das kündigen Vertreter vom »Netzwerk Arche« an. Erster Schritt für die Kandidatur sei die rechtliche Konstituierung der Grünen Liga, die Anfang Februar in Leipzig erfolgen werde.

Der Berliner Ökologieprofessor Günter Streibel schlägt die Einführung von Öko-Pässen für Industriebetriebe sowie die Gründung einer Umweltzeitung vor. Die Umweltschäden schätzt er auf jährlich 30 Milliarden Mark. Zwei Drittel aller Flüsse in der DDR weisen mittlere bis starke Belastungen auf, nur noch drei Prozent der Seen hätten Trinkwasserqualität.

Bis zum Jahresende wird die Aluminiumschmelze 1 des Kombinates Bitterfeld im Industriebezirk Halle geschlossen, geht aus Presseberichten hervor. Die dort produzierten 20 000 Tonnen Aluminium pro Jahr sollen dann für jährlich 80 Millionen DM importiert werden. Vermieden wird mit der Stillegung ein Ausstoß von jährlich 640 Tonnen Fluorkohlenwassertoff, 4 800 Tonnen Kohlenmonoxid und 1 000 Tonnen nichtgiftigen Staubes. Die 1916 errichtete Anlage sei verschlissen und nicht mehr rekonstruktionsfähig.

Einer Information der Berliner Bischofskonferenz zufolge gibt es in der DDR gegenwärtig 6,2 Millionen Christen. Das sind 37,4 Prozent der Gesamtbevölkerung. 5,1 Millionen gehören dem Bund der Evangelischen Kirchen an, 1,05 Millionen bekennen sich zum katholischen Glauben, und 71 450 gehören anderen Kirchen oder Religionsgemeinschaften an.

Elmar Faber, Chef des Verlegerausschusses des Leipziger Börsenvereins der Verleger und Buchhändler, informiert über erste Veränderungen in der DDR-Verlagslandschaft. Mehrere neue private Unternehmungen seien im Entstehen, so die Sachbuchverlage LinksDruck und BasisDruck, und vorhandene staatliche Verlage öffneten sich neuen Kooperationsformen, wie Joint-ventures mit westdeutschen Verlagshäusern. In die Programmpolitik gäbe es keine Eingriffe mehr, so daß demnächst im Aufbau-Verlag Solschenizyns »Krebsstation« und Walter Jankas Erinnerungen »Schwierigkeiten mit der Wahrheit« erscheinen können.

Für Demokratie und eine mündige DDR demonstrieren am Abend über 10 000 Einwohner von Erfurt. Vertreter des Neuen Forum sprechen sich für die Beibehaltung sozialer Wertvorstellungen aus, die auch bei einer Vereinigung beider deutscher Staaten mit eingebracht werden müßten. In Halle und Gera finden Kundgebungen mit jeweils 5 000 Teilnehmern unter dem Motto »Deutschland einig Vaterland« statt.

Freitag, 15. Dezember

Mit dem katholischen Pädagogen Volker Abend vom Neuen Forum soll erstmals ein Vertreter der oppositionellen Gruppen in die Regierungsverantwortung gerufen werden. Der frühere Mathematiklehrer an der katholischen Theresien-Oberschule soll Stellvertreter des Ministers für Bildung werden.

Unter dem Leitwort »Erneuerung und Zukunft« beginnt in Berlin der von der Basis geforderte CDU-Sonderparteitag. Die 800 Delegierten vertreten rund 140 000 Parteimitglieder. Der Parteivorsitzende Lothar de Maizière blickt zurück: »Das Versagen unserer Partei in der Vergangenheit hat ein wichtiges Potential kirchlichen gesellschaftlichen Engagements in die neuentstandenen Gruppierungen und Parteien fließen lassen.« Die CDU sei eine Volkspartei mit christlichem Profil, die eintritt für Frieden in Freiheit und Gerechtigkeit, für Marktwirtschaft in sozialer Bindung und mit ökologischer Verantwortung, für die Einheit der deutschen Nation – übergangsweise in einer deutschen Konföderation – in einem freien und vereinten Europa auf der Grundlage des Selbstbestimmungsrechtes der Völker.

Das bisherige Hauptausschußmitglied Winfried Wolk tritt aus der Partei aus. Der 48jährige Maler und Grafiker, der seit 19 Jahren der CDU angehörte, wirft dem Parteitag mangelnde Vergangenheitsbewältigung vor. Dieses Land stehe vor der Katastrophe. Aber wo man schreien müßte, werde gesäuselt. Die CDU sei lange Zeit der »Knüppel der SED« und keine eigenständige Partei gewesen. Die CDU laufe der Entwicklung ständig hinterher.

Mitglieder der Liberal-Demokratischen Partei (LDPD) aus Karl-Marx-Stadt unterbreiten den offiziellen Vorschlag, die Stadt wieder in Chemnitz umzubenennen, so wie sie vor 1953 hieß. Ferner sprechen sie sich dafür aus, Straßen wieder ihren früheren Namen zu geben. So sollten beispielsweise die Juri-Gagarin-Straße und die Julian-Marchlewski-Straße wieder Zschopauer Straße und Bersdorfer Straße heißen.

Bei seinem Staatsbesuch in Prag erklärt Prof. Manfred Gerlach, daß es in der DDR keinen Raum für Neofaschismus und Antisemitismus geben werde. Vereinzelten derartigen Tendenzen begegne man mit allen Mitteln, auch den gesetzlichen Mitteln des Staates. Man werde keine neofaschistischen Parteien oder Organisationen dulden, also auch keine Zweigstellen der sogenannten Republikaner aus der BRD.

Sonnabend, 16. Dezember

Der neugewählte Generalsekretär der CDU, Martin Kirchner, gibt auf der Abschlußsitzung des Parteitages in Berlin ein öffentliches Schuldbekenntnis seiner Partei ab. Täter und Opfer seien Opfer und Täter zugleich gewesen. Mit überwältigender Mehrheit wird der Rechtsanwalt Lothar de Maizière zum Vorsitzenden gewählt.

In Leipzig tagt zur gleichen Zeit der Gründungsparteitag des Demokratischen Aufbruch, der sich nach langer Programmdebatte für eine Zukunft unter marktwirtschaftlichen Bedingungen ausspricht. Viele Redner machen zugleich darauf aufmerksam, daß sich dieses Ziel unter Beibehaltung der Wertvorstellungen »sozial und ökologisch« – die ja auch Bestandteil des Parteinamens sind – allerdings nur schwer erreichen läßt. Auch hier wird das Wort Sozialismus aus dem Sprachgebrauch der Partei entfernt. Der Erfurter Delegierte Gerald Wittenberg erntet starken Beifall für die Feststellung: »Die Planwirtschaft ist tot, wir wollen diese Leiche nicht wiederbeleben, keine sozialistischen Experimente mehr.«

In der Aussprache wird deutlich, daß sich die junge Partei zwischen den »linken Visionären« um den Wittenberger Pfarrer Friedrich Schorlemmer und den »Pragmatikern« um den Rostocker Rechtsanwalt Wolfgang Schnur, der tags darauf zum Vorsitzenden gewählt wird, zu polarisieren beginnt. Der 45jährige Schnur ist einer der wenigen Einzelanwälte in der DDR und genießt das Vertrauen der Evangelischen Kirche, die ihn wiederholt mit sensiblen Vorgängen betraute, auch mit der anwaltlichen Vertretung von Oppositionellen und »Republikflüchtlingen«. Er erklärt in einem Interview, seine Partei wolle ein »neues, vereinigtes Deutschland in den Grenzen des Jahres 1989 schaffen«.

Die SED beschließt während des zweiten Teils ihres Sonderparteitages in Berlin, sich als »Partei des Demokratischen Sozialismus« neu zu formieren und bis zum nächsten ordentlichen Parteitag unter dem Doppelnamen SED-PDS dafür Sorge zu tragen, daß ihre tiefe Schuld an der Krise der DDR abgetragen wird. Der Dissident Rudolf Bahro, der wegen seiner Kritik an der SED 1978 zu acht Jahren Haft verurteilt und später in die Bundesrepublik abgeschoben worden war, erhält Rederecht und legt in einer halbstündigen Ansprache seine ökologisch orientierten Zukunftsvorstellungen dar. Als vordringlichste Aufgabe für den bevorstehenden Wahlkampf sieht es die Partei an, »die staatliche Eigenständigkeit der DDR zu wahren und mit einer einflußreichen sozialistischen Partei in Volksvertretungen und Regierung Verantwortung zu tragen«.

Von rechter Seite wird ebenfalls zum Wahlkampf gerüstet. Der Kriminalsoziologe Wolfgang Brück, der die jüngsten Aktivitäten in diesem Bereich beobachtet hat, urteilt: »Ich vermute, daß wir recht bald mit einem organisierten Heraustreten einer rechtsextremistischen Organisation aus dem Dunkel zu rechnen haben. Es gibt in der DDR beträchtliche rechtsextreme Stimmungen. Es hat örtliche Aktionen gegeben. Flugblätter der Republikaner sind in Berlin und Leipzig aufgetaucht. Eine andere Frage aber ist, ob die Republikaner oder die anderen neonazistischen Gruppierungen Oberhand in unserer gegenwärtigen Situation gewinnen können. Eine solche aktuelle Gefahr ist, so glaube ich jedenfalls, nicht unbedingt vorhanden. Die DDR ist in ihrer übergroßen Gesamtheit antifaschistisch. Sie muß sich aber in aller Offenheit diesem Kampf stellen. Ansonsten wird es ein böses Erwachen geben.«

Nach Angaben von Republikaner-Chef Franz Schönhuber schickt die Neonazi-Partei derzeit »tonnenweise« Propagandamaterial in die DDR, wo sie über »intakte Gruppen« verfüge. Die »Junge Welt« berichtet über faschistische Morddrohungen, die bei der Nationalen Mahn- und Gedenkstätte in Buchenwald eingegangen seien und die mit den Worten endeten: »Deshalb haltet die Öfen offen, jeder Schuß ein Ruß' und ein Kommunist!« Der maschinengeschriebene Brief trug den Absender »Untergrundbewegung Republikaner«.

Am Abend wird auf einer Kundgebung in Plauen von etwa 10 000 Menschen abermals eine schnelle Vereinigung mit der Bundesrepublik gefordert.

Sonntag, 17. Dezember

Meinungsforscher aus der BRD und der DDR führen eine Befragung unter DDR-Bürgern durch und kommen zu folgenden Ergebnissen: Für eine souveräne DDR sind 73 Prozent der Befragten, für die Idee des Sozialismus 71 Prozent. Lediglich 27 Prozent sprechen sich für einen gemeinsamen Staat mit der Bundesrepublik aus. 39 Prozent halten das Wirtschaftssystem der BRD für erstrebenswert, 61 Prozent geben einem »gründlich reformierten sozialistischen Wirtschaftssystem« den Vorzug. »Falls morgen Wahlen wären«, würden 86 Prozent wählen gehen. Von den 48 Prozent Entschlossenen würden 14 Prozent SED, 9 Prozent SDP, 6 Prozent Neues Forum, 5 Prozent LDPD, 5 Prozent CDU, 3 Prozent Die Grünen, 3 Prozent DBD, 1 Prozent Demokratischer Aufbruch und 1 Prozent NDPD wählen.

Diese Ergebnisse lösen bei vielen Überraschung aus. Die Fernsehbilder der letzten Wochen hatten eher einen anderen Eindruck entstehen lassen, doch entsprechen fahnenschwenkende Gruppen in Leipzig und laute Sprechchöre in Dresden zu diesem Zeitpunkt offensichtlich nicht der Gesamtstimmung in allen Teilen der Bevölkerung.

Der österreichische Zukunftsforscher Prof. Robert Jungk, der die jüngste Entwicklung der DDR intensiv verfolgt hat, kommt sogar zu folgendem Urteil: »Hier sind diese alten festgefahrenen ökonomischen und politischen Herrschaftsstrukturen nicht mehr da, die bei uns im

Westen überall noch existieren, ob es sich nun um Machtstrukturen der Konzerne oder der Parteien handelt. Hier ist etwas in Fluß geraten, eine Demokratie im Entstehen, die den Bürgern viel mehr Möglichkeiten des Mitdenkens und Mitentwerfens bietet als irgendeine andere Demokratie. Das könnte ein Modell für die Welt werden. (...) Viele sehen in der Öffnung dieser Gesellschaft nur die Gefahr der Kolonisation. Ich sehe die DDR nicht als das verlorene Land, sondern vor allem als die große Chance.«

Montag, 18. Dezember

Der Runde Tisch befürwortet auf seinem zweiten Treffen eine »Vertragsgemeinschaft« mit der Bundesrepublik. Man hoffe, daß der bevorstehende Besuch von Bundeskanzler Helmut Kohl in Dresden zu einer engeren politischen und wirtschaftlichen Zusammenarbeit führt, heißt es in einer Erklärung. Regierungschef Hans Modrow bekennt im Fernsehen, daß eine umfassende Hilfe aus dem Westen die Krise der DDR wesentlich entschärfen könnte. Die Regierung informiert über ihren Beschluß, anstelle des aufzulösenden Amtes für Nationale Sicherheit einen Auslandsgeheimdienst und einen Verfassungsschutz zu bilden, was Protest bei den Oppositionsgruppen auslöst, die eine generelle Abschaffung geheimdienstlicher Organisationen fordern.

Bonns Regierungssprecher Dieter Vogel warnt den Osten vor allzu übertriebenen Erwartungen. »Der Kanzler kommt nicht mit einem Sack voller Weihnachtsgeschenke.« Damit weist er auch Hoffnungen auf ein über zehn Jahre angelegtes 100-Milliarden-Programm der bundesdeutschen Wirtschaft für die DDR zurück, das von der Bonner Regierung mit Bürgschaften abgesichert werden müßte.

Beide deutschen Staaten kommen überein, alle noch inhaftierten Agenten auszutauschen. In der DDR sitzen 25, in der Bundesrepublik vier ein.

Die Bundes-CDU gibt bekannt, daß sie mit der umstrukturierten Ost-CDU stärker zusammenarbeiten will, da diese Gruppierung die einzige in der DDR sei, die sich kompromißlos für die Einheit der Deutschen ausgesprochen habe.

Gegen eine Wiedervereinigung und für die Anerkennung der bestehenden Grenzen spricht sich der Ostberliner Sprecherrat des Neuen Forum aus. »Wir dürfen nicht von der Konfrontation in die Konföderation fallen«, heißt es in einer an diesem Tag verbreiteten Erklärung.

Am Abend demonstrieren in Leipzig über 100 000 zum »Stillen Abschluß« der '89er Demonstrationen. Sie folgen dem Aufruf von Superintendent Friedrich Magirius und Gewandhaus-Kapellmeister Kurt Masur und verzichten weitgehend auf Spruchbänder und bringen dafür Kerzen mit. Gemeinsam gedenken die Teilnehmer der Opfer von Gewalt und geistiger Unterdrückung in 40 Jahren stalinistischer Herrschaft. Alle Kirchen der Stadt läuten die Glocken. Auch in Karl-Marx-Stadt ziehen 30 000 Menschen schweigend durch die Straßen der Innenstadt. Anders die Stimmung in Dresden: 50 000 demonstrieren am Vorabend des Besuchs von Helmut Kohl für die Wiedervereinigung, schwenken Deutschlandfahnen und rufen: »Deutschland einig Vaterland«.

Dienstag, 19. Dezember

Flughafen Dresden-Klotzsche: Bundeskanzler Helmut Kohl trifft zum ersten offiziellen Besuch in der DDR ein. Ministerpräsident Hans Modrow ist zu seiner Begrüßung erschienen: »Ich freue mich, daß wir uns kennenlernen, auf gute Gespräche.« Beide fahren in die Dresdner Innenstadt. Vor dem Tagungsort, dem Hotel »Bellevue«, schlägt Kohl eine Welle der Begeisterung entgegen. Er wird mit Rufen wie »Helmut, Helmut« und »Deutschland einig Vaterland« empfangen. Vor dem Hoteleingang sagt Kohl: »Es ist eine Situation, die zu Herzen geht. Aber es ist auch eine Situation, in der man Verstand braucht. Man muß wissen, daß man jetzt mit Augenmaß, auch im internationalen Feld, die richtigen Schritte tut.«

Sein innenpolitischer Gegenspieler, SPD-Kanzlerkandidat Oskar Lafontaine, rechnet zur gleichen Zeit im Westberliner ICC auf dem Bundesparteitag seiner Partei mit Kohls Politik ab: »Eine Deutschlandpolitik, die erstens dazu führt, daß die DDR mehr und mehr junge, aktive Menschen verliert und die Wirtschaft dort immer mehr in Gefahr gerät, daß ganze Versorgungssysteme dort zusammenbrechen, daß dort also die soziale Not steigt und auf der anderen Seite dann spiegelbildlich dazu führt, daß bei uns die Arbeitslosigkeit weiter steigt und die Wohnungsnot weiter steigt – eine solche Deutschlandpolitik ist falsch, und sie muß grundlegend geändert werden.«

Im NATO-Hauptquartier spricht sich der sowjetische Außenminister Eduard Schewardnadse bei seinem ersten Besuch in der Zentrale des

Die Leipziger Montagsdemonstrationen finden für 1989 mit vielen Kerzen einen stillen Abschluß. Es wird der Opfer von Gewalt und geistiger Unterdrückung gedacht.

westlichen Verteidigungsbündnisses gegen eine schnelle Wiedervereinigung der beiden deutschen Staaten aus.

Nach seinen Gesprächen mit DDR-Premier Hans Modrow äußert sich Helmut Kohl »sehr zufrieden«. Auf einer Pressekonferenz geben beide Politiker die Ergebnisse ihrer Gespräche bekannt. Danach wird das Brandenburger Tor noch vor Weihnachten geöffnet und sind die Reisen für Bundesbürger in die DDR ab Heiligabend visafrei. Alle politischen Gefangenen sollen bis Weihnachten entlassen werden. Bundesbürger können ab 1. Januar 1990 in der DDR zum Kurs 1:3 umtauschen. Hans Modrow verweist darauf, daß ein »Vertrag über Zusammenarbeit und gute Nachbarschaft« erarbeitet werden soll, um so schrittweise eine Vertragsgemeinschaft mit der Bundesrepublik aufzubauen.

Als erstes Bundesland lockert Schleswig-Holstein mit sofortiger Wirkung die Richtlinien für Reisen von Angehörigen des öffentlichen Dienstes in die DDR. Wie Innenminister Hans Peter Bull mitteilt, brauchen Personen, die zum Umgang mit Verschlußsachen ermächtigt sind, ihrer Behörde derartige Fahrten nur noch rechtzeitig anzuzeigen. Demnach können auch Landesbedienstete, die die Geheimhaltungsstufen »Geheim« und »Streng geheim« führen, in die DDR reisen. Für alle nicht zum Umgang mit Verschlußsachen ermächtigte Angehörige des öffentlichen Dienstes entfällt sogar die Anzeigepflicht. Für Mitarbeiter des Verfassungsschutzes und vergleichbare Angehörige der Kriminalpolizei bleiben DDR-Reisen jedoch weiterhin untersagt.

Gegen den ehemaligen ZK-Sekretär für Wirtschaft, Günter Mittag, ermittelt die Generalstaatsanwaltschaft wegen Machtmißbrauchs. Der Vorsitzende des parlamentarischen Untersuchungsausschusses der Volkskammer, Heinrich Toeplitz (CDU), schließt nicht aus, daß es »in Richtung Hochverrat« gehe. Er teilt außerdem mit, daß die frühere Bildungsministerin Margot Honecker sich bislang erfolgreich einer Vorladung vor den Ausschuß entzogen hat. Sie begründe dies mit der Pflege ihres Mannes. Zur Zeit befänden sich sechs ehemalige Politbüro-Mitglieder und zwei frühere Staatssekretäre in Haft. Der ehemalige Devisenbeschaffer Alexander Schalck-Golodkowski sitze in einer Westberliner Untersuchungshaftanstalt.

Die Liberal-Demokratische Partei Deutschlands (LDPD) bekennt sich zu einer deutschen Einheit, die die bestehenden Grenzen zu Polen und anderen Nachbarstaaten nicht verletzen darf. Wie aus einem Papier des Zentralvorstandes der Partei hervorgeht, wird eine »neue staatliche Einheit Deutschlands in den Grenzen von 1989« angestrebt.

Das Grundsatzpapier distanziert sich – wie es zuvor schon CDU und Demokratischer Aufbruch öffentlich bekundet hatten – vom Sozialismus.

Rund 50 000 Ostberliner demonstrieren am Abend »Für eine souveräne DDR, gegen Wiedervereinigung und einen Ausverkauf des Landes«. Dem Redner der Bewegung Demokratie Jetzt schlägt ein gellendes Pfeifkonzert entgegen, als er versucht, den Drei-Stufen-Plan seiner Organisation zur Wiedervereinigung vorzustellen. Für die Sprecherin des Neuen Forum Berlin, Ingrid Köppe, lautet die prägnante Formel: »Erst erwachsen werden und dann vielleicht ans Heiraten denken«.

Während auch in Rostock 8 000 Menschen zusammenkommen, um gegen eine mögliche Vereinnahmung der DDR zu protestieren, wird Helmuth Kohl vor der Dresdner Frauenkirche von Zehntausenden umjubelt. In Magdeburg spricht sich Willy Brandt vor 40 000 Zuhörern für ein behutsames Aufeinanderzugehen aus.

Mittwoch, 20. Dezember

In Dresden trifft Bundeskanzler Helmut Kohl Bischöfe der Katholischen Kirche und danach Vertreter der Opposition. Am Mittag werden die Ergebnisse des Besuches auf einer Pressekonferenz im Kulturpalast bekanntgegeben: Eine Vertragsgemeinschaft ist das erste Ziel der Zusammenarbeit. Vor allem in den Bereichen Verkehr, Umwelt und Telekommunikation soll möglichst schnell zusammengearbeitet werden. Am Nachmittag wird Kohl mit Jubel verabschiedet.

Die DDR rechnet damit, daß es infolge der Sanierung von Betrieben zu Arbeitslosigkeit kommen kann. Die für Wirtschaft zuständige stellvertretende Vorsitzende des Ministerrates, Christa Luft (SED-PDS), betont vor der Westberliner Industrie- und Handelskammer jedoch, daß die Vollbeschäftigung als Prinzip beibehalten werden solle – »bei Sicherung des sozialen Existenzminimums im Falle zeitweiliger Nichtbeschäftigung aufgrund von Strukturwandel«.

Mit einem neuen Informationspaket will die nordrhein-westfälische Verbraucherberatung verhindern, daß immer mehr Aus- und Übersiedler bereits in den Aufnahmestellen und Wohnheimen Opfer betrügerischer Versicherungsvertreter und »Kredithaie« werden. Nur durch ausreichende Information sei zu verhindern, daß die Aus- und Übersiedler in dem ihnen fremden Wirtschaftssystem in finanzielle Schwierigkeiten gerieten, heißt es im Wirtschaftsministerium in Düsseldorf.

Das Präsidium der Volkskammer faßt den Beschluß, dem Runden Tisch anzubieten, in die Arbeit der parlamentarischen Ausschüsse jeweils einen Vertreter der neuen Parteien und Bürgerbewegungen einzubeziehen.

Ungeachtet aller Proteste der Opposition will die Regierung die beiden neuen Geheimdienste »zu einem baldmöglichen Zeitpunkt arbeitsfähig« machen. Über die Modalitäten verständigen sich Rechts- und Geheimdienstexperten bei einem Treffen in Ostberlin. Nachrichtendienst und Verfassungsschutz sollen eng mit den entsprechenden Organen der Sowjetunion und anderer sozialistischer Staaten zusammenarbeiten.

Der ehemalige DDR-Staatssekretär Alexander Schalck-Golodkowski soll dem schwedischen Rüstungskonzern Nobel Kemi bei der illegalen Ausfuhr von Waffen in den Iran geholfen haben. Nach Angaben der Zeitung »Dagens Nyheter« (Stockholm) haben die Zollbehörden Schwedens wegen dieses Verdachtes formell bei den zuständigen Stellen in Bonn die Genehmigung zu einem Verhör des in Westberlin in Untersuchungshaft sitzenden DDR-Politikers erbeten, der als Staatssekretär im DDR-Außenhandelsministerium auch für Waffengeschäfte zuständig war. Die schwedischen Zollfahnder erhoffen sich dabei genauen Aufschluß über die illegale Ausfuhr von 600 Tonnen Sprengstoff und anderer Kriegsausrüstung durch das zum Bofors-Konzern gehörende Unternehmen Nobel Kemi zwischen 1981 und 1985 von Schweden in den Iran.

Die Nationale Volksarmee will die bislang übliche Anrede »Genosse« im Zuge der Militärreform abschaffen. Wie der NVA-Hauptinspekteur und Vorsitzende der Kommission Militärreform, Generalleutnant Hans Süß, erklärt, spreche nichts dagegen, Soldaten und Offiziere künftig mit »Herr« anzureden. »Wir müssen uns nur daran gewöhnen.«

Zu einem ersten Treffen kommen fünf führende Polizeibeamte aus Westberlin mit hochrangigen Vertretern der Volkspolizei im Ostteil der Stadt zusammen. Ein zentrales Thema dieses Meinungsaustausches »nach 41 Jahren Sprachlosigkeit« ist die bevorstehende Öffnung des Brandenburger Tores. Kooperation von Polizei und Justiz soll es künftig auch in Fällen sogenannter Bagatellkriminalität durch DDR-Bürger geben, zum Beispiel bei Eigentumsdelikten bis 100 D-Mark, die an die jeweiligen Heimatbehörden übergeben werden sollen. Alle Täter werden zugleich im Informationssystem zur Verbrechensbekämpfung (ISVB) erfaßt, um Wiederholungstäter künftig zu erkennen.

Ungewohntes ereignet sich am noch geschlossenen Brandenburger Tor: Auf Ostberliner Seite werden zwei Heißluftballons aufgeblasen. Auf Antrag einer deutsch-französischen Ballonschule aus Baden-Baden haben die DDR-Behörden eine derartige Aktion zum ersten Mal genehmigt. Bislang war der Ballonsport wegen der Fluchtgefahr strikt verboten.

Am Abend trifft der französische Präsident François Mitterand zu seinem DDR-Besuch in Ostberlin ein, wo er mit militärischen Ehren empfangen wird.

Donnerstag, 21. Dezember

Der französische Präsident François Mitterrand trifft im Ostberliner Palasthotel mit DDR-Ministerpräsident Hans Modrow zu einem Arbeitsfrühstück zusammen. Es ist der erste Besuch eines Staatsoberhauptes der Westmächte. In seiner Begleitung befinden sich prominente Wirtschaftsvertreter. Sie hoffen auf Joint-ventures in den Bereichen Luftfahrt, Schienenverkehr, Telekommunikation und Nahrungsmittel. Hier soll Terrain gewonnen werden, das an Westdeutschland verloren wurde.

Bundeskanzler Helmut Kohl tritt vor dem Bundesrat für eine Wiedervereinigung ein, betont aber zugleich: »Wir alle wissen, daß entsprechende Lösungen immer mit Rücksicht auf unsere Nachbarn in Europa und im wechselseitigen Vertrauen gesucht und gefunden werden müssen.«

Das Bundesverteidigungsministerium erlaubt allen Soldaten und Offizieren, einschließlich der sogenannten Geheimnisträger, künftig ungehindert in die DDR und andere Ostblockländer zu reisen.

Die Bayerische Hypotheken- und Wechselbank AG (Hypo-Bank) beantragt beim Ministerium für Außenwirtschaft der DDR die Eröffnung von drei Büros in Ostberlin, Leipzig und Dresden. Die Büros sollen in Bankfilialen umgewandelt werden, sobald hierfür die Voraussetzungen geschaffen seien.

Kauf und Verkauf von Grundstücken in der DDR stehen nach wie vor unter staatlicher Kontrolle. Die derzeitige Rechtslage schließt einen spekulativen Grundstückserwerb durch Ausländer aus. Darauf verweist die »Berliner Zeitung« in einem Beitrag mit dem Titel »Die West-Makler sitzen schon in den Startlöchern«. Das Gesetz verbiete zum Beispiel den Kauf zu spekulativen Zwecken. Der Einsatz von sogenannten Strohmännern würde wenig helfen, da einmal erteilte Genehmigungen widerrufen werden könnten. Für »Westgrundstücke«, die zwischen 1953 und dem 31. Juli 1989 von ihren Eigentümern verlassen wurden, konnten die staatlichen Treuhänder oder Verwalter Nutzungsverträge mit DDR-Bürgern abschließen, was in sehr vielen Fällen geschehen sei. Bürger, die nach dem 31. Juli 1989 die DDR verlassen hätten, müßten sich selbst um diese Vermögenswerte kümmern.

Die Schwarzarbeit von DDR-Bürgern im Westen wollen der Regierende Bürgermeister von Berlin Walter Momper und Ostberlins Oberbürgermeister, Erhard Krack, gemeinsam bekämpfen. Momper betont, es liege nicht im Westberliner Interesse, »daß bei uns die ohnehin rare Arbeit weggenommen wird und auf der anderen Seite dann der DDR auch noch die Arbeitskraft fehlt«.

Mit »Vorschlägen für einen erneuerten Schriftstellerverband« gehen Autoren an die Öffentlichkeit. In einem Neun-Punkte-Programm fordern 60 der rund 500 Mitglieder des Ostberliner Bezirksverbandes eine strikte Unabhängigkeit der Organisation. Zum außerordentlichen Kongreß, der für Anfang März vorgesehen ist, sollten alle ehemaligen Mitglieder, »die die DDR aus kulturpolitischen Gründen verlassen haben oder verlassen mußten«, eingeladen werden, um bei der kritischen Aufarbeitung der Verbandsgeschichte mitzuwirken. Der bisherige Präsident, Hermann Kant, erklärt seinen Rücktritt.

Souvenirjäger haben neue Objekte entdeckt: die Hoheitszeichen der DDR, die an den schwarzrotgold gestrichenen Grenzsäulen angebracht sind. Gleich 50 dieser Embleme wurden nach Angaben der Bayerischen Grenzpolizei allein an einem Grenzabschnitt abmontiert. Das Bayerische Innenministerium verweist darauf, daß es sich bei dem Diebstahl auch um eine Verletzungen des DDR-Hoheitsgebietes handle, was in der Regel zu offiziellen Protesten führe. Da bundesdeutsche Firmen originalgetreue Nachbildungen anböten, sollten Souvenirjäger die DDR-Embleme legal erwerben, empfiehlt das Ministerium.

Am Abend finden in Erfurt (5 000), Gera (4 500) und anderen Städten Schweigemärsche »Zum Gedenken an die Opfer des Stalinismus« statt, an denen sich Tausende Menschen beteiligen. In Berlin kommt es zu einer Kundgebung von 4 000 Menschen vor der rumänischen Botschaft zur Unterstützung der Demokratiebewegung im Balkanland.

Kurz vor Mitternacht beginnen auf der Ostberliner Seite Abrißarbeiten zum Mauerdurchbruch am Brandenburger Tor. Viele Zuschauer wollen das Ereignis mitverfolgen. Etwa 1 000 Reporter aus aller Welt berichten.

Freitag, 22. Dezember

Das Brandenburger Tor wird bei strömendem Regen wiedereröffnet. Der Durchbruch der Mauer zu beiden Seiten des Tores für zwei Fußgängerübergänge beendet nach 28 Jahren symbolisch die Teilung Berlins. Bundeskanzler Kohl und Ministerpräsident Modrow würdigen mit kurzen Ansprachen den historischen Moment, den rund 100000 Menschen auf beiden Seiten des Tores mit brausendem Jubel begleiten. Der sowjetische Botschafter Wjatscheslaw Kotschemassow ist ostentativ nicht erschienen.

In einem Interview mit der Zeitung »Junge Welt« erteilt Modrow einer möglichen Währungsreform in der DDR eine eindeutige Absage. Um weitere Spekulationen und den von den Bürgern befürchteten Ausverkauf der DDR zu verhindern, plant die Regierung zusätzliche Maßnahmen. Als Beispiele nennt Wirtschaftsministerin Christa Luft Ausweiskontrollen beim Friseur, bei der Massage oder beim Schuhmacher. Solche Kontrollen seien »Mindestmaßnahmen«.

Die Oppositionsgruppen am Runden Tisch in Ostberlin werden bei ihrer dritten Zusammenkunft über den Beschluß des Ministerrates vom Vortag unterrichtet, wonach ihnen künftig Räume, Fahrzeuge und Finanzen zur Verfügung gestellt werden. Auch der Zugang zu den Medien soll erleichtert werden. Es wird eine Themenliste für die nächsten Beratungen verabschiedet.

Unterschiedliche Auffassungen über Art und Tempo der deutschen Vereinigung spalten die neugegründete Oppositionspartei Demokratischer Aufbruch. In ihr hätten sich nach den Worten ihres Mitinitiators Friedrich Schorlemmer »zwei Flügel« herausgebildet. Der linke sei stärker »öko-sozial« orientiert, frage nach der ökologischen und sozialen Verträglichkeit allen Handelns und denke »in einer größeren Perspektive«. Der andere Flügel habe die sofortige Schaffung einer sozialen Marktwirtschaft und die möglichst rasche Annäherung an die Bundesrepublik im Auge.

Zur offensichtlichen Rechtfertigung des kritisierten Aufbaus eines Nachrichtendienstes in der DDR meldet die Spionageabwehr verstärkte Aktivitäten der Geheimdienste der USA und der Bundesrepublik. Die von ihnen gesammelten Informationen seien insbesondere für westliche Führungskräfte zur Neubestimmung ihrer »deutschlandpolitischen Konzeptionen« gedacht.

François Mitterrand beendet seinen DDR-Besuch. Kurz vor dem Rückflug nach Paris äußert er sich zur deutschen Wiedervereinigung.

Er schließe Neuverhandlungen über den Viermächtestatus von Berlin nicht aus. Frankreich habe auch nichts gegen die deutsche Einheit, doch müsse sie sich auf friedlichem und demokratischem Wege im Rahmen einer europäischen Ordnung vollziehen.

Die Volkswagen AG und der VEB IFA-Kombinat Personenkraftwagen gründen ein Joint-venture. Das neue Unternehmen soll seine Geschäftstätigkeit unverzüglich aufnehmen und die Planung, Entwicklung und Produktion von Personenkraftwagen und Transportern in Angriff nehmen. Die neue Gesellschaft, an der beide Partner mit je 50 Prozent beteiligt sind, hat ihren Firmensitz zunächst in Wolfsburg. Er soll nach Karl-Marx-Stadt verlagert werden, sobald in der DDR die für die Gründung eines Gemeinschaftsunternehmens erforderlichen gesetzlichen Voraussetzungen geschaffen sind.

Aufwendungen für Besuche von Angehörigen aus der DDR können als außergewöhnliche Belastung vom steuerpflichtigen Einkommen abgesetzt werden. Das Finanzamt rechnet dafür pro Tag und Person zehn Mark an. Auf diese und andere Möglichkeiten einer Steuerminderung verweist das hessische Finanzministerium in Wiesbaden. Steuerlich absetzbar seien danach auch Verwandtenbesuche in der DDR. Für jede Reise in die DDR könnten pauschal 50 Mark als steuersenkend geltend gemacht werden. Solche Aufwendungen müßten allerdings durch Belege nachgewiesen oder durch Bestätigungen glaubhaft gemacht werden.

In vielen Städten kommt es am Abend zu Mahnwachen und Solidaritätskundgebungen für die Opposition in Rumänien, die sich in diesen Tagen heftige Kämpfe mit den Sicherheitskräften liefert.

Am geöffneten Brandenburger Tor feiern Berliner mit ihren Gästen ausgelassen die ganze Nacht.

Sonnabend, 23. Dezember

Die Bürgerbewegung Neues Forum fordert die Regierung auf, ausgebürgerten ehemaligen DDR-Bürgern die Wiedererlangung der Staatsbürgerschaft in einer würdigen Form anzubieten. Dies solle auch für jene gelten, die unter hohem psychischem Druck zur Ausbürgerung gezwungen worden seien. Gerade diese Menschen hätten durch ihr kritisches Engagement wesentlichen Anteil an den jetzt erkämpften Veränderungen.

In Westberlin schließt das Passierscheinbüro der DDR – für immer.

146

Fünf Besucherbüros hatten seit dem ersten Passierscheinabkommen 1964 Millionen von Besuchsanträgen von Westberlinern bearbeitet.

In Rumänien kämpfen Gegner und Anhänger des gestürzten Diktators Nicolae Ceauşescu. Massengräber werden entdeckt. Mehrere hundert Menschen demonstrieren in Ostberlin vom Alexanderplatz zur rumänischen Botschaft. Eine Teilnehmerin sagt einem Fernsehreporter: »Einerseits jubeln wir hier in Berlin, freuen uns. Und dort wird gemordet, umgebracht. – Das hätte bei uns auch passieren können!« Zu Schweigemärschen für die Opfer in Rumänien versammeln sich einige Tausende auch in Leipzig, Dresden und Plauen.

Weihnachten, 24. bis 26. Dezember

Am 24. Dezember um 0.00 Uhr sind Visumzwang und Mindestumtausch für Bundes-bürger bei Besuchen in der DDR entfallen. 380 000 Westdeutsche und 760 000 Westberliner reisen während der Feiertage in den Osten, während über zwei Millionen DDR-Bürger Verwandte und Freunde im Westen besuchen. In Oelsnitz, im Süden der DDR, läßt sich das Neue Forum eine besondere Aktion einfallen. Um die Gastfreundschaft der Bundesbürger zu erwidern, wurden die DDR-Bürger aufgefordert, kostenlos Quartiere zur Verfügung zu stellen. Bereits kurz nach dem Aufruf, den die Lokalpresse veröffentlicht, stehen 1 000 Betten für die angereisten Bundesbürger zur Verfügung.

In seiner Weihnachtsansprache ruft Bundespräsident Richard von Weizsäcker dazu auf, das Vertrauen in die politische und wirtschaftliche Reform der DDR mit allen Kräften zu bestärken. »Wir suchen keinen deutschen Sonderweg in eine isolierte Zukunft. Naturgemäß sind wir Deutschen hüben und drüben einander näher als andere Europäer. Wir Deutschen sind ein Volk. Aber es geht zugleich um einen gemeinsamen großen Aufbruch nach Europa, in dem einer dem anderen weiterhelfen kann.«

Staatssekretär Walter Priesnitz vom Bundesministerium für innerdeutsche Beziehungen teilt auf Anfrage mit, daß alle politischen Häftlinge in der DDR, die aus der Bundesrepublik Deutschland einschließlich Westberlin stammen, vereinbarungsgemäß aus der Haft entlassen worden sind.

Ein Sonderkonzert von Leonard Bernstein ist das große Ereignis am ersten Weihnachsfeiertag. Lange Schlangen vor den Kassen des Ostberliner Schauspielhauses. Große Monitorwände übertragen das Konzert dann auf den voll gefüllten Gendarmenmarkt. Bernstein dirigiert Beethovens Neunte. Spontan ändert er den Text. Heute heißt es: »Freiheit schöner Götterfunken«.

In Karl-Marx-Stadt folgen etwa 5000 Menschen dem Aufruf der SDP zu einer Kundgebung.

Für eine souveräne DDR demonstrieren am zweiten Weihnachtsfeiertag in Schwerin nach Schätzungen der Polizei etwa 1500 Einwohner. Sie fordern, daß die DDR »kein Bundesland der BRD« werden dürfe. Auf Transparenten warnen sie bei ihrem Marsch durch die Innenstadt vor einem »Ausverkauf der DDR«. Zu dem Marsch hatte die Initiativgruppe »Für unser Land« aufgerufen. In anderen Städten kommt es zu Solidaritätsaktionen für Rumänien. Der Sturz des Diktators Ceauşescu am Vortag wird gefeiert.

Mittwoch, 27. Dezember

In Ostberlin findet die vierte Sitzung des Runden Tisches statt. Zu Beginn tritt der Vorsitzende des Demokratischen Aufbruch, Wolfgang Schnur, als Gremiumsvertreter zurück. Zur Begründung führt er eine »zügellose massive Kampagne« der DDR-Presse gegen seine Person an. Schnur ist nach eigenen Angaben wiederholt Korruption und Amtsmißbrauch unterstellt worden. An einen Rücktritt als Vorsitzender des Demokratischen Aufbruch, der sich vor zwei Wochen in Leipzig als Partei gegründet hat, denke er jedoch nicht.

Die Vertreter des Runden Tisches fordern die ständige Präsenz eines kompetenten Regierungsvertreters bei ihren Sitzungen. Darüber hinaus sollen alle Gesetzesvorlagen und wesentlichen Regierungsentscheidungen dem Runden Tisch künftig vor Beschlußfassung schriftlich eingereicht werden, ferner will der Runde Tisch ein Vetorecht erhalten. Die derzeitige Regierung habe die Runden-Tisch-Gespräche bislang »mißachtet«, eine Offenlegung der wirtschaftlichen, sozialen und ökologischen Situation im Lande hätte es noch nicht gegeben. Vielfach sei man vor vollendete Tatsachen gestellt worden, unter anderem bei der Umbenennung des aufgelösten Amtes für Nationale Sicherheit zu einem Verfassungsschutz sowie bei dem Beschluß, ehemaligen Mitarbeitern der Staatsorgane Abfindungsgehälter über drei Jahre zu zahlen. Die Vertreter des Runden Tisches fordern die Regierung auf, die Weisung zur Bildung des Amtes für Verfassungsschutz bis zu den Wahlen am 6. Mai auszusetzen. Es wird eine gesonderte

Arbeitsgruppe Sicherheit gebildet, um den Auflösungsprozeß des Geheimdienstes zu kontrollieren.

Die Liberal-Demokratische Partei (LDPD) setzt sich dafür ein, daß frühere Unternehmer ihre Betriebe, die 1972 in Volkseigene Betriebe umgewandelt wurden, zurückkaufen können.

Der Außenhandelsbetrieb Limex-Bau Export-Import übernimmt den Verkauf der derzeit verfügbaren Originalteile der Berliner Mauer, kündigt Generaldirektor Dirk Peter Pfannschmidt an. Bis dahin durften Segmente der Mauer weder vertrieben noch Dritten außerhalb der DDR überlassen werden.

Donnerstag, 28. Dezember

Am sowjetischen Ehrenmal im Ostberliner Stadtteil Treptow werden antisowjetische und neonazistische Schmierereien entdeckt. Acht Steinsarkophage des Ehrenhains und der Sockel der Krypta sind mit Inschriften wie »Besatzer raus«, »Volksgemeinschaft statt Klassenkampf« und »Nationalismus für ein Europa freier Völker« besprüht worden. Als Verursacher werden in den Medien rechtsradikale Kräfte vermutet, da es in jüngster Zeit wiederholt zu offenen Sympathieerklärungen für die rechtsradikalen Republikaner gekommen ist. Die Kriminalpolizei gibt an, daß ihr inzwischen etwa 1 100 Personen bekannt seien, die im Zusammenhang mit rechtsradikal motivierten Straftaten in Erscheinung getreten wären.

Verteidigungsminister Admiral Theodor Hoffmann kündigt an, daß die Wehrdienstzeit in der DDR von derzeit 18 auf zwölf Monate verkürzt und ein Zivildienst von 18 Monaten eingeführt werden soll.

Der Präsident der Volkskammer, Günther Maleuda, lädt Vertreter jener Teilnehmer des Runden Tisches, die nicht mit einer Fraktion vertreten sind, zur Teilnahme an der nächsten Volkskammertagung am 11. und 12. Januar als Gäste ein.

Die Bürgerbewegung Neues Forum bekennt sich zu den besonderen Beziehungen zwischen beiden deutschen Staaten. Diese gründeten sich auf die geschichtliche Einheit der deutschen Nation und könnten »von der Vertragsgemeinschaft bis zur Konföderation reichen«, heißt es im Entwurf einer Programmerklärung. Die Annäherung der beiden deutschen Staaten müsse allerdings in den Nachkriegsgrenzen stattfinden und dürfe die Interessen von Drittstaaten nicht einschränken.

Die Deutsche Bundesbank und die Staatsbank der DDR vereinbaren die vollständige Rückführung der DDR-Mark-Beträge, die beim Umtausch durch DDR-Reisende in die Bundesrepublik gelangen. Sie sollen auf ein gesondert eingerichtetes Konto der Staatsbank eingezahlt werden. Um die Möglichkeit auszuschließen, »daß die ausgeführten DDR-Mark in Kanäle fließen, die sich gegen die DDR-Währung richten«.

Für einen halben Liter Bier muß ein DDR-Bürger zehn Minuten arbeiten, während ein Bundesbürger das Halbe schon nach drei Minuten verdient hat. Der Arbeitsaufwand für den Erwerb eines Damenkleides beträgt in der DDR 31 Stunden zehn Minuten, in der Bundesrepublik vier Stunden 44 Minuten. Diese auf das Jahr 1985 bezogenen Zahlen veröffentlicht das bayerische Sozialministerium in München. Sie werden von vielen Medien aufgegriffen, um auf die großen wirtschaftlichen Unterschiede im deutsch-deutschen Annäherungsprozeß zu verweisen.

Freitag, 29. Dezember

Es ist der letzte Tag, an dem das »Begrüßungsgeld« für DDR-Bürger im Westen ausgezahlt wird. Nach ersten Berechnungen wurden allein seit der Grenzöffnung am 9. November 625 Millionen DM ausgezahlt.

Das Ansehen der SED ist nach ihrer Neuorientierung offenbar in der Bevölkerung wieder etwas gestiegen. 34 Prozent würden der SED-PDS jetzt ihre Stimme geben, während es im November nur 31,5 Prozent waren. Eine Umfrage von Soziologen der SED-nahen Akademie für Gesellschaftswissenschaften ergab außerdem, daß das Vertrauen in die Regierung unter Ministerpräsident Modrow sehr groß sei. Die Demokratisierung im politischen Leben verläuft nach dieser Untersuchung für 41,4 Prozent in angemessenem Tempo, während 23,9 Prozent sogar meinten, es sei zu schnell. Modrow wird von fast 59 Prozent der Befragten als sympathisch eingeschätzt. Bei einer Befragung im November waren es rund 42 Prozent. Das Ansehen des neuen SED-Vorsitzenden Gregor Gysi stieg von 3,0 auf 13 Prozent.

Mehrere Spitzenpositionen im Ostberliner Verteidigungsministerium und in der Nationalen Volksarmee werden ab 1. Januar 1990 neu besetzt. Der Chef der Rückwärtigen Dienste, Generalleutnant Manfred Grätz, wird stellvertretender Verteidigungsminister und Chef des Hauptstabes der NVA. Er löst damit Generaloberst Fritz Streletz ab. Neuer Chef der Rückwärtigen Dienste wird Vizeadmiral Hans Hofmann. Aus dem aktiven Dienst ausgeschieden ist auch der Chef der Politischen Hauptverwaltung der NVA, Generaloberst Horst Brünner. Seine Behörde wird aufgelöst. Generalleutnant Horst Skerra ist mit Jahresbeginn Chef der Landstreitkräfte. Er tritt die Nachfolge von Generaloberst Horst Stechbarth an.

Die Nationaldemokraten (NDPD) werben als Partei der Mitte um das Vertrauen der Wähler. Das geht aus dem Wahlprogramm-Entwurf hervor, der vorab veröffentlicht wird. Im Mittelpunkt der Politik der NDPD stehe das »Ideal der freien Individualität jedes Menschen als Voraussetzung für das Gemeinwohl unseres Landes«. Die NDPD ist für einen »Bund zweier unabhängiger Staaten deutscher Nation mit unterschiedlichen sozialen Ordnungen, der mehr sein muß als eine Vertragsgemeinschaft«.

Die DDR erweitert zum 1. Januar 1990 die Einfuhrmöglichkeiten für neue und gebrauchte Fahrzeuge. Danach können mehr als 30 weitere Fahrzeugtypen importiert werden. Darunter fallen auch ganze Baureihen von BMW und Mercedes. Darüber hinaus wird das zulässige Alter gebrauchter Fahrzeuge von ursprünglich vier auf nunmehr zehn Jahre heraufgesetzt.

Immer noch treten viele Menschen die Reise von Ost nach West für immer an: Die Aufnahmelager sind nach wie vor überfüllt. Insgesamt haben 340 000 Menschen in diesem Jahr die DDR verlassen.

Sonnabend, 30. Dezember

Eine bislang geheimgehaltene Vereinbarung zwischen dem Ministerrat und der Gewerkschaft der Mitarbeiter der Staatsorgane von Anfang Dezember wird bekannt, wonach ehemalige Angestellte in Ministerien und im Staatsapparat nach der Umsetzung in neue Positionen ein sogenanntes Überbrückungsgeld erhalten sollen. Nach Reduzierung oder Auflösung ihrer früheren Einrichtungen hätten die Betroffenen drei Jahre lang Anspruch darauf, die Differenz zu ihrem früheren Durchschnittslohn zu erhalten, berichtet die »Berliner Zeitung«. Das führt zu großem Unmut bei den »Werktätigen in der Volkswirtschaft«, da sie es für eine Verlängerung ungerechtfertigter Privilegien halten.

Der frühere Kanzleramtsspion Günter Guillaume gesteht in einem Interview im Jugendradio der DDR ein »Gefühl des Mißbrauchs« ein, weil die Agenten »doch nur Schild und Schwert der Parteiführung waren« und nicht des Volkes und des Staates. Doch hoffe er, daß seine

Tätigkeit nicht vergeblich gewesen sei. Den Kundschaftern der DDR draußen in der Welt wolle er sagen, »sie sollten sich keine Sorgen machen. Mir ist keine Panne bekannt, und ich wünsche ihnen draußen alles Gute und vor allen Dingen weiter Gesundheit und Sicherheit.«

Sonntag, 31. Dezember

»Wir wollen alles tun, um die wirtschaftliche Lage für die Menschen in der DDR rasch und spürbar zu verbessern. Sie sollen sich in ihrer Heimat – in Mecklenburg und Thüringen, in Brandenburg, Sachsen und Sachsen-Anhalt – wohlfühlen können«, sagt Bundeskanzler Helmut Kohl in seiner Neujahrsansprache: »In meinem Zehn-Punkte-Programm zur deutschen Einheit habe ich den Weg aufgezeigt, wie das deutsche Volk in freier Selbstbestimmung seine Einheit wiedererlangen kann. Die Zulassung unabhängiger Parteien und freie Wahlen in der DDR sind wichtige Schritte auf diesem Wege.«

Zuvor hatten bereits die Vorsitzenden von Staatsrat, Ministerrat und Volkskammer der DDR eine gemeinsame Neujahrsbotschaft veröffentlicht. Darin heißt es: »Das zu Ende gehende Jahr 1989 wird als das Jahr der friedlichen Revolution in die Geschichte unseres Landes eingehen. Die DDR braucht weitere revolutionäre Veränderungen. (...) Auch bei voller Öffnung der Grenzen zur BRD und zu Westberlin wird ein Ausverkauf der DDR nicht zugelassen. Eine Währungsunion ist nicht vorgesehen.«

Mit Blick auf ein marktorientiertes Wirtschaftssystem formiert sich ein Unternehmerverband privater Betriebe und Genossenschaften. Für den Gründungskongreß am 15. Januar haben sich bereits 400 Gewerbetreibende und Unternehmer angesagt. Auch eine Handels- und Gewerbekammer ist in Vorbereitung.

Unterstützung bei der Umstrukturierung des Geldsektors haben die bundesdeutschen Sparkassen angeboten. Der notwendige Prozeß der marktwirtschaftlichen Orientierung müsse durch ein effizienteres Geldsystem begleitet werden, sagt der Präsident des bundesdeutschen Sparkassen- und Giroverbandes, Helmut Geiger.

Am Abend kommen am Brandenburger Tor in Berlin etwa 100000 Menschen auf beiden Seiten der Mauer zusammen, um gemeinsam das neue Jahr zu begrüßen. Aus allen Teilen in Ost und West hatten viele eine stundenlange Fahrt auf sich genommen, um die »Nacht der Nächte« live mitzuerleben. Es herrscht Vereinigungsstimmung.

Vor dem Brandenburger Tor in Berlin feiern 100 000 Menschen aus Ost und West den Übergang ins neue Jahr.

Januar 1990

Montag, 1. Januar

Das Fest am Brandenburger Tor gerät nach Mitternacht teilweise außer Kontrolle. Einige Dutzend erklimmen das 20 Meter hohe Wahrzeichen Berlins und besteigen die Plastik der Quadriga. Dort zerreißen sie die DDR-Flagge mit dem Hammer- und- Zirkelemblem und hissen die bundesdeutsche sowie die blaue Europa-Flagge. Anschließend werden Scheinwerfer zertrümmert und aus dem kupfernen Eichenkranz der Siegesgöttin Blätter herausgebrochen. Mit einem tragischen Unglück endet dann eineinhalb Stunden nach Mitternacht das »Jahrhundert-Silvester«. Durch eine einstürzende Videoleinwand, deren Leichtmetallgerüst ebenfalls zahlreiche Jugendliche erklettert hatten, werden auf der Ostseite des Brandenburger Tores rund 50 Menschen teilweise schwer verletzt. Sie werden mit Rettungswagen in Ost- und Westberliner Krankenhäuser gebracht. Ein Scherbenteppich unzähliger zerschlagener Flaschen behindert jedoch das Heranfahren der Rettungsfahrzeuge.

Beim Zoll in Duderstadt (Kreis Göttingen) geht gegen 7.30 Uhr am Neujahrsmorgen erstmals ein Hilfeersuchen aus der DDR ein: »Der Kohlenbunker der Ziegelei in Zwinge brennt, könnt Ihr uns helfen?« Der Hilferuf der Volkspolizei löst den ersten deutsch-deutschen Feuerwehreinsatz nach dem Mauerbau aus.

Die Sozialdemokratische Partei der DDR (SDP) will erreichen, daß Karl-Marx-Stadt wieder den Namen Chemnitz erhält. Mit mehreren hundert Anhängern veranstaltet die SDP am Abend in Karl-Marx-Stadt ihre erste diesjährige Kundgebung in Vorbereitung der für Mai geplanten Wahlen. Mit schwarzrotgoldenen Fahnen und entsprechenden Losungen sprechen sich die SDP-Anhänger für die Vereinigung beider deutscher Staaten aus. Die Kundgebungsteilnehmer ziehen anschließend zu einer Demonstration durch die Karl-Marx-Städter Innenstadt.

Seit den ersten Stunden des neuen Jahres demonstrieren Soldaten in Beelitz für eine Militärreform. Sie haben das Kasernengelände verlassen und weigern sich, bis zur Aufnahme direkter Verhandlungen in ihre Unterkünfte zurückzukehren. Ähnliche Demonstrationen von Soldaten gibt es auch in Dresden und Leipzig.

Dienstag, 2. Januar

Der starke Rückreiseverkehr in die DDR überrollt die Bahn. Auf dem Hauptbahnhof in Frankfurt am Main herrschen zeitweise chaotische Zustände. Die Züge in die DDR werden regelrecht gestürmt. Reisende klettern durch die Waggonfenster, da die Plattformen und Gänge hoffnungslos verstopft sind. Um die Abfahrt der Züge nicht länger zu verzögern, muß schließlich die Bahnpolizei einschreiten und Drängelnde an den Waggontüren mit körperlichem Einsatz abweisen.

Der neue Präsident der ČSSR, Václav Havel, stattet vier Tage nach seinem Amtsantritt beiden deutschen Staaten seinen ersten Auslandsbesuch ab. Nach seinen Unterredungen in Ostberlin fliegt er am Nachmittag nach München weiter. »Wir Europäer müssen der DDR dafür danken, daß sie mit dem Abreißen einer der schlimmsten Mauern begonnen hat«, sagt Havel am Brandenburger Tor. Zurückhaltend äußert er sich auf Fragen nach der deutschen Einheit. Zunächst müßten sich die Emotionen beruhigen. In Ostberlin trifft der Präsident auch mit Vertretern des Runden Tisches zusammen. Seine Empfehlung für aussichtslose Momente in den Verhandlungen: eine Therapie aus Lachen, Weinen und einer Minute Pause.

Ministerpräsident Hans Modrow empfängt einige Vertreter des Runden Tisches. Die Regierung suche und brauche Rat. Er bekräftigt seine Bereitschaft zur Zusammenarbeit. »Wenn es uns nicht gelingt«, betont der Regierungschef, »gemeinsam ein Klima der gegenseitigen Achtung, ein Klima der Vertrauensbildung zu schaffen, werden wir auch nicht das notwendige Klima für freie und demokratische Wahlen am 6. Mai haben.« Das Neue Forum, das an dem Treffen »hinter verschlossenen Türen« nicht teilnimmt, macht die weitere Beteiligung an den Gesprächen am Runden Tisch von der Beantwortung noch offener Fragen abhängig. Das Kabinett Modrow werde nur als Übergangsregierung mit eingeschränkter Kompetenz bis zu den ersten freien Wahlen angesehen.

Die Gewerkschaftszeitung »Tribüne« forderte den Runden Tisch auf, »seinen kleinkarierten Firlefanz über Bord zu werfen. Er soll zu wirklich wichtigen Sachthemen scharf und zugespitzt Fragen stellen, Antworten einklagen und praktikable Vorschläge machen, bei denen es auf die Substanz ankommt und nicht so sehr auf die gestochene Formulierung. Er soll was fürs Volk tun, sonst verliert er sein Mandat.«

Der Freie Deutsche Gewerkschaftsbund (FDGB) hat rund 800000 Mitglieder verloren. Das bestätigt der amtierende Vorsitzende Werner

Peplowski in einem Interview. Darüber hinaus seien zahlreiche Mitglieder dazu übergegangen, ihre Mitgliedsbeiträge auf Sperrkonten zu überweisen. Es bestehe nun die Gefahr, daß der Gewerkschaftsbund zusammenbreche.

Die Grenze der DDR und die Mauer in Berlin werden nach Ansicht des amtierenden Staatsratsvorsitzenden Manfred Gerlach nicht fortbestehen. Über die neue Form müsse man sich noch verständigen. Vorstellbar seien einfache Grenzmarkierungen, wie sie auch zwischen vielen anderen Ländern üblich seien. Die Vorstellungen Gerlachs zum Abbau der massiven Sperranlagen sind die bisher weitestgehenden, die hierzu von DDR-Offiziellen vorgetragen wurden.

Nach mehreren früheren vergeblichen Anläufen kündigt der Rockmusiker Udo Lindenberg jetzt seine erste DDR-Tournee an. In Leipzig, Erfurt, Schwerin, Rostock und Magdeburg werden seine Fans aus der DDR Gelegenheit haben, Udo mit dem Panik-Orchester live zu erleben. Für die sechs Auftritte erhält Lindenberg samt Musikern 120000 Mark der DDR. »Da fahr ich dann zum Vergnügen nach Rügen«, meinte er auf die Frage, was er mit der »DDR-Kohle« machen wolle. Er habe eine »ungeheure Neugier, mehr über Land und Leute rauszukriegen«.

In einem Interview des FDJ-Organs »Junge Welt« sprechen sich der Regierende Bürgermeister von Westberlin Walter Momper und der Ostberliner Oberbürgermeister Erhard Krack für »Gesamtberlin als Olympia-Stadt« aus. Als mögliche Termine für Olympische Spiele nennt Momper die Jahre 2000 oder 2004.

Rund 40 Mitglieder des Demokratischen Aufbruch – fast der gesamte linke Flügel – verlassen die von Wolfgang Schnur geführte Partei. Sonja Schröter, stellvertretende Parteivorsitzende, begründet diesen spektakulären Schritt: »Wir wollten ja ursprünglich als Bürgerbewegung Wahrhaftigkeit und nicht mehr in der Lüge leben und einen demokratischen Stil des Umgangs miteinander pflegen. Also abgestimmt mit der Basis ... Und Wolfgang Schnur praktizierte das glatte Gegenteil.«

Die meuternden Soldaten in Beelitz stellen konkrete Forderungen: kürzere Wehrpflicht von zwölf statt bisher 18 Monaten auch für die bereits Dienenden, ziviler Ersatzdienst in gleicher Länge und ein sofortiger sinnvoller Einsatz in der Volkswirtschaft. Ihre Aktion zeigt Wirkung: Verteidigungsminister Theodor Hoffmann kommt zu ihnen und verhandelt zwei Stunden lang. Anschließend gibt er bekannt: »In Abstimmung mit dem Ministerpräsidenten unseres Landes wird entschieden, daß nach Abschluß der Ausbildung hier am 26. Januar die Genossen zurückgeführt werden zu den heimatlichen Wehrkreiskommandos und in den Kreisen in der Volkswirtschaft eingesetzt werden.« Nachdem der Jubel abebbt, fügt der Minister hinzu: »Nachdem Sie mir hier 24 Forderungen vorgelegt haben, auf die ich geantwortet habe, würde ich Sie bitten, daß Sie eine Forderung von mir erfüllen: daß Sie ordnungsgemäß wieder Ihren Dienst aufnehmen.«

Mittwoch, 3. Januar

Vertreter von 16 Parteien, politischen Gruppierungen und Organisationen kommen in Ostberlin zum fünften Mal am Runden Tisch zusammen. Beschlossen wird, daß die Regierung binnen weniger Tage den Vertretern des Runden Tisches die Arbeitsplanungen und die Gesetzesentwürfe für das erste Halbjahr 1990 vorlegen muß. In einer gemeinsamen Erklärung protestieren acht am Runden Tisch versammelte oppositionelle Gruppen gegen den Aufbau eines Nachrichtendienstes und eines Amtes für Verfassungsschutz. Die Regierung wird aufgefordert, alle derartigen Handlungen zu unterlassen und Vertrauenspersonen zur Kontrolle der MfS-Auflösung einzusetzen.

Wirtschaftsministerin Christa Luft informiert über die Neuverschuldung des Landes. Grund hierfür seien die geringeren Deviseneinnahmen des Jahres 1989. Die Schulden gegenüber dem Westen beziffert sie auf über 20 Mrd. US-Dollar. Die Guthaben bei westlichen Banken würden dagegen nur bei einer Summe zwischen 7 und 9 Mrd. Dollar liegen. Zugleich informiert die Wirtschaftsministerin über die zunehmenden Probleme auf dem Arbeitsmarkt. 25000 offene Stellen würden 50000 ehemalige Behördenmitarbeiter gegenüberstehen, die nun eine neue Arbeitsstelle brauchen. Weiter teilt sie mit, daß nach den Planungen ihres Ministeriums ausländische Unternehmen an DDR-Betrieben auch künftig keine Mehrheit erhalten sollen.

Nach der ab Jahresbeginn gültigen neuen Regelung über den Umtausch einer D-Mark in drei DDR-Mark bei Banken der DDR wird auch weiterhin privat und damit schwarz getauscht. Der frühere Schwarzmarktkurs von 1:7, 1:8 und teilweise höher – und damit noch ungünstiger für die DDR-Mark – hat sich inzwischen aber den neuen Kursen bei Westbanken angepaßt. Dort ist die DDR-Mark in den vergangenen Tagen deutlich geklettert und pendelt derzeit bei etwa 1:5.

Zur Verhinderung der Schwarzarbeit von DDR-Bürgern in der Bundesrepublik wollen die DDR und die Bundesrepublik eine gemeinsame Strategie entwickeln. Bei einem ersten Gespräch beider Arbeitsministerien in Ostberlin betonte der stellvertretende Minister für Arbeit und Löhne, Hans-Jürgen Kaminski, die DDR habe ein verständliches Interesse daran, den »weiteren Abfluß von Arbeitskräften aus der DDR einzudämmen«.

Sechs oppositionelle Parteien und politische Bewegungen – Sozialdemokratische Partei (SDP), Demokratischer Aufbruch, Neues Forum, Demokratie Jetzt, Vereinigte Linke sowie Initiative Frieden und Menschenrechte – wollen sich nach Ankündigung von Konrad Weiß (DJ) zu einem »Wahlbündnis 90« zusammenschließen und gemeinsam zu den Volkskammerwahlen am 6. Mai 1990 antreten, um die bisher regierenden politischen Kräfte abzulösen.

In der SED-PDS konstituiert sich eine Kommunistische Plattform. Sie will »für einen starken, an Lenin und dem Bucharinschen Versuch, Leninsche Ideen weiterzuführen, orientierten kommunistischen Flügel in der SED-PDS wirken«, berichtet »Neues Deutschland«. Dieser solle zugleich eine Brücke zu anderen politischen Kräften bilden, die sich links von der SED-PDS sehen.

Bestürzt über die zunehmenden neonazistischen und antisemitischen Vorfälle in der DDR äußert sich der Vorsitzende des Zentralrates der Juden in Deutschland, Heinz Galinski. In einer Erklärung fordert er die Regierung, politische Parteien und gesellschaftliche Gruppen auf, »energische Gegenmaßnahmen zu ergreifen, um diesen Auswüchsen mit aller Entschiedenheit entgegenzutreten«.

Am Abend folgen 250000 Menschen dem Aufruf der SED-PDS zum Protest gegen die Schändung des sowjetischen Ehrenmals in Berlin-Treptow, wo am 28. Dezember von unbekannten Tätern antisowjetische Parolen angebracht worden waren. SED-treue Kräfte benutzen die Kundgebung, um den geplanten Verfassungsschutz, gegründet von Stasi-Kadern, zu legitimieren. Sie skandieren: »Verfassungsschutz, Verfassungsschutz, Verfassungsschutz ...« Die Opposition vermutet hinter der Demonstration ein Wahlkampfmanöver und artikuliert den Verdacht, daß die Schmierereien womöglich von ehemaligen Stasi-Mitarbeitern selbst vorgenommen worden seien.

Das Ehepaar Honecker und andere Mitglieder des früheren SED-Politbüros, die noch in der Prominentensiedlung Wandlitz im Norden Berlins wohnen, müssen die Koffer packen. Die Waldsiedlung untersteht seit Jahresbeginn dem Gesundheitsministerium und wird derzeit zu einem modernen Rehabilitationssanatorium umgebaut. Das bisherige Shopping-Center, das erlesene Waren aus dem Westen feilbot, soll eine Gaststätte für die Patienten werden. Die Arbeiten haben bereits begonnen.

Donnerstag, 4. Januar

Die Regierung will die umstrittenen Überbrückungshilfen für ehemalige Mitarbeiter des aufgelösten Staatssicherheitsdienstes noch einmal überprüfen. Diese Entscheidung trifft der Ministerrat vor dem Hintergrund anhaltender Kritik in der Öffentlichkeit und am Runden Tisch. Dagegen weist Regierungssprecher Wolfgang Meyer die Forderung nach Verzicht auf einen Verfassungsschutz zurück, da dies angesichts der neonazistischen Aktivitäten einen »nicht wiedergutzumachenden« Fehler darstellen würde.

Zur Vermeidung des Mißbrauchs subventionierter Dienstleistungen durch Bundesbürger und Westberliner beschließt der Ministerrat Sofortmaßnahmen, mit denen vor allem Sammelaufträge für Wäschereien, Reinigungen, Schuhmacher und Schneider durch Nicht-DDR-Bürger unterbunden werden sollen. Solche Aufträge können künftig nur noch bei Vorlage eines DDR-Ausweises erteilt werden.

Die Bürgerkomitees der Bezirke zur Auflösung des MfS/AfNS verlangen auf ihrem ersten landesweiten Koordinierungstreffen in Leipzig Ermittlungen gegen die SED-PDS wegen »verfassungswidriger Aktivitäten«. Die Stasi habe außerhalb jeder parlamentarischen Kontrolle gestanden und maßgeblich dazu beigetragen, die Macht des SED-Apparates jedem demokratischen Einfluß zu entziehen. Alle von der SED-PDS weiterhin benutzten Sondertelefon-, Fernschreib- und Richtfunkverbindungen seien sofort stillzulegen und zu demontieren. Zugleich wird verlangt, alle Vorbereitungen für neue Geheimdienste einzustellen.

Die SED und die anderen vier Volkskammer-Parteien wollen ihre Vermögenslage erst auf ihren jeweiligen Parteitagen offenlegen. Bei der SED-PDS wäre dies erst im April. Das teilen die Parteien nach Angaben der Opposition auf der Sitzung der Arbeitsgruppe des Runden Tisches zum Parteien- und Vereinigungsgesetz in Ostberlin mit.

Der frühere SED-Chefideologe Kurt Hager (77) gesteht vor dem Volkskammerausschuß zur Überprüfung von Amtsmißbrauch und Korruption »große Schuld« ein. Er übernehme die Verantwortung für alles, was mißlungen sei, sagt er. Als größten Fehler der Parteiführung nach 1985 nannte Hager die »Überheblichkeit gegenüber der Sowjetunion«. Es sei versäumt worden zu prüfen, was in der DDR in der politischen Struktur zu ändern sei im Hinblick »auf einen evolutionären Wandel zu mehr Mitwirkung der Bürger«.

Erich Honecker steht nicht mehr unter Hausarrest. Diese Maßnahme sei rechtlich nicht zu begründen gewesen, meldet ADN. Ihm sei eine Wohnung angeboten worden. Die evangelische Kirche hatte sich zuvor schon bereit erklärt, für eine Unterkunft des 77jährigen unter bestimmten Bedingungen zu sorgen.

Die Finanzverwaltungen in West- und Ostberlin wollen jetzt Informationen über bisher ungeklärte Grundstücksfragen austauschen. Betroffene Bürger, die zum Beispiel Ansprüche auf ihre früheren Grundstücke in der DDR anmelden, sollen künftig darüber auch Auskünfte erhalten. Bisher waren von der DDR-Seite Anfragen zu diesen Grundstücken nicht beantwortet worden.

Der 39jährige Ostberliner Hartmut Ferworn gesteht im DDR-Fernsehen, daß seine angebliche Entführung nach seiner Betäubung durch eine Mentholzigarette aus Budapest nach Wien im September 1989, die damals von den Medien groß ausgeschlachtet worden war, frei erfunden gewesen sei. Er habe dem SED-Organ »Neues Deutschland« damals die Geschichte aufgetischt, nachdem der Staatssicherheitsdienst ihn zur Kooperation aufgefordert und ihm andernfalls eine Strafverfolgung wegen ungesetzlichen Grenzübertritts angedroht habe.

Umweltschützer aus der DDR und der Bundesrepublik protestieren vor der Deponie Schönberg erstmals gemeinsam gegen Mülltransporte in die DDR. Mit Transparenten blockieren die Demonstranten zeitweise die Ein- und Ausfahrt der Deponie. Sie fordern den sofortigen Stopp der Mülltransporte in die DDR und die Sanierung der Deponie.

Am Abend wird in mehreren Städten, darunter Erfurt (5000) und Gera (4000), gegen die hohen Überbrückungsgelder für ehemalige Stasi-Mitarbeiter demonstriert.

Freitag, 5. Januar

Ministerpräsident Modrow wirft den oppositionellen Parteien und Gruppierungen vor, durch ihre Kritik an der jetzigen Regierungsarbeit die wirtschaftliche Konsolidierung zu stören. »So etwas trägt in jedem Fall nicht dazu bei, der Regierung mehr Spielraum für ihre Entscheidungen, für ihre konstruktive Arbeit zu geben.« Entschieden wendet sich Modrow dagegen, daß westdeutsche Politiker vom Boden der DDR aus einen Wahlkampf führen.

Der stellvertretende Regierungssprecher der Bundesregierung Norbert Schäfer macht vor der Bundespressekonferenz in Bonn deutlich, daß die angestrebte Zusammenarbeit mit der DDR unter dem Vorbehalt stehe, daß am 6. Mai freie Wahlen stattfinden. »Freie Wahlen heißt auch, daß Chancengleichheit gegeben werden muß. Und diese Chancengleichheit gibt es derzeit nach unseren Beobachtungen nicht.« In bezug auf die von der Modrow-Regierung angestrebte Vertragsgemeinschaft gäbe es noch keine konkreten Fortschritte.

Knapp 24 000 der insgesamt 85 000 hauptamtlichen Mitarbeiter des ehemaligen Staatssicherheitsdienstes und seines Nachfolgeamtes sollen bis Anfang Januar entlassen worden sein. Das geht aus einem Bericht des Regierungsbeauftragten zur Auflösung des Amtes für Nationale Sicherheit hervor. Bis Jahresende seien ferner 364 von 2000 früheren Stasi-Gebäuden anderen Bestimmungen übergeben worden. Die Verzögerungen erklärt Peter Koch mit der Ungewißheit über den neu zu bildenden Verfassungsschutz bzw. Nachrichtendienst sowie deren Bedarf an Objekten und Ausrüstungen. Es wäre seiner Ansicht nach töricht, »wenn man jetzt etwas insgesamt auflösen würde, um es dann neu zu gründen«.

Die Regierung wird bei der Staatsbank einen Überbrückungskredit zur Sicherung der Zahlungsfähigkeit aufnehmen. Der Kredit habe »kurzfristigen Charakter« und werde mit fünf Prozent verzinst, kündigt der Präsident der Staatsbank, Horst Kaminsky, an. Der Haushalt für das vergangene Jahr weise nach Angaben von Finanzministerin Uta Nickel (SED-PDS) ein Defizit von fünf bis sechs Milliarden DDR-Mark aus.

Die Bundesregierung sagt der DDR Hilfe bei der Lösung ihrer Probleme im Wohnungsbau und bei der Stadtsanierung zu. Bundesbauministerin Gerda Hasselfeldt (CSU) vereinbart mit ihrem DDR-Amtskollegen Gerhard Baumgärtel die Bildung einer gemeinsamen Fachkommission. Neue Wege bei der Stadtsanierung sollen modellhaft in Meißen, Weimar, Brandenburg und Stralsund erprobt werden. Baumgärtel kündigt in diesem Zusammenhang Korrekturen bei der bisherigen Subventionierung der Mieten an, was zu Mieterhöhungen führen werde. Das bisherige Mietniveau zwischen 35 Pfennig und 1,80 Mark pro Quadratmeter je nach Ausstattung der Wohnung sei nicht zu halten.

Der Zustrom von Übersiedlern aus der DDR in die Bundesrepublik hält an. Jede Woche wechseln etwa 4000 Menschen das Land. Das Bundesministerium des Innern gibt an diesem Tag bekannt, daß im Jahr 1989 insgesamt 343854 Übersiedler aus der DDR gekommen sind. Rekordmonat war der November mit 133429 Personen.

Aus Regierungskreisen in Bonn verlautet, daß im vergangenen Jahr 2,05 Milliarden D-Mark als »Begrüßungsgeld« an Besucher aus der DDR gezahlt worden sind. Eine Hochrechnung aufgrund der bislang aus Ländern und Gemeinden vorliegenden Summen ergebe, daß viele Besucher aus der DDR nicht nur einmal, sondern mehrfach Begrüßungsgeld von 100 D-Mark kassiert hätten.

Der saarländische Ministerpräsident Oskar Lafontaine (SPD) fordert auf einer Wahlveranstaltung in seinem Heimatland ultimativ die Abschaffung von Privilegien für DDR-Bürger. Nach den Wahlen in der DDR am 6. Mai müsse jede Bevorzugung für diese Gruppe in der Bundesrepublik »weg sein«.

Nach über zwei Jahrzehnten der »Wortlosigkeit« bei offiziellen Anlässen dürfen die elektronischen Medien der DDR die 1949 geschaffene Nationalhymne wieder mit dem Text von Johannes R. Becher senden. Sie beginnt mit den Zeilen: »Auferstanden aus Ruinen / Und der Zukunft zugewandt / Laß uns dir zum Guten dienen / Deutschland, einig Vaterland«. Damit wird die Weisung für Fernsehen und Rundfunk aufgehoben, den Text nicht mehr bei offiziellen Anlässen zu singen.

Im Ostberliner »Grand-Hotel« präsentiert das Herrenmagazin »Playboy« mit der Zahnarzthelferin Anja Kossak aus Magdeburg das erste Playmate aus der DDR.

Sonnabend, 6. Januar

Die SED-PDS stellt ein »Sicherheitsmodell 2000« vor. Es sieht die Halbierung der Truppenstärke von NVA und Bundeswehr, die Reduzierung der Wehrdienstzeit auf ein Jahr und den Rückzug aller fremden Truppen aus beiden deutschen Staaten vor. Statt dessen fordert CDU/CSU-Fraktionschef Alfred Dregger, daß ein vereintes Deutschland der NATO angehören müsse.

Der Mitgliederschwund bei der SED hält an: Auf mehr als 1,4 Millionen beziffert der Parteivorstand den gegenwärtigen Mitgliederstand. Ende Dezember gehörten der Partei 1,5 Millionen und vor Jahresfrist noch 2,3 Millionen Genossen an. Dennoch bleibt die SED-PDS die bei weitem stärkste Partei in der DDR. Die nächstgrößte ist die CDU mit etwa 140000 Mitgliedern. Die stärkste Oppositionsgruppe, das Neue Forum, hat 200000 Mitglieder.

Die Schaffung eines sozialistischen Aktienmarktes in der DDR schlägt der Wirtschaftswissenschaftler Bodo Thöns von der Pädagogischen Hochschule Potsdam im »Neuen Deutschland« vor. Die Ausgabe von Belegschaftsaktien biete die Chance, daß sich alle an der Produktion Beteiligten dann als Eigentümer der sozialistischen Wirtschaft zu fühlen beginnen könnten.

Auch der Vorsitzende der westdeutschen CDU-Sozialausschüsse, Ulf Fink, regt die Ausgabe von Volksaktien der DDR-Betriebe an die Bevölkerung an. Wenn die Mitarbeiter als Miteigentümer an den Gewinnen beteiligt wären, würden sie sich auch stärker engagieren, sagt Fink in einem Interview mit der »Berliner Morgenpost«. »Damit die ›Volkseigenen Betriebe‹ ihren Namen verdienen, sollten sie an die Mitarbeiter verkauft werden.«

Am Abend kommt es in etwa 15 Städten wieder zu Demonstrationen mit bis zu 30000 Teilnehmern. Sie richten sich vor allem gegen die geplanten neuen Geheimdienste und die Übergangszahlungen an ehemalige Stasi-Mitarbeiter. Vor allem in den Südbezirken wird eine schnelle Vereinigung mit der Bundesrepublik gefordert.

Sonntag, 7. Januar

Das Neue Forum beschließt auf einer Landesdelegiertenkonferenz, sich nicht in eine Partei umzuwandeln, sondern als dezentrale Bürgerbewegung weiterzuarbeiten. Damit ist eine im Vorfeld für möglich gehaltene Spaltung des Neuen Forum zunächst vom Tisch. Jene Mitglieder, die sich zur Jahreswende für die Gründung der Deutschen Forumpartei eingesetzt hatten, waren zur Konferenz nicht erschienen, sondern hatten lediglich eine Grußadresse geschickt. Die Delegierten beschließen, den Runden Tisch gegebenenfalls zu verlassen, falls vor den Wahlen am 6. Mai die Neubildung von Geheimdiensten eingeleitet wird.

Der Vertreter der Vereinigten Linken, Bernd Gehrke, zieht seine Zusage für das Mitte der Woche konzipierte Wahlbündnis von sechs Oppositionsgruppen wieder zurück. Der Sprecherrat hatte die Zustimmung als voreilig und falsch bezeichnet. Auch die Sozialdemokraten gehen auf Distanz und wollen über eine endgültige Entscheidung erst auf ihrem Parteitag am nächsten Wochenende beraten. Für den kommenden Sonntag rufen sie zu landesweiten Demonstrationen gegen die anhaltende Vorherrschaft der SED auf. Deren Machtapparat behindere in erschreckendem Maße die Demokratisierung des Landes, heißt es in einer Erklärung des SDP-Vorstandes.

Zum ersten Mal seit dem Ende des Zweiten Weltkrieges fliegt ein Flugzeug der Deutschen Lufthansa nach Dresden. An Bord der Boing 737-200 befindet sich eine von der Handelskammer der Hansestadt Hamburg geführte Wirtschaftsdelegation.

Zehntausende Menschen aus Ost und West bilden eine 60 Kilometer lange Menschenkette zwischen der DDR-Region Eichsfeld und dem Werraland in Niedersachsen und Hessen. Während der viertelstündigen Aktion werden zügige Veränderungen in der DDR auf dem Weg zur deutschen Einheit gefordert.

In Neubrandenburg folgen 15 000 Menschen einem Aufruf der SED-PDS zu einer Demonstration gegen neofaschistische Gefahren. In Berlin organisiert die Grüne Liga eine Fahrrad-Demo für bessere Bedingungen der Fahrradfahrer.

Montag, 8. Januar

Der Runde Tisch tagt vor dem Hintergrund anhaltender Spannungen zwischen Regierung und Opposition. Zum ersten Mal berichtet das DDR-Fensehen in seinem Zweiten Programm davon live. Gespräche über gemeinsame Kriterien für einen fairen Wahlkampf schlägt der Vorsitzende der SED-PDS, Gregor Gysi, vor und reagiert damit auf heftige Vorwürfe von Vertretern der Opposition, SED und Medien benutzten das Thema Neofaschismus dazu, Stimmung im Lande für die rasche Einrichtung eines Verfassungsschutzes zu machen. Um den Vorwürfen zu begegnen, die Oppositionsgruppen hätten keine gleichberechtigten Chancen im Wahlkampf, kündigt Gysi außerdem an, daß seine Partei das Haus des Kreisvorstandes Berlin-Mitte diesen Gruppen zur Verfügung stellen werde. Es solle ein »Haus der Demokratie« werden.

Die Opposition am Runden Tisch will von der Regierung Auskunft über ein Fernschreiben, das von der Bezirksbehörde Gera des Amtes für Nationale Sicherheit stammt und zur Lahmlegung der Opposition auffordert. Vertreter des Runden Tisches äußern sich besorgt, daß noch etwa 60000 Mitarbeiter im Amt für Sicherheit gegen den begonnenen Demokratisierungsprozeß arbeiten.

Die Opposition unterbricht am Nachmittag die Verhandlungen am Runden Tisch. In einer Erklärung heißt es, man spreche dem Beauftragten der Regierung zur Auflösung des Amtes für Nationale Sicherheit, Peter Koch, sowie Walter Halbritter, Staatssekretär beim Ministerrat, das »Mißtrauen« aus. Beide seien nicht in der Lage gewesen, die gestellten Fragen zur Sicherheitspolitik und zur Auflösung des Amtes zu beantworten. Markus Meckel von der SDP bezeichnet das Verhalten der Regierung als »Unverschämtheit« und äußert ernste Zweifel an ihrem Veränderungswillen. Er erklärt unter Beifall: »Die Opposition muß jetzt neuen Druck auf der Straße organisieren, und zwar mit Warnstreiks und Demonstrationen.«

Der stellvertretende Vorsitzende der Konferenz der evangelischen Kirchenleitungen in der DDR, Konsistorialpräsident Manfred Stolpe, warnt dagegen in einem Zeitungsinterview vor einer Destabilisierung der Regierung: »Man darf Modrow nicht die Beine weghauen. Das schadet nicht nur den Menschen in der DDR – es schadet vor allem der Deutschlandpolitik.«

Der Generalsekretär der westdeutschen CDU, Volker Rühe, fordert die Ost-CDU auf, die Regierung zu verlassen. »Die CDU in der DDR sollte jetzt einen Schlußstrich gegenüber der SED ziehen und sich an die Seite der Opposition stellen«, sagt er in einem Gespräch mit der Tageszeitung »Die Welt«.

Die Hansestadt Hamburg chartert für zwei Jahre ein drittes Wohnschiff zur vorübergehenden Unterbringung von Aus- und Übersiedlern. Auf dem britischen Containerschiff »Bibby Endeavour« können dann bis zu 800 Personen untergebracht werden. Die vorhandenen Auffanglager quellen über.

Die Zahl der DDR-Besucher, die nach Bayern einreisen, ist seit Jahresbeginn deutlich rückläufig. Ein Sprecher des bayerischen Grenzpolizeipräsidiums in München vermutet, daß der Rückgang der Besucherzahlen nicht zuletzt damit zusammenhängt, daß seit dem 1. Januar kein Begrüßungsgeld mehr gezahlt wird.

Nach dreiwöchiger Pause nehmen etwa 100000 Menschen in Leipzig die traditionellen Montagsdemonstrationen wieder auf. Die Zusammensetzung hat sich spürbar verändert. Die Befürworter der deutschen Einheit sind mit ihren Transparenten und schwarzrotgoldenen Fahnen fast ganz unter sich.

Etwa 50000 Karl-Marx-Städter sprechen sich während einer Demonstration für freie Gewerkschaften, Mitbestimmung in den Betrieben und Streikrecht aus. Energisch verlangt wird die Auflösung des Amtes für Nationale Sicherheit. Dies ist auch die zentrale Forderung in Dresden und Frankfurt (Oder), wo jeweils 10 000 Menschen zusammenkommen, sowie in Schwedt (4 000). Auskunft über das Vermögen und die Finanzierung der SED-PDS verlangen Sprecher der SDP und des Neuen Forum in Neubrandenburg vor 5 000 Teilnehmern. Etwa 8 000 Menschen demonstrieren in Schwerin gegen Rechtsradikalismus und Mißbrauch der jetzigen politischen Situation durch die SED.

Die CDU im DDR-Teil des Eichsfeldes droht damit, sich von der Ost-CDU zu lösen. Nach dem Singen eines »Wendehals-Liedes« fordern 5 000 Demonstranten am Abend in Heiligenstadt: »Nieder mit der SED – Keine Zusammenarbeit mit dieser Verbrecherpartei«. Der Vorsitzende des Rates des Kreises, Dr. Werner Henning (CDU), fordert seine Partei auf, ein klares Bekenntnis zur Einheit des deutschen Vaterlandes und zur Freien Marktwirtschaft abzulegen. Sollte dies nicht geschehen, »werden auch wir überlegen, ob wir nicht zukünftig eigene Wege gehen«. Ab sofort trete die Partei im Kreis Heiligenstadt nur noch unter dem Namen ›CDU Eichsfeld‹ auf.

Dienstag, 9. Januar

Die Regierung gibt nach: Ausgeschiedene Stasi-Mitarbeiter sollen nur noch für höchstens ein Jahr Übergangsgeld erhalten, wenn sie keinen neuen Arbeitsplatz finden. Das ordnet das Kabinett Modrow an, nachdem die zunächst vorgesehene Dreijahresregelung in der Öffentlichkeit auf heftige Proteste gestoßen war. In Suhl und Ostberlin war es am Vortag zu Warnstreiks gegen die Überbrückungsgelder für ehemalige Stasi-Leute gekommen.

Sämtliche Restriktionen für die Arbeit ausländischer Journalisten in der DDR werden aufgehoben. Ihnen steht es künftig frei, Zugang zu öffentlichen und privaten Informationsquellen zu suchen. Sie haben volle Reisemöglichkeiten, Umfragen und Straßenbefragungen sind jederzeit möglich. Staatliche Institutionen werden zur Unterstützung der Journalisten verpflichtet.

Die Ost-CDU will nicht auf Wahlkampfhilfe aus dem Westen verzichten. In der DDR würden nicht freie und geheime Wahlen gebraucht, sondern solche mit gleichen Chancen für alle, sagt der Sprecher der Ost-CDU, Helmut Lück, im Interview mit der CDU-Zeitung »Neue Zeit«. »Wie die Dinge jetzt liegen, geht das nicht ohne Unterstützung: für die neuen Parteien und jene ›alten‹, die zur Eigenständigkeit erwacht sind.«

Die Führung der LDPD um den langjährigen Vorsitzenden Manfred Gerlach gerät zunehmend unter den Druck der Parteibasis. Gerlach ist auch amtierender Staatsratsvorsitzender. Immer mehr Kreisverbände fordern die stärkere Abgrenzung von der SED. Die Ost-Liberalen müßten »eher eine Oppositionshaltung als eine Regierungsbeteiligung« einnehmen, wie es die Parteibasis in Karl-Marx-Stadt in einer Erklärung fordert.

Die Opposition will an dem für Februar geplanten Besuch von Ministerpräsident Modrow in Bonn beteiligt werden. Sie wendet sich damit auch gegen Forderungen Bonner Politiker, Kohl solle Modrow wieder ausladen, da die Begegnung Wahlhilfe für die SED sei. Es müsse aber deutlich werden, daß »Modrow nur eine Übergangsregierung leitet und ohne den Runden Tisch nicht verhandlungsfähig ist«, fordert SDP-Vorstandsmitglied Markus Meckel.

Mit dem Abschluß einer deutsch-deutschen Vertragsgemeinschaft soll die Bundesregierung nach Ansicht des stellvertretenden SPD-Vorsitzenden und saarländischen Ministerpräsidenten, Oskar Lafontaine, bis nach den Wahlen am 6. Mai warten. Ein solch entscheidender »konstitutiver Akt« solle nicht mit der jetzigen Regierung eingegangen werden, sondern mit einer frei gewählten Regierung.

Die Republikaner geben auf einer Pressekonferenz in Westberlin bekannt, daß sie sich an den Wahlen in der DDR beteiligen wollen, obwohl sie dort offiziell verboten sind. Der Parteivorsitzende Franz Schönhuber rechnet optimistisch mit einem Stimmenanteil von 15 Prozent. Er schert sich nicht um irgendwelche Verbote und bilanziert eine massive Propaganda im Osten: »Es dürften inzwischen 80 bis 100 000 Flugblätter von uns in der DDR erschienen sein, und es werden immer mehr. Wir werden Mittel und Wege finden, tonnenweise Material in die DDR zu bringen.«

Um zu verhindern, daß die DDR »das neue Billiglohnland Europas« wird, ist der DGB bereit, mit einer neu formierten Spitze des Freien Deutschen Gewerkschaftsbundes (FDGB) »ein breit gefächertes Kooperationsabkommen zu schließen«. Der DGB stehe aber auch als Gesprächspartner für jene zur Verfügung, die außerhalb des FDGB einen gewerkschaftlichen Neuanfang wagten, sagt DGB-Vorsitzender Ernst Breit in Düsseldorf.

Die frühere stellvertretende Vorsitzende des Freien Deutschen Gewerkschaftsbundes, Prof. Johanna Töpfer (60), wird tot aufgefunden. Das Gewerkschaftsblatt »Tribüne« nennt keine Todesursache. Frau Töpfer war Volkskammerabgeordnete und seit 1981 Mitglied des Staatsrates.

Egon Krenz (SED-PDS) legt sein Volkskammermandat nieder. In einer Erklärung erläutert der 52jährige, er scheide aus dem Parlament auf Wunsch seiner Parteiführung aus.

Der frühere Staatssekretär Alexander Schalck-Golodkowski (57) wird in Westberlin aus der Untersuchungshaft entlassen. Generalstaatsanwalt Dietrich Schultz lehnt eine beantragte »Zulieferung« seines Mandanten an die DDR-Behörden ab. Es seien keine zureichenden Anhaltspunkte für die Notwendigkeit eines strafrechtlichen Einschreitens bekannt geworden.

Mehrere tausend Handwerker drohen bei einer Kundgebung in Halle mit einem ganztägigen Ausstand für den Fall, daß weiterhin nicht auf ihre Bedürfnisse eingegangen wird. Sie fordern die ungehinderte Entfaltung einer privaten Klein- und mittelständischen Wirtschaft. Die Demonstration mit historischen Fahnen der Innungen ist die erste dieser Art in der DDR.

In mehreren anderen Städten, so in Nordhausen (12 000) und Meiningen (10 000), wird die vollständige Entmachtung der SED und die Auflösung der Geheimdienste gefordert.

Mittwoch, 10. Januar

Innerhalb der SED-PDS gehen die Richtungskämpfe weiter. Nach der Kommunistischen Plattform meldet sich an diesem Tag im »Neuen Deutschland« eine »Plattform 3. Weg« zu Wort. Sie kritisiert die Orientierungslosigkeit der amtierenden Führung, die vom »alten Apparat genutzt werde, um sich zu konsolidieren«. Die Losung scheine zu sein: »Alles anders und jeder, wie er will«. Es käme aber darauf an, die »Wandlung von einer stalinistischen zu einer demokratischen Partei« konsequent zu vollziehen und praktische Alternativen zum Bisherigen und zum Anschluß an die Bundesrepublik aufzuzeigen.

Abwehrstellen wollen in der Nähe eines »Komplexlagers« der Nationalen Volksarmee im Bezirk Karl-Marx-Stadt eine amerikanische Spionagesonde enttarnt haben. Das gefundene Gerät wird von Vertretern »des im Aufbau befindlichen Verfassungsschutzes« und

Kriminalbeamten des Bezirkes unter großer Medienaufmerksamkeit der Öffentlichkeit vorgestellt.

Der Streit um die mögliche Bildung von Betriebsräten spitzt sich zu. Wie der Vorsitzende des FDGB, Werner Peplowski, in der Gewerkschaftszeitung »Tribüne« erklärt, bestehen die Gewerkschaften weiter auf dem Anspruch, die Interessen der Arbeitnehmer auf allen Ebenen wahrzunehmen. Eine entsprechende Klärung müsse auf dem Ende Januar stattfindenden außerordentlichen FDGB-Kongreß erzielt werden.

Einen regelrechten Run gibt es auf einen Sonderlehrgang »Jointventures«, den die Akademie für Staats- und Rechtswissenschaft der DDR anbietet. Über tausend Bewerbungen sind eingegangen, von denen jedoch nur ein geringer Teil berücksichtigt werden kann. Die Akademie kündigt weitere Kurse an.

Als »Land der vielen Gefangenen« charakterisiert der Potsdamer Strafrechtler Prof. Hans Weber die DDR. Sie nehme, was den Anteil der Strafgefangenen an der Bevölkerung betreffe, »seit langem einen führenden Platz in der Welt ein«, schreibt er in der »Märkischen Volksstimme«. In den Gefängnissen befänden sich annähernd so viele Insassen wie in denen der Bundesrepublik. Dabei weise die Kriminalstatistik nur 120 000 Straftaten im Jahr aus, die der Bundesrepublik aber über vier Millionen. Hinzu komme, daß die Dauer der Freiheitsstrafen in der DDR insgesamt länger sei. Weber führte diese Relationen auf einen »Strafenfetischismus« zurück, der sich seit Anfang der 70er Jahre als Ergebnis eines »einseitigen Schutz- und Sicherheitsdenkens« breitgemacht habe. Dies habe zu einer ständigen Zunahme der mit Freiheitsentzug verbundenen Strafen geführt, obwohl die Art der Delikte in vielen Fällen den Verzicht auf Freiheitsentzug durchaus gerechtfertigt hätte.

Der CDU-Vorsitzende Lothar de Maizière würdigt den DDR-Ministerpräsidenten als »authentischen Demokraten«. So habe er Modrow in der Regierungsarbeit kennengelernt, sagt er in einem Interview mit der französischen Zeitung »Le Figaro«. Das Problem seien die vielen Opportunisten aus dem alten Apparat, die ihre Privilegien behalten wollten. Die DDR befinde sich in einer alarmierenden Situation, die nur von einer sehr breiten Koalition nach den Wahlen bewältigt werden könne. Mit einem »antagonistischen Gegeneinander« von Opposition und Mehrheit werde das Land nicht zu retten sein, sagte der CDU-Chef.

Die zumeist von der SED-PDS herausgegebenen Zeitungen sollen den anderen Parteien des Landes Platz zur Verbreitung ihrer politischen Vorstellungen einräumen. Dies ist das Ergebnis eines Gespräches, das der Parteivorsitzende Gregor Gysi nach Druck von seiten des Runden Tisches mit Chefredakteuren und Verlagsdirektoren der Bezirkszeitungen der Partei führt. Den anderen Parteien und Bewegungen werde bis zu den Wahlen Gelegenheit gegeben, sich in diesen Bezirkszeitungen selbst darzustellen, solange sie über keine eigene Zeitung verfügen und mithin kein Pressewettbewerb stattfinden könne.

Auch die Leipziger Opposition erhält ein eigenes Gebäude für ihre Arbeit – den Sitz der ehemaligen SED-Stadtleitung. Das »Haus der Demokratie«, das an diesem Tag eingeweiht wird, steht fortan SDP, Ökolöwen, Neuem Forum und anderen Gruppierungen für die politische Arbeit zur Verfügung.

Der frühere Staats- und Parteichef Erich Honecker wird in der Ostberliner Charité an einem bösartigen Nierentumor operiert. Seine behandelnden Ärzte werfen den früheren Leibärzten mangelnde Sorgfaltspflicht vor. Der Tumor sei schon im August diagnostizierbar gewesen, aber nicht behandelt worden. Statt dessen sei Honecker damals am Darm operiert worden. Seither habe der Tumor ungehindert wachsen können und sei erst jetzt bei der Untersuchung der Haftfähigkeit Honeckers in seiner vollen Größe entdeckt worden.

In der DDR leben rund 177500 Ausländer. Davon haben 43033 einen ständigen Wohnsitz und 134525 einen länger befristeten Aufenthalt, berichtet die Monatszeitschrift »horizont«. Der weitaus größte Teil lebe auf der Grundlage von Regierungsabkommen im Land, um vier oder fünf Jahre in einem Betrieb zu arbeiten. 94000 ausländische Arbeiter sind in nahezu 1000 Betrieben beschäftigt. 60000 kommen aus Vietnam, 16000 aus Mosambik, 9000 aus Kuba, 7000 aus Polen und je 1000 aus Angola und China.

Am Abend wird wieder in über 15 Städten demonstriert, wobei es besonders um die Entmachtung der SED-PDS geht, die allen Protesten zum Trotz an Plänen zum Aufbau neuer Geheimdienste festhält. In Berlin ruft das Neue Forum für den 15. Januar zu einer Protestkundgebung vor der Stasi-Zentrale auf, bei der die Eingänge symbolisch zugemauert werden sollen, wenn bis dahin noch keine Stillegung erfolgt ist.

Donnerstag, 11. Januar

Die Wiedervereinigung der beiden deutschen Staaten steht für Ministerpräsident Modrow nicht auf der Tagesordnung. Das Verhältnis von DDR und Bundesrepublik könne nur in einen europäischen Weg eingebunden sein, sagt er in seiner eineinhalbstündigen Regierungserklärung vor der Volkskammer in Ostberlin. Modrow ruft die Bevölkerung auf, die historische Chance der demokratischen Revolution nicht zu verspielen. Er wendet sich gegen Versuche, die Legitimation seiner Regierung in Frage zu stellen, und gegen ein Vetorecht der Oppositionsgruppen. Er sei nicht durch einen Staatsstreich Ministerpräsident geworden, ruft Modrow unter dem Beifall vieler Abgeordneter. Zugleich bietet er der Opposition weitere Möglichkeiten der Mitbestimmung an.

Der Premier verteidigt in seiner Rede den umstrittenen Plan, schon bald einen neuen Verfassungsschutz aufzubauen. Dabei gehe es nicht darum, die Arbeit des alten Staatssicherheitsdienstes fortzusetzen. Die Regierung müsse aber die notwendigen Instrumente erhalten, die Rechtsstaatlichkeit und Rechtssicherheit der Bevölkerung zu gewährleisten. Daß dies gerade mit den alten Kadern geschehen solle, die jahrzehntelang jede Rechtssicherheit verhindert haben, löst Empörung bei der Opposition aus.

Die Wirtschaftslage bezeichnet Modrow als nach wie vor angespannt. Dies sei vor allem eine Folge der Ausreisewelle. Der Wirtschaft fehlten rund 250000 Arbeitskräfte. In den letzten drei Monaten habe der tägliche Produktionsumfang der Industrie um 40 Millionen Mark unter dem des ersten Quartals gelegen. Gleichzeitig seien mehr Importe aus dem Westen notwendig gewesen als geplant. An die Stelle der bisherigen staatlichen Plankommission soll ein Wirtschaftskomitee beim Ministerrat treten. Ihm sollen Wissenschaftler, Praktiker aus der DDR-Wirtschaft und auch vom Runden Tisch benannte Experten angehören. Das Gremium soll die Regierung beraten und ihre Wirtschaftspolitik koordinieren.

Die Volkskammer billigt eine kleine Regierungsumbildung, die faktisch schon weitgehend vollzogen war. Der Liberaldemokrat Kurt Wünsche wird als neuer Justizminister, Peter Diederich von der Bauernpartei (DBD) als Umweltminister und Hans Joachim Lauck (SED-PDS) zum neuen Minister für Maschinenbau gewählt. Zum neuen Generalstaatsanwalt wird Hans-Jürgen Joseph (SED-PDS) bestimmt. Zuvor hatte das Parlament einstimmig die Vorgänger der neuen Minister abberufen. Auch der ehemalige Leiter des aufgelösten Amtes für Nationale Sicherheit, Wolfgang Schwanitz, wird als Minister offiziell abgelöst.

Einen Entwurf für ein Zivildienstgesetz legt Verteidigungsminister Vizeadmiral Theodor Hoffmann vor. Der Dienst soll ausdrücklich kein »Wehrersatzdienst« sein und dem Arbeitsministerium unterstehen, er muß aus Glaubens- und Gewissensgründen gewählt werden. Er soll mit 18 Monaten sechs Monate länger dauern als der Wehrdienst.

Volkskammerpräsident Günther Maleuda teilt den Mandatsverzicht zahlreicher ehemaliger prominenter SED-Politiker mit, darunter der zeitweilige Staats- und Parteichef Egon Krenz, Politbüro-Mitglied Günter Schabowski und der frühere Verteidigungsminister Heinz Keßler.

Bei nur einer Gegenstimme verabschiedet die Volkskammer das neue Reisegesetz, mit dem die seit November geltende Reisefreiheit besiegelt wird. Nach Angaben von Finanzministerin Uta Nickel haben bisher mehr als 1,5 Millionen DDR-Bürger bei den Banken 235 Millionen D-Mark eingetauscht.

Eine Gesetzgebungskommission zur Ausarbeitung eines Mediengesetzes legt den Beschlußentwurf vor. Darin wird jegliche Zensur der Medien aufgehoben. Natürliche und juristische Personen sollen das Recht auf Herausgabe von Zeitungen, Zeitschriften und anderen Publikationen erhalten, Rundfunk, Fernsehen und ADN als unabhängige Einrichtungen wirken. Die bisher von der SED kontrollierte Lizenzierung im Bereich der Printmedien soll entfallen. Auch in den Bereichen Film, Fernsehen und Rundfunk soll die Lizenzpflicht der Programmanbieter aufgehoben werden.

Die Opposition, die als Gast ohne Rederecht an der Parlamentssitzung teilnimmt, reagiert kritisch auf die Regierungserklärung von Ministerpräsident Hans Modrow. Sie habe kein Interesse, als Krisenverwalter in die Regierung hineingezogen zu werden, sagt Ehrhart Neubert von der Partei Demokratischer Aufbruch zu Vorschlägen Modrows, die Opposition in die Regierungsarbeit einzubinden. Der Ministerpräsident könne nicht verlangen, daß die Opposition vor Neuwahlen im Kabinett Verantwortung für die Fehler der SED übernehme.

Rund 20 000 Menschen protestieren während und nach der Volkskammertagung in Ostberlin gegen die Pläne der Regierung zur Einrichtung eines Nachrichtendienstes und eines Verfassungsschutzes. Zugleich verlangen sie die Überführung des SED-Eigentums in Volkseigentum. Zu der Kundgebung hatten zahlreiche oppositionelle Gruppen und Parteien aufgerufen, die auch schon am Runden Tisch die neuen Sicherheitsdienste scharf verurteilt hatten. Die Demonstranten bildeten eine Menschenkette um das Gebäude der Volkskammer.

In vielen Bezirksstädten finden am Abend Demonstrationen statt, so in Rostock (30000), Erfurt (25000), Gera (10000) und Jena (20000). Als Reaktion auf die Volkskammertagung beschließt das Bürgerkomitee von Erfurt, daß Demonstranten noch in der Nacht nach Berlin fahren sollen, um dort die Volkskammer zu blockieren. Es wird auf der Kundgebung auf dem Domplatz bekanntgegeben, daß in den südlichen DDR-Bezirken 800000 Beschäftigte bereit sind zu streiken. Warnstreiks gab es bereits im Laufe des Tages in etwa zehn Städten.

Der frühere SED-Devisenbeschaffer Alexander Schalck-Golodkowski wird nicht in die DDR zurückkehren. Das kündigt sein Westberliner Anwalt Peter Danckert in einem Interview an. »Bei den gegenwärtigen Verhältnissen in der DDR ist das ausgeschlossen.« Danckert: »Das geht ja bis zur Lynchjustiz.« Auf die Frage nach den Zukunftsplänen von Schalck sagte er, Schalck wolle künftig in der Bundesrepublik leben – »eine Entscheidung, die ihm nicht leicht gefallen ist«. Die Verweigerung der Auslieferung von Schalck führt nach Ansicht der »tageszeitung« zu einer logischen Konsequenz: »Der bundesdeutsche Geheimdienst verhindert eine adäquate Aufklärung der Öffentlichkeit der DDR und deckt damit indirekt die Ex-Kollegen und Gegner von gestern. Gibt es bereits seit längerem einen heißen Draht zwischen BND und Schalck-Golodkowski, ist die Ablehnung der Auslieferung völlig plausibel. Denn dann könnte in einem Prozeß die Kumpanei zwischen Stasi und BND zur Sprache kommen.«

Freitag, 12. Januar

Der zweite Tag der Parlamentssitzung wird von Demonstrationen vor dem Ostberliner Palast der Republik begleitet, bei denen Tausende gegen die anhaltende Vorherrschaft der SED und ihre Geheimdienstpläne protestieren. Hunderte Taxis umrunden hupend das Gebäude und behindern so die Zufahrt. Der Zorn richtet sich auch gegen Privilegien ehemaliger Stasi-Mitarbeiter, die im Unterschied zu anderen Arbeitslosen Überbrückungsgelder bekommen sollen.

In der Debatte gehen Sprecher der Liberal-Demokratischen Partei und der Bauernpartei trotz weiterer Mitarbeit in der Regierung Modrow auf Distanz zur SED-PDS. Der stellvertretende LDPD-Vorsitzende Hans-Dieter Raspe fordert Modrow und dessen Parteifreunde in scharfer Form auf, »schleunigst Abschied von allen Übeln der alten Ordnung« zu nehmen. Nur wenn dies geschehe, werde die liberale Partei weiter die Regierung stützen. Ihre Kompromißfähigkeit ende an der Reformunfähigkeit der SED. »Hier stellt sich für uns die Koalitionsfrage«, sagt Raspe. Otto Fiedler von der Bauernpartei bestätigt, daß sich seine Partei weiterhin an der Koalition beteilige, da das Land gerade jetzt eine arbeitsfähige Regierung brauche. Zur Diskussion um den Verfassungsschutz sagt er, die Bauernpartei sei für ein »demokratisch legitimiertes Sicherheitskonzept«. Der Vorsitzende der Fraktion der Nationaldemokraten (NDPD) Günther Hartmann wirft der Regierung hingegen vor, daß ihr niemand ein demokratisches Mandat für den Aufbau eines Verfassungsschutzes gegeben habe.

Schließlich gibt Ministerpräsident Modrow nach. In seinem Schlußwort verzichtet er darauf, bis zu den Wahlen am 6. Mai neue Sicherheitsdienste zu etablieren. Auch die Überbrückungszahlungen an ehemalige Stasi-Mitarbeiter werden eingestellt. Ferner teilt er mit, daß der Regierungsbeauftragte für die Auflösung des Amtes für Nationale Sicherheit, Peter Koch, abgelöst wird. Koch habe sich als »nicht fähig und kompetent« erwiesen. Die Auflösung des ehemaligen Staatssicherheitsdienstes soll nach Modrows Worten bis zum 30. Juni beendet sein.

Das umstrittene sogenannte Überbrückungsgeld für Ex-Funktionäre beträgt maximal 300 DDR-Mark und wird gegenwärtig rund 7000 von etwa 20000 früheren Mitarbeitern zentraler und örtlicher Staatsorgane gezahlt. Die Mittel kämen aus eingesparten Lohngeldern des Staatsapparates, nicht aus den Betrieben, in denen die »freigesetzten Mitarbeiter« tätig seien, teilt Klaus Umlauf vom Zentralvorstand der Gewerkschaft der Mitarbeiter der Staatsorgane und der Kommunalwirtschaft mit. Auch gelte die Regelung nicht für Mitarbeiter des Amtes für Nationale Sicherheit, das aufgelöst wird.

Die Volkskammer billigt auf ihrer Sitzung auch ein Investitionsschutzgesetz mit der für eine Verfassungsänderung erforderlichen Zwei-Drittel-Mehrheit. Danach sind in der DDR zukünftig Unternehmen mit ausländischer Kapitalbeteiligung möglich. Die Beteiligung von Ausländern an Gemeinschaftsunternehmen ist allerdings auf maximal 49 Prozent beschränkt.

Bundesdeutsche Wirtschaftshilfe für die DDR gibt es nach Worten von Bundeswirtschaftsminister Haussmann nur bei »freien und geheimen Wahlen mit gleichen Chancen für die Opposition«. Wichtig sei ferner, daß die DDR schnell zu einer sozialen marktwirtschaftlichen Ordnung übergehe, betont Haussmann vor dem Konjunkturrat für die öffentliche Hand im Bundeswirtschaftsministerium. Bonn sei bereit, der DDR mit zinsgünstigen Krediten und einem erhöhten Garantierahmen für Lieferungen zu helfen. Der von Ostberlin angekündigte Abbau der Handelshemmnisse sowie das Investitionsschutzabkommen reichten aber bei weitem nicht aus.

In Erfurt treten mehrere tausend Beschäftigte in einen Warnstreik gegen die Restaurationspolitik der SED. »Was durch Demo sollte weichen, müssen wir durch Streik erreichen«, steht auf ihren Plakaten. Aus Protest gegen die Vormachtstellung der SED-PDS in der Erfurter Stadtverordnetenversammlung erklärt die CDU ihren Austritt und bezeichnet sich als künftige außerparlamentarische Opposition. Mit ihrer Maßnahme will sie nach eigenen Angaben rasche kommunale Neuwahlen erzwingen.

Sonnabend, 13. Januar

Bundesdeutsche Politiker befürworten erstmals öffentlich eine »deutsch-deutsche Wirtschafts- und Währungsunion« als schnellsten Weg zur deutschen Einheit noch vor der Klärung der staatlichen Vereinigung, da diese noch an viele offene außenpolitische Fragen geknüpft sei. Für den Parlamentarischen Staatssekretär im Bundeswirtschaftsministerium, Erich Riedl (CSU), müsse das Ziel ein zeitlich abgestuftes, klar definiertes Zusammenwachsen der beiden Wirtschaftsräume sein. Der wirtschaftspolitische Sprecher der Unionsfraktion, Matthias Wissmann, empfiehlt der DDR, die D-Mark als Parallelwährung offiziell zuzulassen. Dem müsse umgehend eine radikale Preisreform folgen, damit sehr bald als nächster Schritt die D-Mark offiziell als gemeinsame Währung eingeführt werden könne. Diese »gesamtdeutsche D-Mark« könne dann 1995 als starke Währung in den europäischen Währungsverbund eingebracht werden.

Tausende Eltern stürmen an diesem Samstagvormittag die Kaufhäuser, um sich noch vor der am Montag in Kraft tretenden Preiserhöhung mit günstigen Kindersachen einzudecken. In langen Schlangen warten Mütter und Väter stundenlang, um überhaupt erst in die Kinderschuh- oder Kinderpulloverabteilungen der Kaufhäuser hineinzukommen. Mit Beginn der neuen Woche erhöht die DDR die Preise für hochsubventionierte Kindersachen um das Zwei- bis Dreifache.

175

Die Regierung will nicht effektiv arbeitende Kombinate entflechten. Das kündigt Wirtschaftsministerin Christa Luft (SED-PDS) bei einem deutsch-deutschen Treffen hochrangiger Wirtschaftsexperten in Ostberlin an. Die so entstehenden mittelgroßen Unternehmen sollen dann auch mit gleichen Produkten gegeneinander konkurrieren können. Bei besonders wichtigen Gemeinschaftsunternehmen will die Regierung auch eine über 50 Prozent liegende ausländische Kapitalbeteiligung zulassen, womit die Regierung erstmals von ihrer starren Haltung in dieser Frage abrückt.

Ministerpräsident Modrow bietet dem Geschäftsführer der SDP, Ibrahim Böhme, an, in sein Kabinett einzutreten und stellvertretender Umweltminister zu werden. Bei einem Gespräch mit dem SPD-Vorsitzenden Hans-Jochen Vogel in Ostberlin informiert Modrow auch darüber, daß dem geplanten Wirtschaftskomitee der Regierung künftig Vertreter vom Runden Tisch angehören sollen.

450 Delegierte der Sozialdemokratischen Partei in der DDR beschließen auf ihrer ersten Delegiertenkonferenz in Ostberlin mit großer Mehrheit, statt SDP künftig den Namen SPD zu tragen. Damit bekennt sich die Partei mit ihren mittlerweile 72 000 Mitgliedern zur Tradition der 1946 nach Gründung der SED aufgelösten SPD und zur Nähe zu ihrer Schwesterpartei in der Bundesrepublik. Die Namensänderung macht auch den Weg frei, Anspruch auf das ehemalige SPD-Vermögen zu erheben, das 1946 an die SED übergegangen war.

Die neue marxistische Partei Die Nelken will allen parteilosen Kommunisten eine politische Heimat geben. Auf der offiziellen Gründungsversammlung in Ostberlin wählen die etwa 100 Vertreter der Bezirksgruppen die Dresdner Lehrerin Brigitte Kahnwald zur Parteivorsitzenden. Die marxistische Partei setzt sich für die Marktwirtschaft ein. Karl Marx habe nicht die Marktwirtschaft und die Ware-Geld-Beziehung kritisiert, sondern ein unter damaligen Verhältnissen damit verbundenes Chaos kapitalistischer Produktionsweise, erläutert der stellvertretende Parteichef Michael Czollek. Die Anrede »Genossinnen« und »Genossen« lehnen die Delegierten ab. Die neue Partei will sich an den Wahlen am 6. Mai beteiligen.

Die Auflösung des ehemaligen Staatssicherheitsdienstes kommt in den Bezirken erkennbar voran. In Leipzig überzeugen sich Vertreter des Bürgerkomitees, der Volkspolizei und der Presse davon, daß das Bezirksamt für Nationale Sicherheit seine Arbeit eingestellt hat. Mit der Räumung und Sicherstellung von Akten und Waffen war bereits vor Weihnachten begonnen worden. Auch die Waffenkammer des ehemaligen Bezirksamtes Cottbus ist inzwischen geräumt. Das Verteidigungsministerium habe die in fünf Bunkern gelagerte Munition für Handfeuer- und panzerbrechende Schützenwaffen übernommen.

Die Erfurter Zeitung »Das Volk«, jahrzehntelang Parteiorgan der SED-Bezirksleitung, wird künftig als unabhängiges Blatt erscheinen. Es ist der erste offizielle Verzicht der SED-PDS auf eine ihrer bisher 14 Bezirkszeitungen.

In 15 Städten wird am Abend gegen die machtpolitischen Restaurationsversuche der SED-PDS demonstriert. Allein in Plauen versammeln sich dazu 40000 Menschen.

Sonntag, 14. Januar

Der bevorstehende Wahlkampf bestimmt die Gedenkveranstaltungen zu Ehren von Rosa Luxemburg und Karl Liebknecht in Ostberlin. Zehntausende Berliner folgen dem Aufruf der SED-PDS zum Marsch zur Gedenkstätte der Sozialisten im Stadtteil Friedrichsfelde. Sie tragen Transparente gegen die Vereinigung mit sich.

Zehntausende kommen auch der Einladung der SPD zu einer entsprechenden Kundgebung auf dem Alexanderplatz nach. Die Sozialdemokraten der DDR verkünden dabei die Resultate ihrer Delegiertenkonferenz: »Ziel unserer Politik ist ein geeintes Deutschland«, heißt es in einer verabschiedeten »Erklärung zur deutschen Frage«. Eine sozialdemokratische Regierung werde einen »Wirtschafts- und Währungsverbund als vorrangige Aufgabe in Angriff nehmen«. Eine solche Regierung werde alle notwendigen Schritte auf dem Weg zur deutschen Einheit in Abstimmung mit der Bundesregierung gehen. Als »unseriös« weist SPD-Geschäftsführer Ibrahim Böhme das Angebot von Ministerpräsident Hans Modrow zurück, er solle als stellvertretender Umweltminister in dessen Kabinett eintreten. Zuvor hatten bereits andere Vertreter der neuen Parteien und Gruppen erklärt, sie würden sich nicht an einer SED-geführten Regierung beteiligen und dann eine Krise verwalten, für die sie nicht verantwortlich seien.

Die SED-PDS gibt bekannt, daß sie einen Teil ihres Parteivermögens in Volkseigentum überführen und ihre beherrschende Stellung im Medienbereich einschränken will. Das Parteipräsidium schlägt unter anderem vor, elf von 16 Zeitungsverlagen und 21 von 26 Druckereien, die sich noch im Besitz der SED-PDS befinden, abzugeben. Die Konzentration der Medien in der Hand der SED-PDS wird von den Oppositionsgruppen als entscheidende Behinderung ihrer eigenen Arbeit angesehen und war wiederholt kritisiert worden.

In Berlin treffen sich Vertreter der Bürgerkomitees zur Auflösung der Staatssicherheit aus den einzelnen Bezirken der DDR und beschließen für den nächsten Tag eine »Begehung« der noch immer aktiven Stasi-Zentrale in Berlin-Lichtenberg.

Für eine Mitgliedschaft der DDR in der Europäischen Gemeinschaft (EG) spricht sich Bundesaußenminister Hans-Dietrich Genscher (FDP) aus. Ob die DDR eine solche Mitgliedschaft wolle, könne nicht die Regierung Modrow, »das müssen am 6. Mai die Bürger entscheiden«. Die Bundesrepublik werde jede Entscheidung der Deutschen in der DDR respektieren.

Für ein Wahlbündnis aller neuen Gruppierungen sprechen sich die Mitbegründer der Gruppe Neues Forum Bärbel Bohley und Jens Reich aus. Trotz aller Differenzierungen der verschiedenen Gruppen, die nach 40 Jahren SED-Herrschaft ganz normal sei, müsse ein solches Bündnis »Neu gegen Alt« für die Volkskammerwahl am 6. Mai erreicht werden. Nachdrücklich wendet sich Bohley gegen die gezielte Unterstützung einzelner Parteien aus dem Westen. Auch stehe sie zu der Utopie, »daß es etwas anderes geben muß als diesen Kapitalismus«.

Daimler-Benz-Chef Edzard Reuter trifft mit Ministerpräsident Hans Modrow und Vertretern anderer Gruppen und Parteien in Ostberlin zusammen. Besonders beeindruckt zeigte sich der Daimler-Chef von dem klaren Bekenntnis von Wirtschaftsministerin Christa Luft (SED-PDS) zur sozialen Marktwirtschaft. Dies sei in dieser Form für ihn neu, sagt Reuter.

Mehrere zehntausend Menschen demonstrieren im Laufe des Tages gegen die anhaltende Macht der SED-PDS. »Die sogenannte Wende ist absolut noch nicht eingetreten«, erklärt ein Vertreter des Neuen Forum in Magdeburg, wo 15000 Menschen auf die Straße gehen. Er wirft der SED-PDS eine »Restaurierungspolitik« vor, die besonders bei der zögerlichen Auflösung der Staatssicherheit deutlich werde. 20000 ziehen mit Losungen wie »Nieder mit der SED« und »Weg mit dem Machtmonopol« durch Görlitz.

Montag, 15. Januar

Das Verlangen nach schnellen wirtschaftlichen Verbesserungen dokumentiert der anhaltende Ausreisestrom. Nach Angaben von Staatssekretär Carl-Dieter Spranger (CSU) vom Bundesinnenministerium meldeten sich allein in den ersten beiden Wochen des neuen Jahres 20818 DDR-Bürger bei den bundesdeutschen Behörden, die auf Dauer im Westen bleiben wollen. Zugleich teilt Bayerns Sozialminister Gebhard Glück mit, daß Übersiedler künftig keine Entschädigung mehr für zurückgelassenes Vermögen oder Hausrat erhalten werden. Ausreisende könnten jetzt nach einer entsprechenden DDR-Anordnung über ihr zurückgelassenes Vermögen frei verfügen. Einen Zwang zum Zurücklassen von Gütern gebe es nicht mehr.

Im Gesundheitswesen kommt es zum ersten Warnstreik. Ärzte und Schwestern einer Ostberliner Poliklinik im Neubaugebiet Marzahn legen für eine Stunde die Arbeit nieder. Sie fordern eine deutliche Anhebung ihrer Gehälter und eine spürbare Verbesserung der Sozialleistungen. In Gera legen mehrere tausend Beschäftigte für eine Stunde ihre Arbeit nieder. Sie fordern die »konsequente Auflösung« des früheren Amtes für Nationale Sicherheit. In einem zweistündigen Warnstreik verlangen Beschäftigte des Metalleichtbaukombinates Plauen im Bezirk Karl-Marx-Stadt eine »schnelle Volksabstimmung über die Zukunft der DDR«.

Während der siebenten Zusammenkunft des Runden Tisches berichtet der stellvertretende Chef des Sekretariats des Ministerrates Sauer über den Stand der Auflösung des Staatssicherheitsdienstes. Danach ist die umfangreiche Post- und Telefonüberwachung inzwischen eingestellt worden. Von den zuletzt 85000 hauptamtlichen Mitarbeitern seien 1052 in der Telefon- und über 2100 in der Postüberwachung tätig gewesen. Ferner hätten 5000 Personen in der Überwachung und Ermittlung gearbeitet. Im vergangenen Jahr hätten für die Stasi 3,6 Milliarden Mark (1,3 Prozent des Staatshaushaltes) zur Verfügung gestanden. 30000 ehemalige Stasi-Mitarbeiter sollen seit Auflösung des Amtes entlassen worden sein. Bei weiteren 22500 Personen werde die Eingliederung in die Volkswirtschaft, das Gesundheitswesen, in Armee und Volkspolizei vorbereitet. 20000 von den verbleibenden 32500 Personen würden in allernächster Zeit entlassen. 12500 Mitarbeiter sollen bis zur endgültigen Übergabe der Stasi-Objekte an den Staat weiterbeschäftigt werden. Bis zum vergangenen Wochenende seien alle Waffenbestände aus den ehemaligen Kreis- und Bezirksämtern übernommen und die Waffenkammern der zentralen Objekte geräumt worden. Nach Sauers Angaben verfügten die Stasi-Leute über 124 000 Pistolen und Revolver, 76 000 Maschinenpistolen sowie Panzer- und Flugabwehrwaffen. Die elektronischen Daten seien inzwischen in Archiven gelagert und durch die Staatsanwaltschaft versiegelt worden. Das Rechenzentrum habe seine Arbeit eingestellt.

Dieser Darstellung widersprechen die Bürgerkomitees, die die Auflösung des Staatssicherheitsdienstes überwachen. Nach ihren Erkenntnissen sei zum Beispiel die Stasi-Zentrale in Ostberlin noch voll funktionsfähig. Da diese über eigene Strukturen in der ganzen DDR verfüge, sei auch die Reorganisation des ansonsten unter weitgehender Kontrolle stehenden Dienstes möglich. Aus diesem Grunde dringen die Bürgerkomitees auf eine Kontrolle des Objektes durch Volkspolizei und Bürgergruppen und eine Versiegelung der Räume durch die Staatsanwaltschaft, so wie es auch in den Bezirksverwaltungen geschehen sei.

Gegen 17.00 Uhr versammeln sich – dem Aufruf des Neuen Forum folgend – mehrere tausend Menschen vor dem ehemaligen Ministerium für Staatssicherheit in der Ruschestraße in Berlin-Lichtenberg, um gegen die fortgesetzte Tätigkeit des Geheimdienstes zu protestieren. Ein Eingang wird symbolisch zugemauert, obwohl inzwischen bereits Vertreter der Bürgerkomitees drinnen mit den Stasi-Offizieren über eine friedliche Übergabe verhandeln. Es kommt zu lautstarken Protesten und Trommeln gegen die Tore, die dann plötzlich von innen geöffnet werden. Rund 2 000 Demonstranten dringen daraufhin in die Zentrale ein, wo sie in den Versorgungstrakt gelenkt werden, der dann teilweise verwüstet wird. Aus den eingeschlagenen Fensterscheiben fliegen Akten und Honecker-Bilder, Feuerlöscher werden entleert.

In einem dramatischen Appell ruft die Regierung am Abend die Bevölkerung zur Besonnenheit »in dieser schweren Stunde« auf. Die junge Demokratie sei in »höchster Gefahr«, heißt es in einer Erklärung, für die das DDR-Fernsehen sein Programm unterbricht. Kurz vor sieben Uhr mahnt Ministerpräsident Modrow, der eigens vom Runden Tisch herbeigeeilt ist, die aufgebrachten Demonstranten über Lautsprecher zur Besonnenheit. Schließlich gelingt es Mitgliedern des Neuen Forum, die Initiative wieder zu übernehmen. Sie blockieren die Eingänge, halten Schilder mit der Aufschrift »Keine Gewalt« in die Höhe. Nach gut einer Stunde verlassen die Eingedrungenen langsam wieder das Gebäude.

Besetzung der Stasi-Zentrale in Berlin.

181

Dienstag, 16. Januar

Bundeskanzler Kohl erklärt in Bonn, daß er keine Vereinbarung über eine Vertragsgemeinschaft mit der amtierenden DDR-Regierung vor den angekündigten freien Wahlen unterzeichnen wolle. Davon unberührt seien konkrete Maßnahmen der Kooperation in einzelnen Bereichen, etwa der Wirtschaft, des Gesundheitswesens, des Fernmeldewesens und des Umweltschutzes. Damit rückt Kohl von seiner Zusage während des Treffens mit Hans Modrow am 19. Dezember in Dresden und seiner Erklärung vor dem Bundesrat wieder ab, noch vor den Wahlen eine Vertragsgemeinschaft herzustellen und das schrittweise Zusammenwachsen festzuschreiben.

Die Erstürmung der Zentrale des Staatssicherheitsdienstes am Vorabend wird in der Öffentlichkeit heftig diskutiert. Wie der Chef der Volkspolizei und stellvertretende Innenminister, Dieter Winderlich, mitteilt, hätte die Gefahr bestanden, daß die Gewalttätigkeiten auf das ganze Land übergreifen. Angesichts von Massendemonstrationen in zwölf Städten zur gleichen Zeit wäre mit einer möglichen »Signalwirkung« der Berliner Ereignisse zu rechnen gewesen. Auch die Opposition distanziert sich von der Gewalttätigkeit. Eindringlich appellieren Sprecher des Neuen Forum, der SPD und von Demokratie Jetzt an die Bevölkerung, ihren verständlichen Zorn nicht in Gewalt ausufern zu lassen.

Bei einem Pressegespräch lehnt Modrow eine persönliche Verantwortung für die frühere Tätigkeit des Staatssicherheitsdienstes im Bezirk Dresden ab. Vor seiner Wahl zum Regierungschef war er SED-Bezirkssekretär. Er selbst sei in diesem Zusammenhang nie in irgendwelche Fragen eingeweiht oder informiert worden. Für eine Rechts- oder Dienstaufsicht habe keine Möglichkeit bestanden.

Von Protesten von DDR-Bürgern wird der Besuch des Bundesumweltministers Klaus Töpfer auf der Baustelle des AKW-Komplexes Stendal begleitet. Etwa hundert Anhänger des Neuen Forum und der DDR-Grünen fordern ihn auf, sich nicht für den Ausbau, sondern für das »Abschalten der völlig verschlammten DDR-AKWs« einzusetzen. Atomkraftwerke, deren Bau in der Bundesrepublik bei der Bevölkerung nicht mehr durchsetzbar sei, brauche die DDR nicht als Wirtschaftshilfe aus der BRD.

Der Wittenberger Pfarrer Friedrich Schorlemmer, der mit anderen Vertretern des linken Flügels am 3. Januar den Demokratischen Aufbruch verlassen hatte, erklärt seinen Übertritt zur SPD und begründet ihn mit den undemokratischen Strukturen innerhalb des DA unter der Leitung von Wolfgang Schnur, mit der übereilten Anschlußpolitik zur BRD und mit der pauschalen Verunglimpfung der Sozialismus-Ideale.

Die Demonstrationen in zwölf Städten, darunter auch zu mehreren Dienststellen der Staatssicherheit, verlaufen am Abend überall friedlich.

Mittwoch, 17. Januar

Die Erosion der SED-PDS hält an. Eine weitere Strömung meldet sich zu Wort. Im »Neuen Deutschland« veröffentlicht die Initiative für eine »Plattform demokratischer Sozialismus« einen Aufruf, in dem sie sich für eine konsequente Demokratisierung der Partei einsetzt. »Wir sind besorgt, daß sich mit dem außerordentlichen Parteitag zwar das äußere Erscheinungsbild der SED-PDS verändert hat, der tatsächliche Bruch mit der Vergangenheit im Inneren der Partei jedoch noch nicht vollzogen ist«, heißt es darin.

Im Rat der thüringischen Stadt Weimar wird die SED-PDS keinen Einfluß mehr auf kommende politische Entscheidungen haben. Alle ihr verbliebenen Ratsmitglieder mit Oberbürgermeister Volkhardt Germer an der Spitze geben ihren Austritt aus der Partei bekannt.

Der Druck auf die Koalitionsregierung von Ministerpräsident Modrow wächst: Die Ost-CDU kündigt ihren Austritt aus der Regierung an. Die oppositionellen Gruppierungen, die Modrow in letzter Zeit mehrmals zur Regierungsbeteiligung aufgefordert hat, halten sich jedoch bedeckt oder erteilen – wie SPD-Geschäftsführer Ibrahim Böhme – Modrow eine Absage. Der bevorstehende Ausstieg der CDU soll laut Generalsekretär Kirchner noch in dieser Woche auf einer Präsidiumssitzung gefällt werden.

Der Vorstand der Handwerkskammer des Bezirkes Gera ruft die privaten Handwerker dazu auf, keine Steuern mehr an den Staat abzuführen. Die Kammer will damit gegen die »mehr als halbherzigen Maßnahmen« der Regierung protestieren, »die alle Handwerker nur noch mehr beunruhigen und verärgern«, heißt es in dem in der »Thüringischen Landeszeitung« veröffentlichten Aufruf. Sämtliche Betriebssteuern der Handwerker für das Kalenderjahr 1990 sollen auf Sperrkonten gehen und von Selbstkontrollausschüssen verwaltet werden.

In der DDR sind inzwischen 13 neue Parteien entstanden. 154 Vereinigungen wurden staatlich offiziell anerkannt, teilt Gotthard Hubrich,

Hauptabteilungsleiter im Innenministerium, mit. Weitere 113 Vereinigungen arbeiteten »auf der Grundlage von Rechtsvorschriften«, zum Beispiel im Gesundheitswesen und in der Kultur. Täglich erreichen das Innenministerium zwei bis drei Anträge von neuen Vereinigungen.

Durch einen unbefristeten Streik versuchen Gefangene der Strafvollzugsanstalt Karl-Marx-Stadt ihre Einbeziehung in die vor Weihnachten verkündete Amnestie durchzusetzen. Alle Gefangenen, mit Ausnahme der in Versorgungsbereichen eingesetzten, haben die Arbeit niedergelegt. Die Streikenden fordern gleiches Recht für alle Strafgefangenen im Land.

Zu Warnstreiks gegen die politischen Restaurationsversuche der SED-PDS kommt es in mehr als zehn Städten. Demonstriert wird in über 20 Städten, wobei die Überbrückungsgelder für ehemalige Stasi-Mitarbeiter, auch wenn sie inzwischen abgesetzt wurden, nach wie vor den größten Unmut erzeugen.

Donnerstag, 18. Januar

Mit der Mahnung, den Erfolg der Demokratiebewegung nicht zu verspielen, eröffnet Monsignore Karl-Heinz Ducke die achte Sitzung des Runden Tisches in Ostberlin. Dieses Dialoggremium verdanke seine Existenz dem Volk. Seine Teilnehmer dürften daher nie »über oder gegen das Volk, sondern immer nur mit und für das Volk sprechen«. Nach Ansicht von Ministerpräsident Modrow ist die Lage im Land weiterhin angespannt. Die Vorgänge vom vergangenen Montag, als Tausende aufgebrachter DDR-Bürger die ehemalige Stasi-Zentrale in Ostberlin gewaltsam stürmten, signalisierte, wie dringend sich die Frage nach der Zusammenarbeit aller politischen Kräfte stelle.

CDU-Parteichef Lothar de Maizière bezeichnet die Ankündigung von Generalsekretär Martin Kirchner, seine Partei werde die Regierung von Ministerpräsident Modrow bald verlassen, als »ungedecktes, verfrühtes Vorpreschen ohne Absprache«. Zuvor hatte SPD-Geschäftsführer Ibrahim Böhme die CDU und die anderen Parteien eindringlich gemahnt, in der Regierung zu bleiben. Ein Zerfasern des Kabinettes Modrow würde nur zu einem früheren Wahltermin führen, was den jungen Oppositionsparteien nur schaden könne.

Bundeskanzler Helmut Kohl spricht sich in Bonn dafür aus, die für den 6. Mai geplanten Volkskammer-Wahlen vorzuziehen, und fordert CDU und LDPD auf, die Regierung Modrow zu verlassen.

Die Oppositionsparteien des Runden Tisches setzen bei ihren Beratungen durch, daß sie künftig ein Rederecht in der Volkskammer erhalten. Außerdem wird ein Beschluß verabschiedet, wonach jegliche Medienzensur verboten wird und das uneingeschränkte Recht der Bürger auf Meinungsfreiheit sowie freier Zugang zu Informationen gewährleistet werden. Ferner soll ein Medienkontrollrat geschaffen werden, dem alle Vertreter der am Runden Tisch beteiligten Parteien und Gruppierungen angehören.

Der bisherige Regierungsbeauftragte für die Stasi-Auflösung, Walter Halbritter, der bei den Vertretern des Runden Tisches auf starke Kritik gestoßen war, wird von den Beratungen am Runden Tisch zurückgezogen. Die Arbeitsgruppe Sicherheit des Runden Tisches erhält zusätzliche Kompetenzen und darf nun auch die entsprechenden Regierungsgremien kontrollieren.

Ein Bund Stalinistisch Verfolgter (BSV) konstituiert sich in Berlin. Er verlangt die umfassende Rehabilitierung aller Opfer und die Bestrafung der Täter.

In Potsdam wird die »Deutsche Volkspolizei Gewerkschaft« als eine der ersten unabhängigen Gewerkschaften der DDR gegründet. Die neue Arbeitnehmervertretung fordert alle Gewerkschaftsgruppen des Ostberliner Innenministeriums auf, sich ihr anzuschließen.

Rund 2500 früher an der Grenze der DDR zur Bundesrepublik eingesetzte Wachhunde sollen in den nächsten Tagen und Wochen in die Bundesrepublik »übersiedeln«. Das teilt der Deutsche Tierschutzbund der BRD mit. Die Wachhunde konnten in der DDR nicht in private Hände vermittelt werden. Die Schäferhunde, Schnauzer, Rottweiler und Mischlinge seien kerngesund, gegen Staupe und Tollwut geimpft, durchschnittlich vier Jahre alt und »ausgesprochen menschenfreundlich«.

Am Abend kommt es zu zahlreichen Großdemonstrationen, u. a. in Erfurt (40000), Gera (30000) und Rostock (15000), auf denen die Entmachtung der SED, die konsequente Auflösung aller Stasi-Einheiten und die baldige deutsche Einheit gefordert werden.

Freitag, 19. Januar

Der stellvertretende Vorsitzende der CDU, Gottfried Müller, erwartet, daß eine Mehrheit seiner Partei den Austritt aus der Regierung durchsetzen wird. »Es wird nicht viel anderes übrigbleiben«, sagt Müller vor der Präsidiumssitzung seiner Partei in einem Radiointerview. Zur Forderung von SPD-Geschäftsführer Ibrahim Böhme, die CDU solle bis zur Wahl am 6. Mai im Kabinett bleiben, erklärte Müller, diese Empfehlung des politischen Gegners sei »ein Argument, schleunigst aus der Regierung herauszugehen«.

Der Bruch der von Ministerpräsident Modrow geführten Koalitionsregierung wird vorerst jedoch abgewendet. Die Führungsspitzen der CDU und der Liberal-Demokraten entscheiden nach mehrstündigen Sitzungen mit jeweils großer Mehrheit, weiterhin Regierungsverantwortung zu tragen.

Der Demokratische Aufbruch will nach den Worten von Pfarrer Rainer Eppelmann auch in Zukunft ein breites politisches Spektrum vertreten. Er hoffe, daß von dem Entschluß Friedrich Schorlemmers, in die SPD einzutreten, keine Signalwirkung für weitere Mitglieder des Demokratischen Aufbruch ausgehe. Parteivize Neubert bestätigt, daß der Druck groß sei, sich mehr nach rechts zu orientieren.

Parteivorsitzender Gregor Gysi bezeichnet die lauter werdenden Forderungen nach Auflösung der SED-PDS als eine »Katastrophe«. Es werde unter den jetzigen Bedingungen nicht gelingen, eine neue Partei zu formieren. Die SED-PDS sei die einzige Kraft, die die Eigenstaatlichkeit der DDR noch gewährleiste und damit auch die Stabilität in Europa.

Die steuerrechtliche Abzugsfähigkeit von Spenden für Oppositionsparteien in der DDR fordert der rheinland-pfälzische CDU-Landesvorsitzende Hans-Otto Wilhelm. Selbst wenn es eine rechtlich garantierte Chancengleichheit für alle Parteien bei der Wahl am 6. Mai geben sollte, werde die SED tatsächlich Vorteile haben, betont der CDU-Politiker. Sie habe entscheidenden Einfluß auf die Medien und sei bis in die untersten Ebenen durchorganisiert.

4,1 Millionen DDR-Bürger haben seit Jahresbeginn Reisegeld im Umfang von 570 Millionen DM erworben. Etwa zwei Drittel kauften den vollen Betrag von 200 DM, die anderen nahmen nur 100 DM beziehungsweise 50 DM für Kinder oder Teilbeträge dieser Summe in Anspruch, berichtet der Vizepräsident der Staatsbank, Hans Taut.

Zöllner haben im Dezember wegen Verletzung der Aus- und Einfuhrbestimmungen über 5600 Zoll- und Devisenstrafverfahren eingeleitet. Gegenstände im Wert von 1,4 Millionen DDR-Mark sowie Zahlungsmittel in einer Höhe von etwa einer Million DDR-Mark wurden eingezogen. Wie weiter bekannt wird, bearbeitete der Zollfahndungsdienst im selben Zeitraum 52 Ermittlungsverfahren mit einem Schadensumfang von 8,7 Millionen Mark. Sie betrafen die Ausfuhr von verbotenen Gegenständen wie Schuhwaren, Kindertextilien, Backzutaten und Gemüse, die ungesetzliche Aus- und Einfuhr von DDR-Mark, die Einfuhr von Erzeugnissen der Unterhaltungselektronik »zu spekulativen Zwecken« sowie die Ausfuhr von Kulturgut und antiquarischen Gegenständen.

In Frankfurt (Oder) legen die Krankenwagenfahrer in einem dreistündigen Warnstreik die Arbeit nieder, um ihren Forderungen nach höherer Entlohnung und besseren Arbeitsbedingungen Nachdruck zu verleihen. Bus- und Taxifahrer bringen in Suhl den Personennahverkehr durch einen Warnstreik vollständig zum Erliegen. Ähnliche Aktionen gibt es auch in Erfurt und Eisenach, wo – wie bei den Demonstrationen in zehn Städten – auch die Enteignung der SED gefordert wird.

Sonnabend, 20. Januar

Nach der Entscheidung der CDU, in der Regierung von Ministerpräsident Hans Modrow zu verbleiben, ist in der Bonner Union ein offener Streit über die weitere Zusammenarbeit mit der DDR-Partei entbrannt. CDU-Generalsekretär Volker Rühe und der CSU-Vorsitzende Theo Waigel rücken in scharfer Form davon ab, während der stellvertretende Parteichef Heiner Geißler und der Westberliner CDU-Vorsitzende Eberhard Diepgen an einer weiteren Unterstützung festhalten wollen. Auch in der DDR geht der Streit um den politischen Kurs der CDU trotz der Entscheidung des Parteipräsidiums, ihre beiden Minister nicht aus der Koalitionsregierung abzuziehen, weiter. Generalsekretär Martin Kirchner, der am entschiedensten für einen Bruch mit der Regierung Modrow plädiert hat, schließt seinen Parteiaustritt nicht aus, wenn es bei dem Beschluß bleiben sollte.

In Leipzig beschließen zwölf christliche, liberale und konservative Gruppen die Gründung der »Deutschen Sozialen Union« (DSU). Zum Vorsitzenden wird der Leipziger Pfarrer Hans-Wilhelm Ebeling gewählt. Die Partei setzt sich für eine schnellstmögliche deutsche Vereinigung ein und versteht sich als Schwesterpartei der Unionsparteien der Bundesrepublik.

Die SED-PDS bekennt sich nunmehr auch offiziell zur Marktwirtschaft. Die wirtschaftliche Umgestaltung erfordere einen »radikalen Bruch mit dem bisherigen zentralistischen Kommandosystem der

Wirtschaft«, heißt es in einem Bericht des »Neuen Deutschland«. Es sei eine wichtige historische Erfahrung, daß das bisherige System die Triebkräfte des internationalen Marktes nicht ersetzen könne und der Marktwirtschaft unterlegen sei.

Die Zentrale Schiedskommission der SED-PDS schließt über die Hälfte der ehemaligen Politbüro-Mitglieder aus der Partei aus, da diese »durchweg persönliche Verantwortung für die existenzbedrohende Krise in der Partei und im Lande« tragen. Die Tätigkeit der ausgeschlossenen Spitzenfunktionäre sei im eindeutigen Gegensatz zum Statut von »Subjektivismus, Egoismus, Lobhudelei, Schönfärberei und der ständigen Verletzung des Prinzips der Kollektivität« geprägt gewesen. Egon Krenz legt als einziger Widerspruch dagegen ein.

Genau 28 Jahre, fünf Monate und sieben Tage nach dem 13. August 1961 beginnt die DDR offiziell mit dem Verkauf der Berliner Mauer. Die »Mauervermarktung« nach den Kriterien von Angebot und Nachfrage hat die Außenhandelsfirma »Limex-Bau Export-Import« übernommen.

Umweltschützer aus beiden deutschen Staaten fordern die Schließung der Deponie Vorketzin und einen sofortigen Stopp der Sondermüll-Importe aus der BRD und Westberlin. Bei einem Umwelt-Aktionswochenende in Ketzin (Bezirk Potsdam) wird darauf verwiesen, daß die Deponie keine Abdichtung habe und austretendes Gift direkt ins Grundwasser oder in die Havel gelangen könne.

Jeder dritte DDR-Bürger wird stärker als zugelassen durch Schwefeldioxid belastet. Gut ein Viertel der Bevölkerung ist übermäßigen Staubemissionen ausgesetzt. Das geht aus einem Bericht der Kommission Umweltpolitik beim Vorstand der Bauernpartei hervor, über den die »Berliner Zeitung« berichtet. Der Untersuchung zufolge gehört die DDR zu den am höchsten schadstoffbelasteten Ländern Europas.

Reuige ehemalige Mitarbeiter des Staatssicherheitsdienstes können eine Chance auf eine neue Stellung in kirchlichen Sozialeinrichtungen des Landes haben. Der Präsident des Diakonischen Werkes der DDR, Ernst Petzold, bekundet die Bereitschaft seiner Organisation, unter bestimmten Bedingungen auch früheren Leuten des Staatssicherheitsdienstes zu einer neuen Aufgabe zu verhelfen. Er sagte: »Ich würde die Einstellung von einem persönlichen Gespräch abhängig machen, in dem mir die Motivation des Bewerbers deutlich wird. Die Mitarbeiterschaft muß reinen Wein eingeschenkt bekommen und dazu stehen: Ja, wir nehmen ihn als Christen, ohne hochmütig zu sein, bei uns auf – auch im Wissen um unsere eigene Schwachheit. Auch wir haben es nötig, Buße zu tun und neu anzufangen. Da soll keiner ausgeschlossen werden.«

In Plauen demonstrieren rund 35 000 Menschen für eine Auflösung der regierenden SED-PDS und bessere Umweltbedingungen in der Region. Mehrere Parteien – darunter die SPD und die Grüne Partei – stellen während der Kundgebung ihre Wahlprogramme vor. In 20 anderen Städten, darunter Finsterwalde (15 000), Neubrandenburg (10 000), Greiz (8 000) und Berlin (5 000), geht es neben politischen Forderungen verstärkt auch um die Verbesserung der Arbeits- und Lebensbedingungen in den Industriebetrieben, der Landwirtschaft und dem Gesundheitswesen.

Sonntag, 21. Januar

Die Krise der SED-PDS spitzt sich erkennbar zu. Der stellvertretende Parteivorsitzende und populäre Dresdner Oberbürgermeister, Wolfgang Berghofer, erklärt mit 39 weiteren Parteimitgliedern seinen Austritt aus der Einheitspartei. In einer am Abend verbreiteten Erklärung der 40 heißt es, sie unterstützten eine »sozialdemokratische Programmatik«. Mit ihrem Parteiaustritt wollten sie sich nicht der Mitverantwortung für die Vergangenheit entziehen, es gehe ihnen auch nicht um politische Ämter. Berghofer und die übrigen Ex-Parteimitglieder fordern die Auflösung der SED-PDS. Mit einem eindringlichen Appell vor dem Vorstand kann Parteichef Gregor Gysi einen solchen Beschluß jedoch abwenden. Bei der Sitzung in Ostberlin schließt er eine künftige Oppositionsrolle seiner Partei nicht mehr aus. Der Parteivorstand beschließt die Abschaffung des hisherigen Symbols mit den beiden Händen und regt an, sich auch von der Bezeichnung SED innerhalb des Doppelnamens sobald als möglich zu trennen.

Gegen führende SED-Politiker, darunter den früheren Parlamentspräsidenten Horst Sindermann und Ex-Bauminister Wolfgang Junker, wird wegen Verdachts auf Veruntreuung und Amtsmißbrauch Haftbefehl erlassen und vollstreckt. Die Staatsanwaltschaft Leipzig leitet gegen die aktuelle Finanzministerin Uta Nickel (SED-PDS) ein Ermittlungsverfahren wegen Untreue ein. Frau Nickel wird vorgeworfen, als früheres Ratsmitglied für Finanzen und Preise des Bezirkes Leipzig ungesetzliche Zahlungen zum Schaden des sozialistischen Eigentums veranlaßt zu haben.

Die Oppositionsgruppierung Demokratischer Aufbruch, die sich vor wenigen Wochen als Partei gegründet hat, will die »antisozialistischen, christlichen, liberalen, sozialen und konservativen Kräfte« für die Wahl am 6. Mai bündeln. Vorsitzender Wolfgang Schnur fordert bei der Gründung des thüringischen Landesverbandes ein »starkes Wahlbündnis der politischen Mitte«. Die Partei erneuert ihr Bekenntnis zur deutschen staatlichen Einheit und zur Einführung einer sozial-ökologischen Marktwirtschaft.

Die Bewegung Demokratie Jetzt (DJ) widersetzt sich als einzige Oppositionsgruppe dem allgemeinen Wiedervereinigungstrend. Zum Abschluß des 1. Landestreffens bekräftigen die Delegierten in einer Erklärung, daß sie eine »Wiedervereinigung in Form eines Anschlusses« ebenso ablehnen wie »alle Versuche, die sofortige Einheit zu realisieren oder zu erzwingen«. Sie sprechen sich für eine schrittweise Annäherung verabschieden, wozu sie einen Drei-Stufen-Plan hin zu einem entmilitarisierten Deutschland aus. Hans-Jürgen Fischbeck, Konrad Weiß und Wolfgang Ullmann werden zu Sprechern der Bürgerbewegung gewählt.

Die Nationaldemokraten beschließen während ihres zweitägigen Sonderparteitages in Ostberlin mit großer Mehrheit einen Acht-Stufen-Plan zur deutschen Einheit bis zum Jahr 1995 und ein überarbeitetes Parteistatut. Darin wird der Name National-Demokratische Partei Deutschlands (NDPD) unverändert beibehalten. Mitglied der NDPD könnten DDR-Bürger werden. Ein Passus, der die Mitgliedschaft auch auf »andere Angehörige deutscher Nationalität« ausweiten sollte, wurde aus »völkerrechtlichen Gründen« gestrichen. Neuer Parteivorsitzender wird Wolfgang Glaeser, der einen aggressiven Wahlkampf, vor allem gegen die SED-PDS, verspricht und sich für die Annahme jedweder Hilfe einsetzt.

Der Ostberliner Philosoph und Ökomarxist Wolfgang Harich legt einen Plan für ein vereinigtes und blockfreies Deutschland vor. Ziel ist ein »rot-grünes Deutschland«, das binnen zwei Jahren zu verwirklichen sei. Nach dem Konzept Harichs, der 1956 mit einer »Plattform über den besonderen deutschen Weg zum Sozialismus« bekannt geworden und 1957 als Kopf einer revisionistischen SED-Gruppe zu zehn Jahren Zuchthaus verurteilt worden war, sollen die beiden Militärbündnisse in Ost und West durch ein gemeinsames europäisches Sicherheitssystem ersetzt werden. Bereits Anfang 1991 sollen die beiden deutschen Regierungen konkrete Schritte zur Schaffung einer deutschen Konföderation ergreifen und eine Verfassungskommission mit Sitz in Westberlin einsetzen. Sollten sich NATO und Warschauer

Pakt dem Gedanken einer Auflösung widersetzen, »könnten wir auch den Weg der gemeinsamen Neutralisierung gehen«, meint Harich.

Durch eine symbolische Massenflucht aus der DDR demonstrieren rund 50 000 Bewohner des Eichsfeldes am niedersächsischen Grenzübergang Duderstadt-Worbis (Landkreis Göttingen) gegen die Politik der SED-PDS. Mit Koffern und Rucksäcken kommen ganze Familien für einige Stunden in den Westen, um der Regierungspartei zu zeigen, was passieren würde, wenn sie bei der nächsten Wahl an der Regierung bliebe. Sie tragen Transparente mit der Aufschrift »SED wählen heißt Koffer packen« und »Diesmal gehen wir noch einmal zurück«.

Montag, 22. Januar

Finanzministerin Uta Nickel (SED-PDS) tritt wegen des gegen sie erhobenen Vorwurfs der Untreue zurück. In einem Interview mit der »Berliner Zeitung« hatte sie zuvor noch bestritten, ungesetzliche Zahlungen zum Schaden sozialistischen Eigentums veranlaßt zu haben.

Ministerpräsident Hans Modrow bietet den Oppositionsvertretern während der neunten Sitzung am Runden Tisch in Ostberlin Ministerposten an. Sie sollten ihm sobald als möglich Vorschläge zur Beteiligung an der Regierung unterbreiten. Er wolle noch in dieser Woche Koalitionsgespräche führen und bereits in der nächsten Woche eine neue Große Koalition vereinbaren.

Zugleich wird der Opposition auch eine umfassende Mitarbeit auf kommunaler Ebene angeboten. Entsprechende Vorschläge unterbreitet der zuständige Minister Peter Moreth (LDPD) am Runden Tisch. Die örtlichen Volksvertretungen sollen ermächtigt werden, unverzüglich Vertreter der Opposition in die kommunalen Parlamente, deren Kommissionen, Arbeitsgruppen und Beiräte als Mitglieder aufzunehmen.

SPD-Geschäftsführer Ibrahim Böhme bestätigt, daß die Opposition bereit sei, in einer »Notsituation« ohne lange Koalitionsverhandlungen in die Regierung einzutreten. Dafür müßten die Kriterien für eine Notsituation dargelegt werden. Die SPD schlage für die nächste Zeit Gespräche mit Modrow vor, um solche Kriterien zu benennen. Böhme erklärt seine Loyalität zur Regierung und spricht sich gegen Aufrufe zum Generalstreik aus.

Die Modrow-Regierung setzt ihre Bemühungen um den baldigen Abschluß eines Vertrages mit der Bundesrepublik über Zusammenarbeit und nachbarschaftliche Beziehungen fort, berichtet Außenminister Oskar Fischer (SED-PDS) dem Runden Tisch. Die angestrebte Vertragsgemeinschaft könne später zu einer Konföderation ausgebaut werden. Es gebe auch im Ausland keine Stimmen gegen eine gesamteuropäische Konföderation, bei der die beiden deutschen Staaten zu einem deutschen staatlichen Gemeinwesen zusammenwachsen könnten.

Der britische Außenminister Douglas Hurd betont bei einem Besuch in Ostberlin, daß Großbritannien »das Recht auf freie Selbstbestimmung der Deutschen« immer unterstütze. »Das Verhältnis zwischen den beiden deutschen Staaten muß von den Deutschen selbst auf freiem und demokratischem Wege entschieden werden«, erklärt er während seines mehrtägigen Besuches in der DDR.

Verteidigungsminister Theodor Hoffmann unterstreicht die Loyalität der Nationalen Volksarmee »zur demokratischen Revolution in der DDR« und zur Regierung Modrow. Hintergrund ist ein Bericht der »Bild«-Zeitung über Vorbereitungen eines Putschversuches von ehemaligen Stasi-Mitarbeitern und der Armee, der auf entschiedene Ablehnung bei allen Teilnehmern des Runden Tisches stößt.

Das Staatliche Amt für Atomsicherheit und Strahlenschutz bestätigt dem Bonner Umweltministerium einen Bericht des »Spiegel«, wonach sich die DDR 1976 nahe an einer Atomkatastrophe befunden habe. Im Kernkraftwerk Lubmin bei Greifswald sei es nach einem Brand im Stromnetz und einem Ausfall von elf Pumpen nur durch eine einzige Noteinrichtung möglich gewesen, die Kernschmelze zu vermeiden. Umweltminister Töpfer war bei seinem Besuch letzte Woche die Beinahe-Katastrophe verschwiegen worden.

Innerhalb der CDU/CSU-Bundestagsfraktion hält der Streit über den weiteren Umgang mit der Ost-CDU an. Gegen einen Abbruch der Beziehungen spricht sich der Parlamentarische Geschäftsführer Friedrich Bohl aus. Es gebe nach wie vor die Hoffnung, daß der »quälende Prozeß der Selbstreinigung« dieser ehemaligen Blockpartei weitergehe. Gleichzeitig sollten die Bemühungen der Unionsparteien, einen gleichgesinnten bevorzugten Gesprächspartner in der DDR zu finden, fortgesetzt werden, heißt es am Rande der zweitägigen Beratungen der CDU/CSU-Abgeordneten in Berlin.

Immer mehr Bundesbürger befürworten inzwischen die deutsche Vereinigung und rechnen bald mit deren Verwirklichung. 74 Prozent der Befragten sprachen sich im Januar für eine Wiedervereinigung aus, 14 Prozent sagten nein. 68 Prozent erwarten eine solche Entwicklung bis spätestens in zehn Jahren. Der in Bonn umstrittene Besuch von Ministerpräsident Modrow Anfang Februar wird von 73,5 Prozent der Bundesbürger begrüßt.

In Leipzig demonstrieren an diesem Montagabend über 100 000 Menschen, die eine schnelle Vereinigung beider deutscher Staaten sowie die Entmachtung der SED fordern. Dabei kommt es laut ADN zu einer »regelrechten Hetzjagd« auf eine Gruppe junger Linker, die mit Sprechchören, Transparenten und DDR-Fahnen auf sich aufmerksam gemacht hatte. Sie erregten das Mißfallen der für deutsche Einheit und gegen »Rote« auf die Straße gegangenen Bürger, die die Gegendemonstranten unter wüsten Beschimpfungen in die Flucht schlugen, so daß diese sich schließlich in die Mensa der Karl-Marx-Universität retten mußten.

Demonstrationen werden auch aus Dresden (80 000), Karl-Marx-Stadt (60 000), Zwickau und Halle (jeweils 20 000), Aue und Magdeburg (jeweils 15 000), Suhl (10 000) sowie 25 weiteren Städten gemeldet.

Dienstag, 23. Januar

Ein Wachstum von nur zwei statt der geplanten vier Prozent erzielte die Wirtschaft im vergangenen Jahr im Vergleich zu 1988. Das in der Volkswirtschaft produzierte Nationaleinkommen – vergleichbar mit dem Bruttosozialprodukt ohne Dienstleistungen – beträgt für 1989 etwas mehr als 273,5 Milliarden Mark. Diese und weitere Eckdaten für die wirtschaftliche und soziale Entwicklung veröffentlicht die Staatliche Zentralverwaltung für Statistik. Der geplante Beitrag zum Wachstum des Nationaleinkommens sei in keinem der volkswirtschaftlichen Hauptbereiche erreicht worden.

In der DDR gibt es derzeit bis zu 85 000 Arbeitslose. Das teilt Werner Peplowski vom Gewerkschaftsbund FDGB mit. Er forderte die Regierung auf, einen speziellen Fonds zur Arbeitslosenunterstützung im Staatshaushalt zu planen.

Die Oppositionsgruppe Demokratischer Aufbruch (DA) kritisiert das Wirtschaftsreformprogramm der Regierung von Ministerpräsident Hans Modrow (SED-PDS) als unbrauchbar. Das Programm sei mit »heißer Nadel« zusammengeflickt, in sich widersprüchlich und werde der tatsächlichen Situation nicht gerecht. Es sei ein Traum, wenn die Wirtschaftsreformer der Regierung planwirtschaftliche und marktwirtschaftliche, dirigistische und auf Eigeninitiative beruhende Elemente verbinden und harmonisieren wollten. Es müsse konsequent eine Marktwirtschaft mit weitestgehender unternehmerischer Freiheit, einem leistungsfähigen Sozialsystem und einem den Wettbewerb fördernden ordnungspolitischen Rahmen angestrebt werden, sagt der Wirtschaftsexperte des DA, Martin Dube, vor der in Berlin tagenden CDU/CSU-Bundestagsfraktion.

Der Vorsitzende der Nationaldemokraten, Wolfgang Glaeser, tritt zwei Tage nach seiner Wahl zurück. Er wolle sich nicht »zur Personifizierung des rechten Flügels in der Partei machen lassen«, wie dies nach seinem Schlußwort auf dem Parteitag in der Öffentlichkeit geschehen sei, gibt er zur Begründung an.

Das weithin sichtbare fast fünf Meter hohe Symbol der Sozialistischen Einheitspartei Deutschlands mit den ineinandergreifenden Händen am Haus des SED-PDS-Parteivorstandes am Werderschen Markt in Ostberlin wird demontiert, was in den Medien als Ausdruck des zunehmenden Machtverlustes der Partei gewertet wird.

Wie der Schatzmeister der Ost-Sozialdemokraten, Gerd Döhling, mitteilt, erhält die SPD altes Vermögen der Sozialdemokratie zurück. Es gebe ein entsprechendes Angebot der SED-PDS, das von Ministerpräsident Hans Modrow übermittelt worden sei. Das ehemalige Vermögen der Sozialdemokratie umfasse Immobilien, die der SPD vor 1933 gehört haben, und Druckereien sowie Gebäude von Organisationen, die der SPD nahestanden. Bereits in der nächsten Woche bezieht die SPD den Angaben zufolge in Ostberlin die frühere Parteihochschule der SED. Der Parteivorstand der SED-PDS bestreitet dies am Abend. Derartiges sei »bisher weder geplant noch vereinbart«. Gesprochen worden sei lediglich über die Nutzung von Räumen durch die SPD. Der SPD sei auch kein Ersatz für früheres Eigentum angeboten worden. Vielmehr sei es so, daß sich die SED-PDS von einem großen Teil parteieigener Betriebe trenne, die entweder in genossenschaftliches oder in Volkseigentum überführt werden sollen. Soweit eine Überführung in Volkseigentum stattfinde, sei der Regierung empfohlen worden, die Übertragung der Rechtsträgerschaft an neue Parteien und Bewegungen, das heißt auch an die SPD, zu prüfen.

Die Erstunterzeichner des Aufrufes »Für unser Land« vom 28. November 1989 ziehen Bilanz. Danach haben sich 1,16 Millionen Bür-ger für die weitere Eigenständigkeit der DDR und gegen den Ausverkauf der materiellen und moralischen Werte der DDR-Bürger ausgesprochen. Zu den Erstunterzeichnern zählten die Schriftsteller Christa Wolf, Stefan Heym und Volker Braun sowie der Pfarrer Friedrich Schorlemmer.

In Berlin demonstrieren an diesem Tag Tausende Handwerker und Gewerbetreibende. Sie verlangen bessere Entfaltungsmöglichkeiten, wozu u. a. freier Zugang zu Materialien und Werkzeugen sowie geringere Steuern gehören. In über zehn Städten gibt es Warnstreiks für bessere Arbeitsbedingungen. Auch die Demonstrationen für eine Entmachtung der SED-PDS und eine baldige deutsche Einheit gehen mit Teilnehmerzahlen zwischen 20000 (Nordhausen) und 1000 (Weimar) in zahlreichen Städten weiter.

Mittwoch, 24. Januar

Die Grundsätze für eine neue Verfassung sollen Ende März der Öffentlichkeit vorgelegt werden. Darüber informiert die Arbeitsgruppe »Neue Verfassung« des Runden Tisches. An hervorragender Stelle, so berichten die Vertreter der 16 beteiligten Parteien, politischen Gruppierungen und Bewegungen, ständen die Grund- und Menschenrechte. Weitere Schwerpunkte seien Wirtschafts- und Eigentumsfragen, die politische Willensbildung und die Staatsorganisation, einschließlich der Kommunalverfassung.

Der Vorsitzenden der Liberaldemokraten, Manfred Gerlach, will von der politischen Bühne abtreten. Er werde bei den kommenden Wahlen nicht als Kandidat zur Verfügung stehen, kündigt Gerlach an, der noch amtierender Staatsratsvorsitzender ist.

Die bundesdeutsche CDU will nach einem Zusammenschluß der christlichen, liberalen und konservativen Kräfte der DDR eine solche Allianz »massiv« unterstützen, kündigt CDU-Generalsekretär Rühe an. Der Vorsitzende des Demokratischen Aufbruch, Wolfgang Schnur, sagt: »Ich gehe davon aus, daß die Partei Demokratischer Aufbruch bereits ein Partner der CDU ist.« Die bürgerlichen Parteien und Gruppierungen in der DDR müßten sich sehr schnell, spätestens bis Ende Februar, zusammenschließen.

In ein bis zwei Jahren sei der totale Kollaps der Wirtschaft absehbar, wenn notwendige Rohstoffe aufgrund fehlender Devisen nicht mehr importiert werden könnten. Bisherige Exportschlager würden sich auf dem Weltmarkt nicht mehr absetzen lassen. Dieses düstere Bild zeichnet Siegfried Schiller, der stellvertretende Direktor des Forschungsinstitutes »Manfred von Ardenne« in Dresden. »Das Haus brennt«, so

Schiller in der Ost-CDU-Tageszeitung »Neue Union«, »während sich die Regierung in zeitaufwendigen Arabesken produziert.« Helfen könnten, so der Professor, nur westliche Investitionen in Höhe von 500 Milliarden Mark, weitere 100 bis 200 Milliarden seien zur Lösung von Umweltproblemen notwendig.

In der knapp 30000 Einwohner zählenden Textilarbeiterstadt Limbach-Oberfrohna im sächsischen Bezirk Karl-Marx-Stadt erzwingen 15000 Demonstranten den Rücktritt des Rates der Stadt. Die Geschäftsführung übernimmt der örtliche Runde Tisch. Zu Demonstrationen und Warnstreiks kommt es auch in etwa 20 anderen Städten.

Donnerstag, 25. Januar

Die CDU zieht ihre Minister aus der Regierung zurück. Sie will damit den Weg für Verhandlungen mit den neuen Parteien und Gruppierungen im Vorfeld der Wahlen frei machen. Die CDU-Minister werden ihre Ämter bis zum 9. Februar geschäftsführend wahrnehmen, heißt es. Die CDU würde tolerieren, daß Ministerpräsident Modrow eine neue Regierung mit allen am Runden Tisch Beteiligten bilde, wenn er gleichzeitig das Ruhen seiner Mitgliedschaft und seiner Ämter in seiner Partei erkläre.

Die Regierung beschließt nach den massiven Protesten der Vortage volle Gewerbefreiheit. Diese für Handwerk und Gewerbe bestimmte Regelung ist, wie Wirtschaftsministerin Christa Luft sagt, im Interesse einer weiteren wirtschaftlichen Stabilisierung des Landes. Mit der neuen Verordnung werden alle bisher bestehenden Beschränkungen etwa über die Größe der Unternehmen und über Importe aufgehoben.

Ministerpräsident Hans Modrow trifft in Ostberlin Kanzleramtschef Rudolf Seiters (CDU). Die Unterredung im Hause des Ministerrates dient der Vorbereitung des Bonn-Besuches von Modrow im kommenden Monat. Eine Annäherung der Positionen zum Thema Vertragsgemeinschaft kann nicht erzielt werden.

Der Westberliner CDU-Vorsitzende Diepgen legt einen Fünf-Stufen-Plan vor, mit dem bis zum 8. Mai 1995, genau 50 Jahre nach Ende des Zweiten Weltkrieges, der Prozeß der deutschen Einheit abgeschlossen sein soll. Aufbauend auf dem Zehn-Punkte-Plan von Kohl regt Diepgen an, schrittweise eine Währungs-, Sozial- und Rechtsunion zu schaffen. Parallel mit der Wiedereinführung der Länder in der DDR sollte unverzüglich ein gemeinsamer »Rat der deutschen Länder« mit

Sitz in Berlin gebildet werden. Möglichst bald müsse es auch gesamtdeutsche Wahlen geben. Die daraus hervorgehende »Parlamentarische Versammlung« mit Sitz in Berlin sollte dann für eine Übergangszeit neben dem Bundestag und der Volkskammer alle Fragen einer gemeinsamen Verfassung und der Herbeiführung der staatlichen Einheit beraten.

Die Rufe nach der staatlichen Einheit Deutschlands auf jeder Dresdner Montagsdemonstration beweisen nach Ansicht des Dresdner Oberbürgermeisters Wolfgang Berhofer, daß die deutsche Nation trotz zweistaatlicher Entwicklung erhalten geblieben ist. Berghofer wird in seinem Amt bestätigt und bis zu den Volkskammerwahlen parteiloses Stadtoberhaupt bleiben.

Der Magdeburger Oberbürgermeister Werner Nothe fordert die SED-PDS am Runden Tisch der Stadt auf, sofort sämtliche politischen Aktivitäten auf dem Gebiet der Stadt Magdeburg einzustellen. Nothe gehörte selbst der Partei an und war im Dezember Delegierter beim Sonderparteitag der SED in Ostberlin. Er tritt für eine Selbstauflösung der Partei ein.

Alle acht SED-PDS-Ratsmitglieder der Spielzeugstadt Sonneberg in Thüringen, einschließlich des Bürgermeisters, erklären ihren Austritt aus der Partei. Sie wollen aber als Parteilose ihre Amtsgeschäfte bis zu den regulären Neuwahlen »in voller Verantwortung« weiterführen. Den neuen demokratischen Gruppierungen in Sonneberg, wie SPD, Podium und Bürgerinitiative, wird Sitz und Stimme in der Stadtverordnetenversammlung angeboten.

Die in der Bundesrepublik angebotenen Diensthunde der Grenztruppen sind nach Ansicht des Vereins für Deutsche Schäferhunde für unerfahrene Tierfreunde gefährlich. Derartige Hunde, die ohne soziale Kontakte zu Menschen gehalten worden seien, wären mit zunehmendem Alter nur schwer in Familien integrierbar und für normale Alltagsbedürfnisse kaum umzuerziehen. Der Deutsche Tierschutzbund erweise sich mit seiner Werbeaktion für etwa 2500 ausgemusterte DDR-Diensthunde »einen Bärendienst«.

In Erfurt demonstrieren 20000 Menschen für die vollständige Zerschlagung der Stasi, in Gera verlangen 15000 die Auflösung der SED-PDS und ein vereintes Deutschland. Weitere Demonstrationen und Warnstreiks gibt es in 25 Städten.

Freitag, 26. Januar

Die Opposition am Runden Tisch tritt am Vormittag zu einem abschließenden Gespräch über die Bedingungen für den Eintritt in die SED-PDS-geführte Regierung von Hans Modrow zusammen. Sprecher aller Parteien und Gruppierungen äußern die grundsätzliche Bereitschaft, mit in die Übergangsregierung zu gehen. Wolfgang Schnur, Vorsitzender des Demokratischen Aufbruch, spricht von der Notwendigkeit, bis zu den Volkskammerwahlen am 6. Mai eine Regierung der nationalen Verantwortung unter Einbeziehung der SED-PDS zu bilden.

Die Demokratische Bauernpartei Deutschlands will vorgezogene Neuwahlen beantragen, falls eine Große Koalition in der Übergangsregierung Modrow nicht zustande kommt. Sie würde eine Regierungsbeteiligung der neuen Oppositionsgruppen sehr begrüßen, »um gemeinsam aus dieser Talsohle herauszugehen«, sagt ein Parteisprecher.

Zufrieden zeigt sich Bundeswirtschaftsminister Haussmann (FDP) bei der Debatte im Bonner Bundestag über den Jahreswirtschaftsbericht 1989. Seit Bestehen der Bundesrepublik seien die ökonomischen Daten beim Start in ein neues Jahrzehnt noch nie so gut gewesen. Zugleich warnt er vor einer überschnellen deutsch-deutschen Währungsunion. Dazu seien im Vorfeld grundlegende Reformen notwendig.

SPD-Präsidiumsmitglied Egon Bahr spricht sich für eine feste Währungsrelation zwischen beiden deutschen Staaten aus. Bonn müsse dafür die Garantie übernehmen, sagt er im thüringischen Treffurt (Bezirk Erfurt) vor mehr als 1 000 Teilnehmern eines Bürgergespräches zum Thema »Wie geht es weiter in den deutsch-deutschen Beziehungen?«. Bahr appelliert in seiner Geburtsstadt an alle DDR-Bürger, »keine Hexenjagd« auf SED-Mitglieder zu machen.

Die Leipziger Stadtverordnetenversammlung löst sich auf. Grund dafür ist ein durch den inhaftierten ehemaligen Oberbürgermeister Bernd Seidel zugegebener Wahlbetrug. Wie das amtierende Stadtoberhaupt Günther Hädrich (parteilos) in einer Erklärung des Rates unterstreicht, hätten die Abgeordneten damit keinerlei Legitimation. Ebenso hinfällig würde die ursprünglich geplante Neuwahl des Oberbürgermeisters. Der Rat der Stadt arbeitet vorerst geschäftsführend weiter.

In Plauen stellt die Kreisleitung der SED-PDS ihre Arbeit ein. Ihr waren in den letzten Monaten die Mitglieder weggelaufen, und sie sieht sich außerstande, den massiven Forderungen im Ort nach deutscher Einheit noch ernstlich etwas entgegenzusetzen.

Der Verband der Journalisten der DDR (VDJ) bekennt sich zu konsequenter wahrheitsgetreuer Berichterstattung und bittet um Entschuldigung für die Verherrlichung einer stalinistisch geprägten Politik. Die Delegierten des Journalistenkongresses sprechen sich in Ostberlin mehrheitlich für ihr Streikrecht aus. Beschlossen wird ferner die Rehabilitierung in der Vergangenheit gemaßregelter Journalisten, darunter des ehemaligen Verbandsvorsitzenden Rudi Wetzel.

Die erste überregionale unabhängige Wochenzeitung der DDR kommt auf den Markt. Das Neue Forum hatte im Dezember eine Drucklizenz beantragt und bringt nun – nach einer Rekordvorbereitungszeit von nur einem Monat –»die andere« heraus. Das 16seitige Blatt im klassischen Berliner Format wird von Chefredakteur Dietmar Halbhuber »irgendwie basisdemokratisch« geführt, wie es im Editorial heißt.

Die Verlegerverbände der Bundesrepublik erheben Bedenken gegen den Entwurf des DDR-Mediengesetzes. Der Hauptgeschäftsführer des Bundesverbandes Deutscher Zeitungsverleger (BDZV), Claus Detjen, sagt, die Vorlage müsse gründlich überarbeitet werden, da sie noch diskreditierte Begriffe wie Volkseigentum enthalte und sich auf nicht genau definierte Rechtsbestimmungen beziehe. Der stellvertretende Präsident des Verbandes Deutscher Zeitschriftenverleger (VDZ), Hans-Peter Scherrer, macht Einwände gegen die Einrichtung eines »Medienkontrollrates« geltend.

Sonnabend, 27. Januar

Auf dem offiziellen Gründungskongreß des Neuen Forum in Berlin erleidet die bis dahin dominierende linke Fraktion in der Programmdebatte eine Niederlage. Statt einer Festschreibung der Zweistaatlichkeit findet sich in der Grundsatzerklärung ein Bekenntnis zur Einheit der deutschen Nation und zur schrittweisen Annäherung der beiden deutschen Staaten. In einem Volksentscheid soll über den Modus der deutschen Einheit befunden werden. Gleichzeitig wird das Neue Forum als »landesweite Bürgerinitiative« definiert, die sich für direkte Demokratie und eine Kontrolle des Marktes einsetzt. Man wolle sich auf die eigenen Kräfte verlassen und nicht auf Hilfe von außen bauen. Zu den Wahlen will die Bürgerbewegung eigene Kandidaten aufstellen, sich aber nicht als Partei formieren. Sprecher Jens Reich erklärt: »Die romantische Phase, die wilde, die Sturm- und Drangzeit unserer

Revolution ist vorbei.« Jetzt käme der Alltag, und dieser sei für das Neue Forum u. a. durch fehlende inhaltliche Klarheit und ungenügende Vernetzung der Basisgruppen gekennzeichnet.

Die »Deutsche Forum-Partei« (DFP) wählt auf ihrem parallel stattfindenden Gründungsparteitag in Karl-Marx-Stadt den 37jährigen Diplomingenieur Jürgen Schmieder mehrheitlich zu ihrem Vorsitzenden. Im Programmentwurf bezeichnet sich die DFP als eine Volkspartei der politischen Mitte. Sie sei offen für Menschen verschiedener Weltanschauung und widersetze sich jedem Extremismus von rechts und links.

Die Freie Demokratische Partei (FDP) in der DDR spricht sich auf ihrer ersten landesweiten Delegiertenkonferenz in Berlin für eine schnelle deutsche Einheit aus. Ziel sei eine deutsch-deutsche Wirtschafts- und Währungsunion bis Ende 1990 sowie die Wiedervereinigung bis spätestens 1992.

Gegen eine Auflösung der SED-PDS stimmt die überwiegende Mehrheit der SED-Kreissekretäre und der Vertreter der SED-Bezirksvorstände auf einer zentralen Funktionärskonferenz in Berlin. Statt dessen wird beschlossen, »sich vollständig vom alten Parteinamen SED zu trennen«.

Das ehemalige SED-Politbüro-Mitglied Joachim Herrmann wird verhaftet. Gegen ihn wird im Zusammenhang »mit seiner Verantwortung für die grundrechtswidrige Medienpolitik der vergangenen Jahre wegen Hochverrats ermittelt«, teilt die Generalstaatsanwaltschaft mit. Haftbefehl erging auch gegen den ehemaligen Chef der Staatlichen Plankommission, Gerhard Schürer. Ihm wird »verbrecherischer Vertrauensmißbrauch« vorgeworfen.

Die Zentralleitung des Komitees der antifaschistischen Widerstandskämpfer stellt nach fast vier Jahrzehnten Existenz ihre Tätigkeit ein. Die Einrichtung, »deren Mitglied man nur aufgrund der eigenen Herkunft oder mittels einer höheren ›Wahlfunktion‹ in einer anderen gesellschaftlichen Organisation oder Partei werden durfte«, war im Grunde nur eine Art Vermächtnisverwalter, schreibt die »Junge Welt«. Sie habe sich die Pflege des antifaschistischen Erbes auf die Fahnen geschrieben und »dabei dieses wichtige Gut zu Tode gepflegt«.

Mit einer Blockade des Grenzüberganges Lübeck-Schlutup protestieren rund 2000 Menschen gegen die anhaltenden Müllexporte auf die Deponie Schönberg. Der Verkehr am Grenzübergang in Richtung DDR staut sich zeitweilig auf drei bis vier Kilometer, obwohl die Demonstranten alle 15 Minuten Personenwagen passieren lassen. Ähnliche Proteste gibt es auch vor den Deponien Vorketzin und Schöneiche in der Nähe von Berlin. Damit soll die schnelle Verwirklichung des am Vortag von der Regierung verkündeten Verbots zur Ablagerung von Westberliner Giftmüll durchgesetzt werden.

Während seiner Wahlkampftournee durch die DDR spricht Willy Brandt in Gotha vor etwa 100 000 und in Eisenach vor 35 000 Menschen, wobei er sich für einen klaren, aber behutsamen Weg zur deutschen Einheit ausspricht.

Sonntag, 28. Januar

Ministerpräsident Hans Modrow trifft mit den Vorsitzenden sowie weiteren Vertretern der Opposition und der Blockparteien zu Koalitionsverhandlungen zusammen. Man einigt sich auf die Bildung einer Allparteien-Regierung der »nationalen Verantwortung« und verständigt sich auf ein »Vier-Punkte-Programm«. Danach wird der Termin der Volkskammerwahlen vom 6. Mai auf den 18. März vorgezogen. Kommunalwahlen sollen am 6. Mai stattfinden.

Der Vorsitzende der Ost-CDU, Lothar de Maizière, reagiert zurückhaltend auf den Vorstoß des CSU-Vorsitzenden, Theo Waigel, jetzt die SPD der DDR hart anzugreifen: »Als Christ halte ich es lieber mit der Sachlichkeit. (...) Die westdeutsche Politik sollte uns gegenüber ihr Tempo verlangsamen und uns Zeit zum Nachdenken und zum Strukturieren lassen.« De Maizière, der im Kabinett Modrow stellvertretender Ministerpräsident ist, fordert von der Bundesrepublik umfangreiche Kredite für die Wirtschaft.

Die Umweltschützer der Bundesrepublik und der DDR wollen ab sofort eng zusammenarbeiten und einen »Gesamtdeutschen Grünen Runden Tisch« einberufen. Dieses Gremium, so beschließen rund 1 300 Vertreter der führenden Verbände beider Staaten in Westberlin, soll als erste Maßnahme großflächige Naturschutzgebiete im bisherigen Todesstreifen der innerdeutschen Grenze durchsetzen.

Die Konvertierbarkeit der DDR-Mark steht für Wirtschaftsfachleute des Neuen Forum an der Spitze aller Überlegungen zur Wirtschaftsreform. »Die Konvertierung ist die Nummer eins« und müsse noch in diesem Jahr erreicht werden, sagt Prof. Gert Wilde vom Institut für Industriemanagement an der Ostberliner Hochschule für Ökonomie (HfÖ) auf der zweiten Wirtschaftstagung des Neuen Forum.

Vor rund 3 500 begeisterten Bürgern schlägt der niedersächsische

Ministerpräsident Ernst Albrecht (CDU) am Abend in Magdeburg die baldige Einführung einer einheitlichen deutschen Staatsbürgerschaft vor. Das wichtigste sei jetzt, eine »De-facto-Einheit« der Deutschen zu schaffen. Niemand könne die Deutschen hindern, schon jetzt eine Rechtseinheit zu vollziehen und beispielsweise »Schritt für Schritt aus der West-Mark und der Ost-Mark eine Deutsche Mark zu machen«. Ein späterer staatsrechtlicher Vollzug der Einheit sei dann der »krönende Abschluß«.

In Thüringen wird die Einheit der durch die Grenze gespaltenen Doppelgemeinde von Großburschla (DDR) und Altburschla (BRD) mit einer Menschenkette von 600 Personen symbolisch wiederhergestellt.

Montag, 29. Januar

Der ehemalige Staats- und SED-Chef Erich Honecker wird aus dem Krankenhaus entlassen und unmittelbar danach verhaftet. Mitarbeiter der Staatsanwaltschaft und Kriminalpolizei bringen ihn in die Untersuchungshaftanstalt Berlin-Rummelsburg.

Gegen den früheren stellvertretenden Generalstaatsanwalt, Karl-Heinrich Borchert, wird ein Ermittlungsverfahren wegen Rechtsbeugung eingeleitet. Borchert soll nach den Kommunalwahlen 1989 angewiesen haben, Anzeigen von Bürgern, die im Zusammenhang mit Wahlfälschungen standen, nicht ordnungsgemäß zu prüfen und zu bearbeiten.

Der Runde Tisch beschäftigt sich auf seiner zehnten Sitzung mit der Wirtschafts-, Wissenschafts- und Umweltpolitik, wobei die Regierung zur vollständigen Offenlegung der Daten aufgefordert wird. Vorgezogenen Wahlen am 18. März wird unter der Bedingung der Chancengleichheit aller Parteien zugestimmt. Die Bürger werden aufgefordert, im Vorfeld »Ruhe und Sachlichkeit« zu wahren und im Konfliktfall eine »Sicherheitspartnerschaft« mit der Polizei einzugehen.

Das Wirtschaftswachstum wird 1990 gegenüber dem Vorjahr um weitere vier bis fünf Prozent zurückgehen. Ein Importüberschuß im Westhandel ist »unabwendbar«, was die Auslandsverschuldung weiter ansteigen läßt. Dies sind die Kernaussagen eines Berichtes der Regierung Modrow an die Volkskammer zu den wirtschaftlichen Aussichten des Landes. Ministerpräsident Hans Modrow teilt ferner mit, daß der Fehlbetrag im Staatshaushalt auf 17 Milliarden Mark gestiegen sei. Die ökonomische Lage verschlechtere sich besorgniserregend. Streiks führten zu Produktionsausfällen, und die sozialen Spannungen könnten mit den vorhandenen politischen Strukturen nicht mehr beherrscht werden. Die örtlichen Volksvertretungen hätten sich weitgehend aufgelöst oder seien nicht mehr beschlußfähig. Zum Teil würden die Abgeordneten nicht mehr anerkannt. Die Rechtsstaatlichkeit und die Rechtsordnung würden zunehmend in Frage gestellt. Daher seien vorgezogene Wahlen und eine Übergangsregierung auf breiter Grundlage unumgänglich.

Die Volkskammer verabschiedet ein neues Wahlgesetz. Danach soll politischen Parteien und Vereinigungen die Annahme materieller und finanzieller Unterstützung aus anderen Staaten nicht mehr untersagt sein. Ein zunächst beabsichtigtes Verbot der Annahme solcher Hilfe war in der Öffentlichkeit auf vehementen Protest gestoßen. Der entsprechende Absatz wurde daraufhin aus dem Papier des Wahlausschusses gegen die Stimmen der Bauernpartei (DBD) und bei Enthaltung zweier anderer Fraktionen gestrichen.

Zur traditionellen Montagsdemonstration in Leipzig versammeln sich am Abend rund 100 000 Bürger. Wie auch bei der Kundgebung in der vergangenen Woche steht die Demonstration im Zeichen aufgebrachter Wut und Empörung gegen die aus der ehemaligen Staatspartei hervorgegangene SED-PDS und der Forderung eines Großteiles der Teilnehmer nach der sofortigen Vereinigung beider deutscher Staaten. Auf Transparenten wird der 18. März bereits als »Tag der Befreiung« begrüßt.

Auch in mehreren anderen Städten demonstrieren Zehntausende für eine soziale Marktwirtschaft und die deutsche Vereinigung, so in Karl-Marx-Stadt (85 000), Dresden (50 000), Halle (20 000), Zwickau und Naumburg (jeweils 8 000) sowie Magdeburg und Cottbus (jeweils (3 000). Zur Wahlkampfveranstaltung der LDPD in Plauen kommen 15 000 Interessierte, um vor allem Wolfgang Mischnik von der FDP zu hören. Insgesamt gibt es in über 40 Städten Kundgebungen und Demonstrationen. Bis zu den Wahlen bleiben nur noch sieben Wochen.

Dienstag, 30. Januar

Die Vereinigung der Deutschen werde niemals und von niemandem prinzipiell in Zweifel gezogen, erklärt überraschend der sowjetische Staats- und Parteichef Gorbatschow anläßlich des Besuches von Ministerpräsident Modrow in Moskau. Die Berichte, die er von seinen Diplomaten und Geheimdienstmitarbeitern in der DDR erhalten hatte, haben bei ihm offensichtlich zu der Erkenntnis geführt, daß die DDR nicht zu halten sei. Gorbatschow: »Wenn wir gesagt haben, die Geschichte wird entscheiden – und ich habe das viele Male gesagt –, dann wird es auch so sein.« Modrow trägt bei den Beratungen »Vorschläge zu Fragen der Vereinigung beider deutscher Staaten« vor, die Gorbatschow möglichst in seine Verhandlungen mit den Westalliierten einbringen soll.

Im Ergebnis der Gespräche gibt die SED-PDS-Spitze ihr bisheriges Festhalten an der Eigenständigkeit der DDR auf. In einer Erklärung bekennt sich die Partei zur »Gemeinsamkeit der deutschen Nation und der beiden deutschen Staaten, die einhergeht mit der Einigung Europas und wirksam zu ihr beiträgt«. Gegenüber der »Bild«-Zeitung sagt Parteichef Gregor Gysi, da der Prozeß nicht mehr aufzuhalten sei, ginge es jetzt nicht mehr um das Ob, sondern das Wie. »Das, was jetzt passiert, ist mir zu schnell und zu chaotisch. Man läßt den Menschen nur die Wahl zwischen Hertie und Horten. Das kann nicht gutgehen. Man verneint die eigenständige Leistung der DDR und versucht dem Volk das Genick zu brechen, weil man sagt, das Volk war 40 Jahre dämlich und dumm.«

Die DDR steht nach Ansicht des Ökonomen Heinz-Dieter Haustein nicht vor einer Reform ihrer Wirtschaft, sondern vor einem Wechsel der Wirtschaftsordnung. Dafür gebe es historisch kein Vorbild, und die Forscher in Ost und West hätten kein Konzept, wie eine Volkswirtschaft von einer zentralen Planwirtschaft zur Marktwirtschaft umgebaut werden könne. »Wir erleben ein großes Abenteuer«, sagt Haustein. »Wir stoßen uns an einem Ufer ab, wissen aber nicht, ob und wann wir am anderen Ufer ankommen.« Von 3 400 DDR-Betrieben arbeiten nach Angaben des Ökonomen 800 mit Verlust. 30 Prozent der Produktionsanlagen seien praktisch verrottet. Laut Haustein sind gewaltige Kapitalmengen erforderlich, um die Wirtschaft auf westliches Niveau zu bringen; er rechne mit 1 350 Milliarden DM.

Der ehemalige Staats- und Parteichef Erich Honecker wird am Nachmittag aus der Haft entlassen und in das kirchliche Pflegeheim Lobetal bei Bernau im Norden Berlins gebracht. Dort erwartet ihn bereits seine Frau. Nach Angaben des Sprechers des Generalstaatsanwaltes sei seine Freilassung ohne Auflagen erfolgt. Honecker könne sich frei bewegen. Zum Befinden des ehemaligen Staatschefs sagte der Sprecher, dieser sei in einem »normalen altersgemäßen Zustand«.

Gegen die Freilassung Erich Honeckers richtet sich der Protest vieler Demonstranten. Sie fordern seine langjährige Inhaftierung.

Honeckers Anwalt hatte im Gegensatz dazu erklärt, Honecker befinde sich in einer »generellen Depression« und sei voraussichtlich nicht vernehmungsfähig.

Der ehemalige Beauftragte der Regierung zur Auflösung des Amtes für Nationale Sicherheit, Generalmajor Peter Koch, ist in Untersuchungshaft. Gegen ihn ist ein Ermittlungsverfahren wegen dringenden Verdachts der Untreue in schwerem Fall zum Nachteil sozialistischen Eigentums und Anmaßung staatlicher Befugnisse eingeleitet worden. Koch, der zugleich Leiter des ehemaligen Amtes für Nationale Sicherheit im Bezirk Neubrandenburg war, wurde von Ministerpräsident Hans Modrow am 12. Januar in einer öffentlichen Sitzung der Volkskammer von seinem Amt entbunden, »weil er sich nicht als fähig und als kompetent erwiesen« habe.

Die Bürgerkomitees zur Auflösung der ehemaligen Stasi-Zentrale in der Ostberliner Normannenstraße haben in dem Gebäudekomplex mit 60 Häusern zwölf Kilometer Akten vorgefunden. Eine Abhörzentrale zur Überwachung von Telefongesprächen befand sich im Süden Berlins. Diese sei stillgelegt worden und die Kassettengeräte sichergestellt, berichten Vertreter des Bürgerkomitees vor Journalisten. Von den ehemals rund 33 000 Mitarbeitern des Ministeriums für Staatssicherheit in Berlin seien inzwischen 14 000 entlassen. Täglich kämen ca. 800 dazu.

Nach Mitteilung des Vorsitzenden der bundesdeutschen Postgewerkschaft, Kurt van Haaren, kontrolliert der BND weiterhin zum Zweck der »strategischen Überwachung« die Postsendungen, die von der DDR in der Bundesrepublik eingehen. Auch werde der Telefonverkehr überwacht. Da die Überwachungsaktivitäten des BND gesetzlich abgesichert seien, müsse »man das politisch geißeln«, erklärt der Gewerkschafter in einem Rundfunkinterview.

Die Welle der Demonstrationen hält an. In über 20 Städten kommt es zu Kundgebungen und Warnstreiks, die sich vor allem gegen die SED-PDS richten. In zehn Städten demonstrieren meist kleinere Gruppen gegen neofaschistische Gefahren.

Mittwoch, 31. Januar

Die aufsehenerregenden Äußerungen von Ministerpräsident Hans Modrow (SED-PDS) zur deutschen Einheit am Vortag in Moskau stellen nach Auffassung der Ost-CDU den Versuch dar, sich die Forderungen anderer Parteien nach Vereinigung zu eigen zu machen und auf den fahrenden Zug aufzuspringen.

In der SED-PDS-Zentrale in Ostberlin sagt André Brie von der Kommission für Internationale Politik, die Äußerungen Modrows in Moskau stellten seine Auffassung als Regierungschef dar. Die Partei insgesamt wolle sich dieser Auffassung nicht anschließen. Die deutsche Frage dürfe nicht unter populistischen Gesichtspunkten gelöst werden. Eine schnelle Angliederung würde zu einem Verlust an Demokratie und zu einem sozialen Bruch führen.

Einige der elf am Runden Tisch vertretenen Parteien und Organisationen haben ihre Minister für die mit Ministerpräsident Modrow verabredete Regierung der nationalen Verantwortung benannt. Die Minister ohne Geschäftsbereich sollen auf der nächsten Tagung der Volkskammer in der kommenden Woche vorgestellt und bestätigt werden. Die SPD nominierte den 61jährigen Mathematiker Walter Romberg, der Demokratische Aufbruch den Ostberliner Pfarrer Rainer Eppelmann, Demokratie Jetzt Wolfgang Ullmann, die Grüne Liga den 50 Jahre alten Diplom-Ingenieur Klaus Schlüter und die Initiative Frieden und Menschenrechte ihr Gründungsmitglied Gerd Poppe.

Eine radikale Abrechnung mit der Vergangenheit und einen Neubeginn von unten nach oben fordern die Delegierten des außerordentlichen Kongresses des Freien Deutschen Gewerkschaftsbundes (FDGB) in Berlin. »Der Prozeß gegen Harry Tisch ist ohne Verzögerung durchzuführen«, heißt es in einer Entschließung der gut 2 500 Gewerkschafter. Der FDGB will künftig nicht mehr in der Volkskammer-Fraktion, sondern im vorparlamentarischen Raum wirken. Zugleich wird eine Reihe von Forderungen an die Regierung gestellt. Sie reichen über ein neues Gewerkschaftsgesetz, das Streikrecht und das Aussperrungsverbot bis zum sozialen Schutz bei Arbeitslosigkeit und kürzerer Arbeitszeit.

Der noch fast ungebremste Strom der Übersiedler aus der DDR in die Bundesrepublik droht nach Auffassung des Deutschen Städtetages zu einem großen nationalen Problem zu werden. Wenn sich die Hoffnung auf Stabilisierung der Verhältnisse in der DDR nicht erfülle, müsse die Bundesrepublik in diesem Jahr womöglich mit Übersiedlern in einer Größenordnung von 850 000 bis zu 1,5 Millionen Menschen rechnen, sagt der Städtetag-Präsident und Stuttgarter Oberbürgermeister Manfred Rommel nach einer Präsidiumssitzung in Speyer. Der Städtetag fordert eine Einschränkung der Wahlfreiheit des Aufenthaltsortes, um die Konzentration des Flüchtlingsstromes auf die großen Städte und bereits jetzt überlastete Bundesländer wie etwa Nordrhein-Westfalen zu verhindern. Darüber hinaus müsse die Bundesregierung, so Rommel, »die Subventionierung des Abwanderns und Zuwanderns« einstellen. Die Übersiedlung in die Bundesrepublik dürfe »finanziell nicht noch verlockend gemacht werden«, sagt Rommel.

Das Saarland wird Übersiedler aus der DDR ab Mitte Februar vorübergehend auch im benachbarten Frankreich unterbringen. Wie die Saar-Sozialministerin Brunhilde Peter (SPD) erklärt, stehen für zunächst 150 bis 200 Personen im lothringischen Farebersviller etwa zehn Kilometer jenseits der deutsch-französischen Grenze fünf komplett eingerichtete Häuser mit jeweils sechs Wohnungen zur Verfügung. Die Landesregierung habe sich zu diesem Schritt entschlossen, nachdem die Unterbringungskapazitäten im Saarland so gut wie erschöpft seien.

Bayern will mit dem Nachbarland Sachsen eng zusammenarbeiten. Ministerpräsident Max Streibl (CSU) vereinbart bei seinem Besuch in Dresden und in Gesprächen mit den Ratsvorsitzenden der drei sächsischen Bezirke eine Arbeitsgemeinschaft Bayern–Sachsen. Beim Besuch in einem VEB-Betrieb appelliert Streibl an die Bürger der DDR: »Bleiben Sie im Land, die Perspektiven sind da.«

Die Schriftstellerin Christa Wolf bedauert, daß nach der Revolution in der DDR die Chance für eine Alternative und für »den Bestand unseres Landes« in nur wenigen Wochen verschwunden sei. Die 60jährige erhält die Ehrendoktorwürde der Universität Hildesheim. In ihrer Dankesrede sagt die Schriftstellerin, ihre Hoffnung auf eine »evolutionäre Erneuerung des Landes« sei enttäuscht worden. Der Aufbruch sei offenbar zu spät gekommen. Nun sei den Menschen die dringend notwendige Besinnungspause nicht vergönnt. In einem »extremen seelischen Ausnahmezustand müssen wir über eine Zukunft entscheiden, die wir nicht bedenken können«, meint sie.

In der DDR erscheint eine weitere unabhängige Zeitung. »Die Leipziger Andere Zeitung« (DAZ) vom Forum Verlag versteht sich als unabhängiges Wochenblatt und wird zum Preis von einer Mark verkauft. Die Startauflage liegt bei 40000 Exemplaren. Die Herausgeber stehen dem Neuen Forum nahe, doch die Zeitung wird nicht von dieser Bürgerbewegung verantwortet.

Nach einem Bericht der Dresdner Zeitung »Die Union« sitzen in DDR-Gefängnissen noch immer politische Häftlinge ein. Das Blatt stützt sich auf Aussagen von zwei Ende Dezember aus dem Gefängnis Bautzen II entlassenen ehemaligen politischen Gefangenen. Sie berichteten, daß von 112 politischen Häftlingen noch rund 15 nicht entlassen worden seien. In Haft seien noch »hochkarätige Wirtschaftsfunktionäre wie Felix Dieter Pfau, ehemaliger Direktor für Export bei Technokommerz, und Siegfried Schuster, Generaldirektor des Kunst und Antiquitäten Außenhandelsbetriebes«. Beide seien genauer über die Geschäfte des früheren Devisenbeschaffers Alexander Schalck-Golodkowski informiert als die gesamte Öffentlichkeit bisher.

Bei den abendlichen Demonstrationen in knapp 20 Städten wird der mediale und technische Vorsprung der SED-PDS im Wahlkampf kritisiert und eine Überführung ihres Eigentumes in Volkseigentum verlangt.

Februar 1990

Donnerstag, 1. Februar

Ministerpräsident Modrow überrascht die Öffentlichkeit mit einer eigenen Konzeption für den Weg zur deutschen Einheit. »Deutschland soll wieder einig Vaterland aller Bürger deutscher Nation werden. Damit von ihm nie mehr Gefahr für Leben und Gut seiner Nachbarn ausgeht, sind Verantwortungsbewußtsein, Behutsamkeit und Verständnis für das Machbare und für Europa Ertragbare erforderlich«, erklärt er vor der Presse in Ostberlin. Als denkbare Schritte nennt Modrow eine Vertragsgemeinschaft, die Bildung einer Konföderation von DDR und Bundesrepublik mit gemeinsamen Organen, die Übertragung von Souveränitätsrechten beider Staaten an Machtorgane der Konföderation und schließlich die Bildung eines einheitlichen deutschen Bundesstaates durch Wahlen. Voraussetzung dafür sei die Neutralität des so vereinigten Deutschland.

Die Bundesregierung will über Einzelheiten des Weges zur deutschen Einheit erst nach dem 18. März mit einer frei gewählten Regierung verhandeln. Es sei selbstverständlich, daß der Weg zur Einheit eingebettet bleiben müsse in den gesamteuropäischen Prozeß, sagt Kanzleramtsminister Bohl in Westberlin als Reaktion auf die Erklärung Modrows. Es sei allerdings klar, daß der Weg zur deutschen Einheit nicht über ein Konzept der Neutralität gegangen werden könne, weil dies der Logik des gesamteuropäischen Einigungsprozesses widerspreche. In einem Fernsehinterview vermutet Bohl: »Bisher war die SED gegen eine deutsche Einheit. Jetzt ist sie dafür. Es spricht durchaus einiges dafür, daß man jetzt retten will, was zu retten ist, um ein Minimum an Reputation bei der Bevölkerung zu erhalten. Aber wie Gorbatschow schon sagte: ›Wer zu spät kommt, den bestraft das Leben.‹ Ich gehe davon aus, es wird der SED auch nicht mehr helfen.«

Bundeskanzler Kohl trifft in Westberlin mit dem Vorsitzenden der CDU, Lothar de Maizière, zusammen, um mit ihm die Bildung eines schlagkräftigen Wahlbündnisses konservativer Parteien zu beraten. Der Vorsitzende des Demokratischen Aufbruch, Wolfgang Schnur, sieht bereits »eine klare Mehrheit«, die sich christlichen, liberalen, sozialen und konservativen Werten verbunden fühle.

In Bischofswerda mahnt der baden-württembergische Ministerpräsident Lothar Späth bei einem Bürgergespräch zur Geduld. Die wirtschaftliche Sanierung der DDR gehe nicht so schnell. Pfarrer Christian Naecke sagt, an den Ministerpräsidenten gewandt: »Haben Sie nicht die Deutschland-Deutschland-Rufe gehört? Das sind Hilferufe von Menschen, die gar nicht in der Lage sind, die Sache selbst in die Hand zu nehmen.« Späth ist betroffen. Er spricht von einer »ganz gefährlichen Analyse«, der er allerdings nicht widersprechen könne.

Die niedersächsische Finanzministerin Birgit Breuel (CDU) fordert die DDR auf, die rund sechs Millionen staatlichen Wohnungen den Bürgern zumindest teilweise zum Kauf anzubieten. Zur Eröffnung des deutsch-deutschen Bautages in Hannover sagt Breuel, Eigentum schaffe Anreize, in der DDR zu bleiben.

Der Vizepräsident der ostdeutschen Bauakademie, Professor Werner Teuber, zeichnet ein schonungsloses Bild der katastrophalen Situation der Bauten in der DDR. So hätten von den insgesamt 7,1 Millionen Wohnungen eineinhalb Millionen weder Bad noch Dusche, fast eine Million keine Toilette in der Wohnung. Rund die Hälfte aller Wohnungen werde noch mit Einzelöfen beheizt. Die Häuser seien im Durchschnitt 58 Jahre alt. Von den nach dem Zweiten Weltkrieg gebauten Wohnhäusern seien elf Prozent bereits so verfallen, daß sie nicht mehr zu erhalten seien.

Die Regierung beschließt als Sofortmaßnahme die Erhöhung von Löhnen und Gehältern für 2,3 Millionen Arbeiter und Angestellte. Die Erhöhungen, für die rund 3,6 Milliarden Mark erforderlich sind, sollen vom 1. März bis 1. Juli in Kraft treten. Der Ministerrat verabschiedet weiter eine Vorruhestandsregelung für ältere Beschäftigte, die ihren Arbeitsplatz verloren haben, sowie eine Verordnung über Ausgleichszahlungen während der Zeit der Arbeitsvermittlung. Beides wird dem Runden Tisch zugeleitet.

Nach heftigen inneren Auseinandersetzungen geht in Berlin der zweitägige außerordentliche Kongreß des Freien Deutschen Gewerkschaftsbundes zu Ende. Dabei konstituiert sich der FDGB als Dachverband unabhängiger Einzelgewerkschaften. Für den Herbst wird ein ordentlicher Gewerkschaftskongreß einberufen. Bis dahin agiert Helga Mausch als Vorsitzende des geschäftsführenden Vorstandes.

In Heimen der DDR warten noch fast 300 Kinder darauf, daß ihre in die Bundesrepublik übergesiedelten Eltern sie zu sich holen. Für den amtierenden Vizebildungsminister Karl-Heinz Höhn ist es »unbegreiflich«, daß viele der Eltern die DDR verlassen hätten, ohne vorher den Kontakt zu ihren Kindern zu suchen und mit ihnen über ihre Gründe zu sprechen. Oft würden die Kinder durch eine Karte oder

»einen nüchternen Brief« von der veränderten Situation in Kenntnis gesetzt.

Mitarbeiter des Deutschen Roten Kreuzes (DRK) demonstrieren auf dem Ostberliner Alexanderplatz. Es sind Vertreter aus allen 15 Bezirken der DDR gekommen, um auf die Zustände im Gesundheitswesen öffentlich hinzuweisen. Die Krankenwagen der Schnellen Medizinischen Hilfe seien wegen Überalterung oder weil es an Ersatzteilen zur Reparatur mangele, oft schon nicht mehr einsatzbereit. Den Mitarbeitern fehle es angesichts schlechter Bezahlung an Motivation. Sie fordern 50 Prozent Lohnerhöhung.

Statt der gewohnten Demonstration durch das Zentrum Rostocks bilden rund 10 000 Bürger eine Menschenkette um das siebentürmige Rathaus am Ernst-Thälmann-Platz. Sie unterstützen die Forderung des Bürgerkomitees, wonach die Rostocker Stadtväter ihr Amt niederlegen und bis zu den Kommunalwahlen am 6. Mai nur noch kommissarisch regieren sollten.

Nach einem Friedensgebet in der Geraer Johanniskirche, bei dem über den Stand der Stasi-Auflösung im Bezirk informiert wird, ziehen am Abend 5 000 Bürger durch das Stadtzentrum. Das Bild der Zuges bestimmen vor allem schwarz-rot-goldene Fahnen. Auf Transparenten und Schildern ist zu lesen »Thüringen meine Heimat – Deutschland mein Vaterland« oder »Euch Sowjetsoldaten ein Dankeschön, doch jetzt ist es Zeit nach Haus' zu gehn«.

In Erfurt fordern 10 000 energisch die Entmachtung der SED-PDS. Dies war auch eine der zentralen Forderungen bei Warnstreiks in etwa 15 Städten im Laufe des Tages.

Freitag, 2. Februar

Die über Nacht geführten Verhandlungen zwischen mehreren konservativen Ost-Parteien mit der West-CDU über ein Wahlbündnis bleiben ohne Ergebnis. Zu den Ursachen zählt der Vorsitzende der Ost-CDU, Lothar de Maizière, das über 40jährige Fehlen einer freien Meinungsäußerung. »Jeder ist nun stolz, seine Stimme genau und deutlich zu artikulieren. Und der Prozeß, daß Einheit stark macht, die Erkenntnis dahin, die dauert ein bißchen. Das ist der Fakt, den ich bedaure bei dem vorgezogenen Wahltermin.« Die Parteibasis des Demokratischen Aufbruch bekundet inzwischen ihren Unmut über das geplante Zusammengehen mit der DSU. Es seien zusätzliche Beratungen erforderlich.

In der nächsten Woche soll daher ein neues Treffen mit Bundeskanzler Helmut Kohl stattfinden, um noch offene Fragen zu klären.

SED-PDS-Chef Gregor Gysi trifft in Moskau mit dem sowjetischen Staats- und Parteichef Michail Gorbatschow zusammen, um mit ihm Fragen des Vereinigungsprozesses zu erörtern. Dabei wird deutlich, daß auf sowjetischer Seite keine detaillierten Vorstellungen bestehen, sondern man die Gestaltung in die Hand der Deutschen legen möchte. Zur gleichen Zeit erklärt der stellvertretende Sprecher des sowjetischen Außenministeriums, Jury Gremitskich, in Ostberlin, die Sowjetunion sei dafür, die militärischen Bündnisse aufzulösen oder in politische Bündnisse umzuwandeln. Es sei unrealistisch und nicht akzeptabel, davon auszugehen, daß ein vereinigtes Deutschland entweder in der NATO oder im Warschauer Pakt bleiben könne. Die Lösung müsse dazwischen gesucht werden.

Modrows Konzept »Deutschland einig Vaterland« veranlaßt die Vereinigte Linke, ihre Mitarbeit an einer Allparteienregierung wieder aufzukündigen. Für eine solche Politik stünde sie nicht zur Verfügung. Modrows Deutschland-Initiative ist auch Kommentar-Thema in allen großen Zeitungen. Die »taz« spricht in diesem Zusammenhang von einer politischen Kapitulation und erklärt sie aus den täglich anwachsenden Ausreisezahlen. »So wie die überfüllten Botschaften in Budapest, Prag und Warschau die Abbrucharbeiten am SED-Staat einleiteten, hat der anhaltende Exodus von der DDR in die BRD der Regierung Modrow und wohl auch Hans Modrow als Person letztlich den Rest gegeben.« Ebenso am Ende seien all jene, die im letzten Herbst angetreten waren, eine neue, nicht fremdbestimmte Identität zu entwickeln, denn die kurze Phase des aufrechten Ganges, der Hoffnungsschimmer der Utopie, blieb – so wisse man heute – letztlich auf eine Minderheit beschränkt.

Die DDR-Behörden haben seit Öffnung der Grenzen am 9. November vergangenen Jahres bis Ende Januar 12 275 354 Visa für Besuchsreisen ins Ausland ausgestellt. Gleichzeitig seien 44 510 Anträge von Bürgern zur ständigen Ausreise in die Bundesrepublik und nach Westberlin genehmigt worden, 12 480 allein im Januar, teilt das Innenministerium mit. In der DDR gibt es bei der Ausstellung der neuen Reisepässe Schwierigkeiten. Täglich würden rund 5 000 Anträge gestellt. Die Druckerei arbeite jetzt rund um die Uhr. Bürger können bis Ende des Jahres auch mit ihrem Personalausweis reisen.

Von der Hamburger Illustrierten »stern« gibt es eine kostenlose Sondernummer zur Volkskammerwahl. Das 72 Seiten zählende Heft wurde in Zusammenarbeit mit den Oppositionsgruppen erstellt und informiert u. a. über deren politische Ziele. Die in einer Million Exemplaren gedruckte Sonderausgabe soll nach Angaben der Redaktion in insgesamt 15 Städten verteilt werden. In Ostberlin führt die Verteilung zu einem Massenandrang und zu einem Verkehrschaos. Vor dem Grand Hotel fährt ein Sattelschlepper vor, um den sich viele hundert Menschen drängen, um eines der Hefte zu erhalten. Die Polizei mahnt über Lautsprecher zur Besonnenheit. Auf der nahegelegenen Kreuzung Friedrichstraße/Unter den Linden und in der näheren Umgebung bricht teilweise der Verkehr zusammen. Bei dem Gedränge werden mehrere Personenkraftwagen beschädigt, Türen und Kofferklappen eingebeult. Gäste des Hotels können das Haus nicht wie geplant verlassen.

Zum ersten Mal in der DDR treten Bergarbeiter in einen unbefristeten Streik. Die Belegschaft des Kaliwerkes »Thomas Müntzer« in Bischofferode im Bezirk Erfurt will damit eine Lohnerhöhung um pauschal 400 Mark erreichen. Außerdem wollen die Arbeiter nach eigenen Angaben mit ihrer Aktion ein Signal für ein Aufbrechen der Wirtschaftsstruktur geben. Erwirtschaftete Gewinne müßten innerhalb des Betriebes verwendet werden können und nicht mehr mehrheitlich an den Staat abgeführt werden, fordern sie.

In Auerbach (Bezirk Karl-Marx-Stadt) kommt es am Abend zu einer Vogtland-Demonstration mit mehr als 10 000 Teilnehmern. Dabei werden das Ende der SED-Herrschaft und die schnelle deutsche Einheit gefordert.

Sonnabend, 3. Februar

Vor dem »Haus des Reisens« am Ostberliner Alexanderplatz haben sich schon am Morgen lange Schlangen gebildet. Hier in der Zentrale des DDR-Reisebüros werden die ersten Pauschalreisen ans Mittelmeer angeboten. Die Nachfrage ist riesig. Der Flug kann in Ost-Mark bezahlt werden, das Hotel mit D-Mark.

Nach Ansicht von Ralf Fücks, Sprecher im Bundesvorstand der Grünen, markieren die Erklärungen des sowjetischen Staats - und Parteichefs Michail Gorbatschow und von Ministerpräsident Hans Modrow einen »Wendepunkt«. Die Auseinandersetzung gehe jetzt nur noch um Tempo und Ausgestaltung der Verbindung beider deutscher Staaten, nicht mehr um den Zusammenschluß an sich. Er plädiert für sofortige massive wirtschaftliche Unterstützung der DDR, um den inneren Kollaps abzuwenden, und fordert einen finanziellen »Lastenausgleich«, der die historische Benachteiligung der DDR berücksichtige.

Wirtschaftsministerin Christa Luft strebt einen festen Wechselkurs zwischen der D-Mark und der DDR-Mark an. Dieser Kurs müßte aber von seiten der Bundesrepublik gestützt werden und sollte eine Konvertierbarkeit bis 1992 gestatten, sagt sie in einem Interview mit dem »Neuen Deutschland«. Die hohen Sparguthaben müßten ihren Wert behalten. An die Adresse Bonns gewandt, regt Frau Luft an, Milliardenbeträge »aus der wohl überholten Förderung der Zonenrandgebiete« für die Wirtschaftsreform freizumachen.

Der Berliner Finanzsenator Norbert Meisner (SPD) hat dazu aufgerufen, Mark der DDR nur offiziell bei den DDR-Wechselstellen zu dem vereinbarten Kurs von 1:3 einzutauschen und nicht dem verlockenden Schwarzmarktkurs nachzugeben. Der reguläre Umtausch sei immer noch ein guter Kurs für West-Besucher. Meisner fordert die DDR-Regierung auf, mehr Wechselstellen für West-Besucher einzurichten. Der hohe Schwarzmarktkurs schade letztlich den Menschen und der Wirtschaft in der DDR.

In Schkopau findet der Gründungskongreß der Grünen Liga seinen Abschluß. Im angenommenen Programm bezeichnet sich die Organisation als Netzwerk und überparteiliche Vereinigung, der es vor allem um einen ökologischen Umbau der DDR gehe, um die Erweiterung von Naturschutzgesetzen und stärkere Bürgerkontrolle. Klaus Schlüter erhält das Mandat, in der Regierung Modrow als Minister ohne Ressort mitzuarbeiten.

Mit einer Kundgebung vor dem Rathaus in Halle beginnt der Demokratische Aufbruch seinen Wahlkampf in der DDR. Der Parteivorsitzende Wolfgang Schnur, der sich selbst als künftigen Ministerpräsidenten bezeichnet, verlangt vor knapp 5000 Teilnehmern, Schluß mit sozialistischen Experimenten zu machen und eine soziale und ökologische Marktwirtschaft einzuführen. Bundesumweltminister Klaus Töpfer (CDU) fordert als Gastredner ebenfalls, daß mit der Volkskammerwahl dem Sozialismus endgültig eine Absage erteilt werden müsse.

Protestdemonstrationen finden in zwölf weiteren Städten statt, darunter in Plauen (30000), Arnstadt (6000), Finsterwalde (5000), Potsdam (4000) und Stralsund (3000), wobei an mehreren Orten der Rücktritt der lokalen Verwaltungen gefordert wird.

Sonntag, 4. Februar

Die ehemaligen DDR-Blockparteien suchen im begonnenen Wahlkampf die Unterstützung bundesdeutscher Schwesterparteien. Die FDP will die LDPD jedoch nur dann unterstützen, wenn diese dem Sozialismus kategorisch abschwört. Für den FDP-Vorsitzenden Otto Graf Lambsdorff ist es ein »politisches Risiko«, die frühere Blockpartei als Partner im Hinblick auf die Wahlen zu akzeptieren. Nach Lambsdorffs Worten muß sich die LDPD klarer als bisher zur deutschen Einheit, zu rechtsstaatlichen liberalen Grundsätzen und zur sozialen Marktwirtschaft bekennen. Auch personell müßten Konsequenzen gezogen werden.

Die vier konservativen Parteien unternehmen unterdessen einen weiteren Versuch, zu einem Wahlbündnis zusammenzufinden. Vertreter des Demokratischen Aufbruch (DA), der Deutschen Sozialen Union (DSU), der Deutschen Forumpartei (DFP) und der Ost-CDU treffen dazu erneut im Gästehaus der Bundesregierung in Westberlin zusammen.

Der Vorsitzende der SPD, Ibrahim Böhme, wirft der Bonner CDU eine »unerträgliche Einmischung« in den Wahlkampf vor. Während der CDU-Vorsitzende, Bundeskanzler Helmut Kohl, noch vor einigen Monaten alle demokratischen Kräfte habe unterstützen wollen, verhandele die CDU jetzt mit der für die frühere Politik in der DDR mitverantwortlichen alten Ost-CDU, um das konservative Bündnis zu stärken, sagt Böhme auf dem ersten Bezirksparteitag der SPD in Ostberlin. Der Demokratische Aufbruch mit seiner Absicht zu einer Allianz der Mitte müsse sich fragen lassen, wie er es mit seiner bisherigen Haltung vereinbaren könne, mit einer alten Regierungspartei Wahlkampf gegen die SPD zu machen.

Die SED-PDS legt endgültig ihren alten Namen ab und heißt ab sofort nur noch Partei des Demokratischen Sozialismus (PDS), ein Name, mit dem sie auch in den Wahlkampf ziehen will. Das beschließt der Vorstand der Partei in Ostberlin. Die PDS habe sich von der alten SED-Führung getrennt, vom ehemaligen Machtmonopol losgesagt, mit den Strukturen der Vergangenheit gebrochen und begonnen, ihre Geschichte aufzuarbeiten, heißt es weiter. Zur Zeit habe die Partei noch etwa 700 000 Mitglieder gegenüber 2,3 Millionen vor Beginn der Wende. Ferner wird beschlossen, daß die Partei über drei Milliarden Mark an den Staat abgibt. Das Geld stammt aus einer Kasse, die außerhalb der offiziellen Bilanz geführt wurde. Es sind nicht verbrauchte

Gewinne aus den Parteibetrieben der vergangenen 20 Jahre. Aus dem Bericht zu den Parteifinanzen geht hervor, daß die SED im vergangenen Jahr 1,6 Milliarden Mark eingenommen und etwa 1,75 Milliarden Mark ausgegeben hat.

Der Schriftsteller Erik Neutsch zieht das vierte Buch seiner Romanfolge »Friede im Osten«, »Nahe der Grenze«, zurück. In einem Entschuldigungsbrief an den tschechoslowakischen Präsidenten, den Schriftsteller und Dramatiker Václav Havel, begründet er diese Entscheidung damit, daß er »in diesem Buch eine falsche Darstellung der 68er Ereignisse in der ČSSR und des damit verbundenen Einsatzes der Warschauer Vertragsstaaten« gegeben habe.

Montag, 5. Februar

Die Volkskammer stimmt der »Regierung der Nationalen Verantwortung« mit 377 gegen 16 Stimmen zu, in der acht Vertreter der Gruppen und Parteien vom Runden Tisch Ministerposten ohne Geschäftsbereich erhalten. Zuvor hatte Modrow die Parlamentarier nachdrücklich um Zustimmung für die neue Regierungskonstellation ersucht, da sich die Lage im Land seit der Parlamentssitzung vor einer Woche weiter verschlechtert habe. Anders als in einer breiten Verantwortung könne die DDR nicht mehr regiert werden.

Die Oppositionsparteien und -gruppen schickten folgende Minister in die Regierung: Die SPD den Mathematiker Walter Romberg (61), der Demokratische Aufbruch den Pfarrer Rainer Eppelmann (46), das Neue Forum den Physiker Sebastian Pflugbeil (42), Demokratie Jetzt den Theologen Wolfgang Ullmann (60), der Unabhängige Frauenverband die Soziologin Tatjana Böhm (35), die Initiative Frieden und Menschenrechte den Physiker Gerd Poppe (48), die Grüne Liga den Diplomingenieur Klaus Schlüter (40) und die Grüne Partei den auch von der Liga gestellten Umwelthygieniker Matthias Platzeck (36).

Die Volkskammer bestätigt auf Wunsch Modrows den stellvertretenden Ministerpräsidenten Peter Moreth (LDPD), zuständig für örtliche Staatsorgane, und Minister Wolfgang Ullmann als ständige Regierungsvertreter am Runden Tisch, der an diesem Tag zum elften Mal zusammenkommt und Probleme des Parteiengesetzes und der bevorstehenden Wahlen berät. Außerdem beschließt er, daß sich Politiker aus der Bundesrepublik nicht mit Auftritten in den Wahlkampf der DDR einmischen sollen. Dies führt zu heftigen Protesten in Bonn und München, wo der Vorsitzende der CSU-Landtagsfraktion, Alois Glück, empört ankündigt, daß sich seine Partei nicht an diesen Beschluß halten werde.

Die Volkskammer stimmt dem vorgezogenen Termin der Volkskammerwahlen am 18. März zu. In erster Lesung behandelt das Parlament ein Gesetz über die Kommunalwahlen, die am 6. Mai stattfinden sollen. Ohne Gegenstimmen faßt die Volkskammer einen Beschluß zur Gewährleistung der Meinungs-, Informations- und Medienfreiheit, der unter anderem die Bildung eines Medienkontrollrates vorsieht.

Aktivitäten der rechtsradikalen Republikaner bleiben nach einem weiteren Beschluß der Volkskammer in der DDR verboten. Auch Nachfolge- oder Ersatzorganisationen mit gleicher Zielsetzung dürfen in der DDR politisch nicht tätig werden.

Zugleich wird mitgeteilt, daß die Subventionen für Lebensmittel in Höhe von 33 Milliarden Mark bis zu den Volkskammerwahlen am 18. März in Kraft bleiben. Damit kommt es vorerst nicht zu einer Erhöhung der Verbraucherpreise.

Die Bergarbeiter im Kaliwerk Südharz »Thomas Müntzer« in Bischofferode sind mit einem Streik für erhebliche Lohnanhebungen erfolgreich. Ihre Forderungen nach 400 Mark Zuschlag pro Beschäftigtem und wirtschaftlicher Selbständigkeit des Kombinates wurden erfüllt. Deshalb wird die Arbeit am Nachmittag wieder aufgenommen.

Die drei konservativen Parteien, Demokratischer Aufbruch (DA), Deutsche Soziale Union (DSU) und CDU, werden zur Volkskammerwahl am 18. März als »Allianz für Deutschland« antreten. Darauf verständigen sich deren Vertreter am Abend in Westberlin. Die Deutsche Forumpartei wird als eigenständige politische Kraft antreten, teilt DSU-Vorsitzender Hans-Wilhelm Ebeling im Anschluß an das Treffen im Gästehaus der Bundesregierung vor Journalisten mit. An dem Gespräch nahm auch der CDU-Vorsitzende und Bundeskanzler Helmut Kohl teil. Kohl begrüßte die Entscheidung und kündigte an, daß die CDU die Allianz tatkräftig unterstützen werde.

In Leipzig und zahlreichen anderen Städten wird an diesem Montagabend wieder für die deutsche Einheit demonstriert und verstärkt die Auflösung der ehemaligen SED, der jetzigen PDS, gefordert. In Leipzig gehen allein etwa 100 000 Menschen auf die Straße, über 50 000 sind es in Karl-Marx-Stadt. Verlangt wird hier die endgültige Beseitigung aller Geheimdienste, die Abschaffung der Übergangszahlungen für Stasi-Mitarbeiter und die schnelle deutsche Einheit. 40 000 ziehen durch das Stadtzentrum von Dresden, wobei auch die

Wiedergründung des Staates Sachsen angemahnt wird. In Magdeburg kommen 20000 zu einer Kundgebung der SPD, in Zwickau verlangen 10000 u. a. den Abzug fremder Truppen aus Deutschland.

Dienstag, 6. Februar

Bei der Volkskammerwahl würde zum jetzigen Zeitpunkt die SPD mit 54 Prozent der Stimmen einen großen Wahlerfolg erzielen. Dies ergab eine repräsentative Umfrage des Zentralinstitutes für Jugendforschung Leipzig mit Unterstützung des Institutes für Marktforschung unter 1000 Bürgern. Bei einer 80prozentigen Wahlbeteiligung erhielten derzeit die PDS zwölf, die CDU elf, das Neue Forum vier und die LDPD drei Prozent der Stimmen. Alle anderen Parteien und Bewegungen lägen nach dieser Umfrage unter drei Prozent. Drei von vier der befragten Bürger (76 Prozent) befürworteten inzwischen eine Vereinigung beider deutscher Staaten, wobei sich 38 Prozent für eine sofortige Vereinigung, aber 43 Prozent gegen ein schnelles Vorgehen aussprachen.

Vor der Bundestagsfraktion der CDU/CSU in Bonn stellt Bundeskanzler Helmut Kohl das Modell der »Arbeitsgruppe Deutschlandpolitik« des Kanzleramtes für eine baldige Währungsunion mit der DDR vor. Nach den Wahlen vom 18. März sollten unverzüglich Verhandlungen über eine Wirtschaftsunion aufgenommen werden.

Die Grünen nehmen als letzte Bundestagspartei Abschied von ihrer Forderung nach Erhalt zweier deutscher Staaten. »Die DDRler entscheiden jetzt, wie und was sie wollen, und das ist gut so. Sie wollen die Einheit – wir wollten sie mit guten Argumenten nicht. Jetzt müssen wir damit leben, basta!«, erklärt Sprecher Udo Knapp. »Es ist hohe Zeit für die Bundesbürger und uns Grüne, aufzuwachen.« Die Einheit werde allen Bundesbürgern sehr viel abverlangen.

Die deutsche Vereinigung wird nach den Worten des Regierenden Bürgermeisters von Berlin, Walter Momper (SPD), keine Vereinigung gleichberechtigter Staaten sein, sondern ein »Anschluß aus Armut«. Die Motive der Menschen in der DDR seien nicht national, sondern sozial und ökonomisch, sagt er auf der Sitzung der Sozialistischen Fraktion des Europäischen Parlamentes im Berliner Reichstagsgebäude.

Das Nationale Olympische Komitee (NOK) der DDR geht zum jetzigen Zeitpunkt davon aus, bei den Olympischen Spielen 1992 in

Albertville und Barcelona mit einer eigenständigen Mannschaft anzutreten. »Wir wollen eine ordentliche, eigene Olympia-Mannschaft aufstellen. Es ist nicht angeraten, einer politischen Entwicklung vorwegzugreifen«, erklärt der Pressesprecher des Gremiums. Er reagiert damit auf die Äußerungen des NOK-Präsidenten Willi Daume, der angesichts der rasanten politischen Entwicklung eine gemeinsame deutsche Olympia-Mannschaft schon 1992 für möglich gehalten hatte.

Die Wandlitzer Waldsiedlung im Norden von Berlin, bis zur Wende exklusiver Wohnort der früheren Staats- und Parteispitze, darf ab sofort nicht mehr besichtigt werden. Durch den Besucherandrang von mehr als 50 000 Personen entstanden seit dem 25. Januar erhebliche Schäden an Gebäuden und Außenanlagen. Wandlitz soll ab 20. Februar als Rehabilitationssanatorium Bernau-Waldfrieden erste Kurpatienten aufnehmen.

Während sich in der DDR die Genossen scharenweise von ihrem früheren Staats- und Parteichef abwenden, erinnert sich ein dänischer Kommunist an seinen alten Kampfgefährten. Ingmar Wagner, jahrzehntelang Führungsmitglied der Dänischen Kommunistischen Partei, jetzt im Ruhestand, will den krebskranken Honecker in seinem Haus in Praesto, 100 Kilometer südlich von Kopenhagen, aufnehmen und pflegen. Er begründet seine Einladung damit, daß Honecker in der Dachkammer eines Pastorenhauses leben müsse. »Vielleicht hat Honecker schwere Fehler begangen, aber das rechtfertigt nicht die demütigende Behandlung, die er jetzt in der DDR erhält.«

Mittwoch, 7. Februar

Der Staatssicherheitsdienst hat die meisten Bonner Spitzenpolitiker – darunter Bundeskanzler Helmut Kohl (CDU), Außenminister Hans-Dietrich Genscher (FDP) und den SPD-Vorsitzenden Hans-Jochen Vogel – abgehört. Entsprechende Informationen der »Bild«-Zeitung bestätigen Bonner Sicherheitskreise. Ostberlin habe sich in die Telefongespräche der Bonner Politiker im Richtfunkverkehr mit Westberlin jeweils »eingeschaltet«, wurde erläutert. Ferner heißt es, daß es inzwischen »viele Stasi-Überläufer« gebe. Die früheren Mitarbeiter des inzwischen aufgelösten Ministeriums für Staatssicherheit seien von »unterschiedlicher Qualität«. Besonderes Interesse bestehe an den entsprechenden Akten in der Berliner Normannenstraße.

Die Bundesregierung billigt den Plan zu einer baldigen Wirtschafts-

und Währungsunion und bildet dafür einen Kabinettsausschuß »Deutsche Einheit«. Das Gremium, dem die meisten Bundesminister unter Vorsitz von Bundeskanzler Helmut Kohl angehören, soll die notwendigen Schritte dafür vorbereiten. Bundesbankpräsident Karl-Otto Pöhl beugt sich dem politischen Druck und stellt seine bisherigen Bedenken wegen nichtkalkulierbarer wirtschaftlicher Folgen für die ostdeutsche Industrie und damit langfristig für die Stabilität der D-Mark zurück.

Auch die DDR-Sozialdemokraten sehen die Gestaltung einer deutsch-deutschen Währungsunion auf DM-Basis als eine der »dringlichsten Maßnahmen« der bevorstehenden Wirtschaftsreform an. Gleichzeitig sollte das Staatseigentum am Produktionsvermögen (brutto rund 1300 Milliarden Mark) größtenteils in andere Eigentumsformen überführt werden, heißt es in einer Erklärung.

Der Vorsitzende der Deutschen Sozialen Union der DDR, Hans-Wilhelm Ebeling, mahnt westliche Hilfe für seine Partei an. Der Tageszeitung »Die Welt« sagt Ebeling, der Vorsprung der SPD in der DDR wäre noch aufzuholen, »wenn man jetzt drüben aufwacht und uns handfeste Unterstützung gibt«. Bislang habe vor allem die West-SPD »reingebuttert«. Er hoffe, daß jetzt auch die Hilfe für die DSU, die von der CSU zugesagt worden sei, »endlich voll anläuft«.

Nach Zeitungsberichten plant Bundeskanzler Kohl trotz der Ablehnung durch den Runden Tisch sechs Großveranstaltungen während des Wahlkampfes in der DDR. CDU-Generalsekretär Volker Rühe werde durch alle Bezirke reisen und die Aktivitäten der »Allianz für Deutschland« aktiv unterstützen.

Die drei Bürgerbewegungen Neues Forum, Demokratie Jetzt und Initiative Frieden und Menschenrechte kommen in Berlin überein, zu den Wahlen am 18. März ein gemeinsames »Bündnis 90« zu bilden und auch gemeinsam den Wahlkampf zu gestalten. Die Idee eines großen Bündnisses von acht Oppositionsgruppen hatte sich in den letzten Wochen zerschlagen.

Donnerstag, 8. Februar

Die Regierung beschließt auf Drängen des Runden Tisches die Bildung eines staatlichen »Komitees zur Auflösung des ehemaligen Amtes für Nationale Sicherheit«. Es soll als zentraler Nachlaßverwalter die praktische Stasi-Abwicklung leiten. Die Arbeitsgruppe Sicherheit des Runden Tisches informiert darüber, daß die Stasi Daten von sechs Millionen DDR-Bürgern gespeichert hat. Die vielfältigen Akten sollen unter Kontrolle von Bürgerkomitees in Bezirksdepots gesichert werden. Von den rund 33 000 Mitarbeitern der Zentrale in der Ostberliner Normannenstraße sind inzwischen 17 451 entlassen. Die Auflösung des Komplexes, wodurch derzeit täglich 600 bis 800 Mitarbeiter ihre Entlassungspapiere erhielten, werde von örtlichen Bürgerkomitees sowie von einer Arbeitsgruppe des Zentralen Runden Tisches kontrolliert.

Generalbundesanwalt Kurt Rebmann hält eine Amnestie für DDR-Spione in Zukunft nicht für ausgeschlossen. Im Falle einer deutschen Vereinigung hätten die Politiker über eine »Gesamtbereinigung« zu entscheiden. »Hier wird als Fernlösung vielleicht auch der Gedanke einer Amnestie eine Rolle spielen können.«

US-Außenminister James Baker schlägt Michail Gorbatschow größere Truppenreduzierungen in Mitteleuropa vor, wenn sich die Sowjetunion im Gegenzug zur Anerkennung der deutschen Vereinigung bereitfindet, wobei die näheren Modalitäten von den vier Siegermächten des Zweiten Weltkrieges noch mit den beiden deutschen Staaten verhandelt werden könnten.

Die britische Premierministerin Margaret Thatcher anerkennt erstmals, daß die bevorstehenden Wahlen in der DDR »wahrscheinlich zur Wiedervereinigung Deutschlands« führen werden. Im Unterhaus in London spricht sie sich dafür aus, so bald als möglich die notwendigen Auswirkungen auf die NATO zu erörtern.

Israels Vize-Außenminister Benjamin Netanjahu hält eine Wiedervereinigung der beiden deutschen Staaten für unvermeidlich. In der Knesset (Parlament) in Jerusalem sagt er, die israelische Regierung hoffe, daß die Wiedervereinigung nicht erneut einen »mörderischen deutschen Nationalismus« erregen wird.

Dem Vorsitzenden der rechtsradikalen Republikaner, Franz Schönhuber, wird erneut die Einreise in die DDR verwehrt. Grenzsoldaten weisen ihn am Berliner Übergang Checkpoint Charlie zurück mit den Worten: »Sie sind eine in der DDR unerwünschte Person.«

Eine Währungsunion von Bundesrepublik und DDR braucht nach Auffassung des Direktoriumsmitglieds der Bundesbank, Johann Wilhelm Gaddum, rechtliche Voraussetzungen. Andernfalls hätte sie schlimme Folgen für Betriebe, Preise und den Arbeitsmarkt in der DDR. Viele Betriebe wären wegen mangelnder Produktivität nicht mehr wettbewerbsfähig und vom Kollaps bedroht. Auch müsse mit »hohen Preisveränderungen« in der DDR gerechnet werden.

Bundesjustizminister Hans Engelhard (FDP) fordert die DDR auf, einen demokratischen Rechtsstaat mit einer starken und unabhängigen Justiz zu schaffen. In einer Regierungserklärung vor dem Bundestag, die unter dem Motto »Rechtspolitik im Jahr des deutsch-deutschen Aufbruchs« steht, wendet sich Engelhard »gegen alle Tendenzen, über das vergangene Unrecht in der DDR einen Mantel des Schweigens zu breiten«. Er warnt aber auch vor Schauprozessen. »Dem alten Unrecht darf kein neues Unrecht folgen.«

Mit einer Annäherung beider deutscher Staaten erhebt sich auch die Frage etwaiger Ansprüche auf verlorenes Eigentum in der DDR, stellt das Bundesjustizministerium fest. Grundsätzlich haben Vertriebene und Flüchtlinge nach geltender Rechtsmeinung einen Anspruch auf Rückgabe. Dieses Problem, vor allem aber die Frage eines künftigen Ausgleichs, gehöre mit zu den Tagesordnungspunkten deutsch-deutscher rechtspolitischer Verhandlungen. Das Lastenausgleichsgesetz von 1952 stellt in seiner Präambel ausdrücklich fest, daß eine Entschädigung keinen Verzicht auf das Eigentum voraussetzt. In den Lastenausgleichsbescheiden wird zudem darauf hingewiesen, daß bei einer etwaigen Rückgabe des verlorenen Eigentums auch die Entschädigung zurückgezahlt werden muß.

Immer mehr ehemalige Besitzer von Grundstücken und Häusern in der DDR melden nach Presseberichten ihre Besitzansprüche an. So habe beispielsweise eine große Versicherung entdeckt, daß ihr angeblich das halbe Grundstück gehöre, auf dem der Ostberliner Fernsehturm stehe. Ein begüterter Westberliner Rentner erhebe Ansprüche auf das Gelände des Luxushotels Metropol und des Internationalen Handelszentrums.

Die Regierung berät mit ihren neuen Kabinettsmitgliedern aus oppositionellen Parteien und Gruppen die Einführung eines Arbeitslosengeldes und einer Vorruhestandsregelung. Hintergrund sind steigende Arbeitslosenzahlen vor allem wegen Umstrukturierungen und Entlassungen im Staatsapparat, aber auch in der Industrie. Beschlossen wird die Einführung eines Zivildienstes, der statt des Militärdienstes in gleicher Länge von 12 Monaten abgeleistet werden kann. Ministerpräsident Modrow teilt dem Kabinett auf Nachfrage mit, daß er über die jüngsten Beschlüsse in Bonn zur Währungsunion offiziell bisher nicht informiert worden ist. Er kenne auch nur die Berichte der Medien.

Die DDR will in den kommenden sechs Monaten 10000 bis 15000 enteignete Betriebe an ihre rechtmäßigen Besitzer in der DDR zurückgeben und erhofft sich davon eine Ankurbelung der Wirtschaft. Das kündigt der Präsident des Unternehmerverbandes der DDR, Rudolf Stadermann, an. Die überwiegend mittelständischen Unternehmen waren den Eigentümern 1972 gegen eine geringe, eher symbolische Entschädigung abgenommen worden.

Der Bezirksverband Dresden der Bürgerbewegung Neues Forum spricht sich mit großer Mehrheit gegen das zu den Volkskammerwahlen gebildete Bündnis 90 mit Demokratie Jetzt und der Initiative Frieden und Menschenrechte aus. Das Wahlbündnis sei von einer linken Minderheit betrieben worden, die immer noch am Erhalt der Eigenständigkeit der DDR hinge.

Der Rundfunksender »Stimme der DDR« wird in »Deutschlandsender« rückbenannt. Das beschließt der Redakteursrat mit großer Mehrheit. Der Sender mußte im Herbst 1971 auf Weisung der damaligen Staats- und Parteiführung seinen alten Namen ablegen.

Die Gründung eines Verbandes der politisch Verfolgten in der DDR wird beim Innenministerium angemeldet. Als wesentliche Aufgabe nennt der Vorsitzende des Gründungsausschusses, Volker Ring, in einem Schreiben, »allen Bürgern der DDR, die auf der Grundlage eines politisch motivierten Strafverfahrens unter Verletzung elementarer Menschenrechte verurteilt wurden, Gerechtigkeit und Wiedergutmachung zukommen zu lassen«.

Zu meist kleineren Demonstrationen kommt es am Abend in knapp 20 Städten, bei denen überwiegend Forderungen nach lokalen Umgestaltungen im Mittelpunkt stehen.

Freitag, 9. Februar

Eine Währungsunion zwischen der DDR und der Bundesrepublik sollte zwar nicht auf den »Sankt-Nimmerleins-Tag« verschoben werden, aber sie persönlich zöge einen Stufenplan vor, sagt die stellvertretende Ministerpräsidentin, Christa Luft, auf dem ersten deutsch-deutschen Mittelstandstag in Berlin. Eine Währungsunion jetzt auf Basis der D-Mark würde vor allen Dingen das hohe Risiko mit sich bringen, daß viele Betriebe schließen müßten und hohe Arbeitslosigkeit herrsche.

Der DGB-Vorsitzende Ernst Breit appelliert an die Bürger der DDR, sich weiterhin vor Ort für Demokratie in diesem Teil Deutschlands einzusetzen. Aus- und Übersiedler seien in der Bundesrepublik unverändert willkommen. Ihnen müsse aber auch klargemacht werden, daß die Integration von nunmehr rund 350 000 Menschen, die allein im letzten Jahr in die Bundesrepublik gekommen seien, angesichts der hierzulande immer noch herrschenden Massenarbeitslosigkeit und Wohnungsnot keine leichte Aufgabe sei. Ministerpräsident Hans Modrow bekennt sich in einem Brief an den jüdischen Weltkongreß erstmals auch im Namen der DDR zur Verantwortung aller Deutschen am Völkermord an den Juden.

Weitere »massive Unterstützung« der bundesdeutschen CDU für den bürgerlichen Block in der DDR kündigt CDU-Generalsekretär Volker Rühe an. Auf der ersten Großkundgebung der Allianz für Deutschland aus CDU, DSU und DA sagt er vor 2 000 Zuhörern in Schwerin, der Sozialismus sei gescheitert. Es dürfe keine weiteren Experimente mehr mit ihm geben, auch nicht in der Form des demokratischen Sozialismus. Rühe plädiert dafür, eine Währungsunion und eine Wirtschaftsreform möglichst schnell zu vollziehen. Im »Wahlkampfzentrum Ostberlin« kündigt er an, daß der ehemalige Regierungssprecher Friedhelm Ost die Allianz in Öffentlichkeitsarbeit und PR beraten werde. In allen 15 Bezirken entstünden »schlagkräftige« Zentralen, in denen hauptamtliche Mitarbeiter aus der Parteiorganisation der bundesdeutschen CDU als Berater zur Verfügung stünden. Die Parteizentrale in Bonn werde in den nächsten Wochen zum »Dienstleistungsbetrieb« für die Allianz umfunktioniert.

Im Telefon- und Postverkehr zwischen Bürgern und Firmen beider deutscher Staaten wird es noch in diesem Jahr spürbare Verbesserungen geben. Wie Bundespostminister Christian Schwarz-Schilling in Bonn mitteilt, wird bis Jahresende die Zahl der Telefonleitungen aus der DDR ins Bundesgebiet von 395 auf 892 und in umgekehrter Richtung von 690 auf 1 400 erhöht. Damit sind dann die Voraussetzungen geschaffen für eine Vervierfachung der monatlichen Zahl der Gespräche aus der DDR in die Bundesrepublik. Das Gesprächsaufkommen aus der BRD in die DDR dürfte sich damit auf monatlich drei bis vier Millionen Telefonate in etwa verdoppeln.

Fünf Wochen vor den ersten freien Wahlen hat sich erst die Hälfte der Bevölkerung (51 Prozent) für eine Partei entschieden. Dies geht aus einer Infas-Umfrage hervor. Bei den bereits Entschiedenen lag die SPD mit 38 Prozent klar vorn. Sieben Prozent wollen die frühere SED (jetzt PDS), fünf Prozent die CDU und drei Prozent die Bauernpartei wählen. Das Neue Forum, der Demokratische Aufbruch sowie die LDPD und die NDPD kämen auf je ein Prozent. Die konservative

Allianz bestand zum Zeitpunkt der Umfrage noch nicht. Klare Mehrheiten ermittelten die Demoskopen für eine Vereinigung beider Staaten: 44 Prozent der Befragten in der Bundesrepublik und 41 Prozent in der DDR befürworten einen schnellen Zusammenschluß. 37 Prozent der DDR-Bürger und 31 Prozent der Bundesbürger plädieren für ein Zusammenwachsen auf längere Sicht im Rahmen eines vereinigten Europa.

Nach der am 22. Januar als Verein gegründeten »Deutschen Sex Union« stellt nun auch die »Deutsche Sex Liga« (DSL) in Freiberg/Sachsen ihr Programm vor. Sie tritt dafür ein, daß »niveauvolle Erotik und kulturvoller Sex« nicht länger eingeschränkt und unterdrückt werden. Durch eine Überarbeitung des Begriffes »Pornographie« solle erreicht werden, daß nicht länger unkontrolliert pornographische Erzeugnisse aus dem Ausland »eingeführt« werden müssen. Eine Beteiligung an den bevorstehenden Wahlen wolle man nicht ausschließen.

Sonnabend, 10. Februar

Bei Verhandlungen von Bundeskanzler Kohl mit Michail Gorbatschow in Moskau bekundet die sowjetische Seite grundsätzliche Bereitschaft, der deutschen Einheit zuzustimmen: »Es ist Sache der Deutschen, Zeitpunkt und Weg der Einigung selbst zu bestimmen.« Ungeklärt bleibt die Frage der militärischen Einbindung des vereinten Deutschland. Darüber soll im Kreis der vier Siegermächte des Zweiten Weltkrieges gemeinsam mit den beiden deutschen Staaten beraten werden. Kohl deutet an, daß auf eine volle Ausdehnung aller NATO-Strukturen auf das Gebiet der DDR unter Umständen verzichtet werden könne. Zugleich bietet er der Sowjetunion umfangreiche Wirtschaftshilfe an und sagt die Übernahme aller Lieferverpflichtungen der DDR an die Sowjetunion zu.

Die PDS legt den Entwurf ihres Wahlprogrammes vor. Danach versteht sie sich als »linke sozialistische Partei«, die sich dafür einsetzt, daß beim »historischen Prozeß der deutschen Einigung« die gesellschaftlichen Werte und Leistungen der DDR nicht aufgegeben werden und ein Wandel nicht nur in der DDR stattfindet.

Der Vorsitzende der DSU, Hans-Wilhelm Ebeling, fordert auf einem Parteitag in Ostberlin, die DSU als Schwester der bundesdeutschen Unionsparteien weiter bekannt zu machen und zu stärken. Es ginge um eine möglichst schnelle Vereinigung mit der Bundesrepublik. Der Kongreß im Zeiss-Planetarium im Bezirk Prenzlauer Berg konnte wegen einer Demonstration von Gegnern der deutschen Vereinigung erst verspätet anfangen. Ehrengäste mußten unter Polizeischutz zum Tagungsort gebracht werden.

Die rechtsradikalen Republikaner haben mit Mitgliedern aus der DDR einen neuen Landesverband »Brandenburg« gebildet. Das teilt der Parteivorsitzende Franz Schönhuber mit. Daran hätten rund 100 DDR-Bürger, zumeist Jugendliche, teilgenommen. Schönhuber kündigt an, daß seine Partei trotz des Verbots durch die Volkskammer »flächendeckend in der ganzen DDR« tätig werden wolle. Die Gründung weiterer Verbände sei in Dresden und Görlitz vorgesehen.

Der für eine Woche vor der Volkskammerwahl anberaumte Programm-Parteitag der Ost-CDU wird auf unbestimmte Zeit verschoben. Der Parteivorstand erachte es nicht als sinnvoll, den Parteitag zu diesem Zeitpunkt abzuhalten und die eigene Geschichte aufzuarbeiten, heißt es zur Begründung. Statt dessen solle es eine große Wahlveranstaltung am 10. März mit ausländischen Gästen und prominenten Kandidaten geben.

Eine Bank in Westberlin verweigert die Annahme von DDR-Mark. Begründung: In den Tresoren habe sich zuviel Ost-Mark angesammelt. Sofort geht das Gerücht um, daß die Wechselstuben ab kommender Woche keine Ostwährung mehr ankaufen. Das Dementi folgt umgehend, doch die Bürger sind verunsichert..

Einen finanziellen »Lastenausgleich« für die DDR fordert der Schriftsteller Günter Grass bei einer Lesung in Ostberlin. Er plädiert für eine Konföderation beider deutscher Staaten. Die DDR habe die größeren Kriegslasten tragen, eine Demontagewelle nach der anderen ertragen müssen und keine Marshallplan-Hilfe erhalten. Dies verpflichte die Bundesregierung, der DDR einen Lastenausgleich zu zahlen. Er halte eine Steuererhöhung um drei Prozent für rechtens, damit die DDR aus der »Bittstellerposition« herausgeführt werde.

Bürger aus Prenzlau demonstrieren vor der sowjetischen Botschaft in Ostberlin. Sie protestieren gegen die massive Stationierung sowjetischer Truppen in ihrer Region, gegen Lärmbelästigungen und Umweltzerstörung. Im Namen der 22000 Prenzlauer fordern sie die Auflösung der Garnison und des Hubschrauberlandeplatzes.

Sonntag, 11. Februar

Die offene Grenze ermuntert Kunsträuber, ihr Aktionsfeld auszudehnen. Am frühen Morgen werden zwei Westberliner verhaftet, als sie dabei sind, wertvolle Gemälde aus der Dessauer Schloßgalerie zu entwenden. Es handelt sich u. a. um Arbeiten von Lucas Cranach dem Älteren und Peter Paul Rubens.

Bundesinnenminister Wolfgang Schäuble begründet die bisherige Zurückhaltung der Bundesregierung gegenüber dem DDR-Kabinett unter Hans Modrow damit, daß es bei den Plänen der Ostberliner Regierung nach wie vor an »marktwirtschaftlicher Konsequenz« fehle. Mehr Klarheit und Entschlossenheit zur Reform würden gebraucht, sagt er in Wiesbaden. Der Sozialismus, der dem Kollektiv den Vorrang vor dem Individuum und seiner Freiheit einräume, habe »endgültig abgewirtschaftet«. Neben den vollen Bürgerrechten und der Chancengleichheit müsse nun die soziale Marktwirtschaft eingeführt und die staatliche Einheit hergestellt werden.

Auf dem am Wochenende tagenden außerordentlichen LDPD-Parteitag in Dresden wird als Nachfolger von Manfred Gerlach der Universitätsprofessor Rainer Ortleb gewählt. Zugleich wird beschlossen, künftig den Namen LDP zu führen. In Anwesenheit der Führungsspitze der bundesdeutschen FDP sprechen sich die Delegierten für einen baldigen Zusammenschluß beider Parteien aus, wie sie auch die Stärkung des freien Unternehmertums, eine schnelle Währungsunion und die baldige staatliche Einheit befürworten.

Die Führungen der drei Parteien LDP, FDP (DDR) und Deutsche Forumpartei einigen sich nach zähen Verhandlungen in Dresden auf ein liberales Wahlkampfbündnis für die Volkskammerwahl am 18. März unter dem Namen »Bund Freier Demokraten«.

Der Parteitag der National-Demokratischen Partei Deutschlands (NDPD) wählt den 41 Jahre alten Wolfgang Rauls aus Magdeburg zum neuen Vorsitzenden. Unter Hinweis auf das angestrebte Wahlbündnis mit den Liberalen bestreitet Rauls den seiner Partei gemachten Vorwurf, am weitesten rechtsstehend in der DDR zu sein. Er lehnt in seiner Rede nach der Wahl jegliche Zusammenarbeit mit der NPD und den Republikanern ab.

Bundeskanzler Kohl kehrt von Gesprächen mit der sowjetischen Führung nach Bonn zurück. In einem Interview kündigt er an: »Wir haben praktisch jetzt auch mit der Sowjetunion grünes Licht für die Einheit unseres Vaterlandes verabredet.«

Mit dem Prozeß der schrittweisen Vereinigung der deutschen Staaten sollte nach Ansicht von Ministerpräsident Modrow auch eine schrittweise Verringerung der NVA und der Bundeswehr einhergehen. Bis zur Bildung eines einheitlichen deutschen Staates sei die NVA aber notwendig, sagt er in einem Interview. Modrow bekräftigt seinen Standpunkt, daß das künftige Gesamtdeutschland militärisch neutral sein solle.

In Leipzig findet die Buchpremiere von Rolf Henrichs »Der vormundschaftliche Staat« statt. Die vor der Wende verbotene Arbeit war zunächst nur in der Bundesrepublik herausgekommen und wird jetzt im Gustav Kiepenheuer Verlag Leipzig und Weimar verlegt. Der Autor, der längere Zeit als Rechtsanwalt mit Berufsverbot belegt war, gehört inzwischen zu den Aktivisten des Neuen Forum.

Das DDR-Fernsehen zeigt den 1966 verbotenen DEFA-Film »Spur der Steine«. Im Anschluß daran erinnert sich der Regisseur des Filmes, Frank Beyer, an das Verbot. »Ich habe mich 1966 gefügt in die Umstände. Die Alternative wegzugehen hatte ich aus meiner inneren Lage nicht.«

Montag, 12. Februar

Die DDR-Bürger befinden sich im Kaufrausch. Die Furcht vor einer möglichen Abwertung ihrer Währung zieht viele in die Geschäfte, um das Ersparte in Sachwerten anzulegen. In den Sparkassen und Banken werden die Konten abgeräumt, es bilden sich lange Schlangen.

Der Runde Tisch erörtert während seiner zwölften Sitzung politische Empfehlungen für die bevorstehende Reise von Ministerpräsident Modrow nach Bonn. In einem Antrag wird grundsätzlich eine Währungsunion zwischen beiden deutschen Staaten befürwortet, jedoch Modrow nicht legitimiert, sie schon in Bonn zu vereinbaren, da eine »vorschnelle Preisgabe der Finanzhoheit der DDR« abgelehnt wird. Es käme darauf an, zugleich eine Sozialcharta festzuschreiben. Von der Bundesregierung wird statt dessen ein »Solidarbeitrag von zehn bis 15 Milliarden DM« unabhängig von allen weiteren Verhandlungen gefordert, da es im Interesse der Bundesrepublik liegen müsse, einer Destabilisierung der DDR entgegenzuwirken.

Nach Meinung des Vorsitzenden der Mittelstandsvereinigung der CDU/CSU, Elmar Pieroth, könnte die D-Mark bereits vor Ostern in der DDR eingeführt werden. Es wäre wirtschaftlich zwar besser, wenn es zunächst bei unterschiedlichen Währungen bliebe, die über den Wechselkurs ausgeglichen werden könnten, aber politisch sei die Entscheidung jetzt anders gefallen und dem müsse Rechnung getragen werden, erklärt er in Berlin bei der Eröffnung des ersten Mittelstandsbüros für Selbständige in der DDR.

Der DDR-Regierung liegt nach Angaben ihres Sprechers Wolfgang Meyer zu den Überlegungen von Bundeskanzler Helmut Kohl über eine Währungsunion »bis zur Stunde« weder ein offizielles Papier noch eine persönliche Mitteilung des Kanzlers vor. Man komme nicht umhin, dieses »mit einem gewissen Befremden festzustellen«, erklärt Meyer.

Der Regierende Bürgermeister von Westberlin, Walter Momper (SPD), wirft der Bundesregierung vor, in den vergangenen Wochen zu wenig getan zu haben, um den Menschen in der DDR konkret zu helfen. Man habe in Bonn »ziemlich tatenlos zugesehen, wie die Karre in den Dreck gefahren ist«, erklärt er bei einer Pressekonferenz im Rathaus Schöneberg. Von der von Kohl versprochenen Soforthilfe hätten die DDR-Bürger nicht viel gesehen. Das ausgebliebene Engagement der Bundesregierung zur Bewältigung der gegenwärtigen Probleme habe dazu beigetragen, daß viele aus der DDR weggegangen seien. Als unverantwortlich bezeichnete Momper die aktuelle Hinhaltetaktik und die aus Kreisen der Bundesregierung bewußt lancierten Gerüchte über eine angeblich bevorstehende Zahlungsunfähigkeit der DDR und ihren baldigen Zusammenbruch, mit denen das Land nur weiter destabilisiert werde.

Im Vorankündigungsdienst des DDR-Buchhandels »NOVA« vermeldet der Ostberliner Dietz-Verlag, daß der Titel »Die SED – eine Partei der Neuerer« kurzfristig aus dem Programm genommen worden sei.

Im Zeichen des Wahlkampfes stehen an diesem Montag die Demonstrationen. Unter den 50 000 in Leipzig sind die Republikaner mit ihrer Forderung nach Abzug aller fremden Truppen besonders laut, in Karl-Marx-Stadt verlangen 80 000 die schnelle Einheit und dominiert die Allianz für Deutschland das Bild, in Rostock jubeln 20 000 Helmut Schmidt auf einer Kundgebung der SPD zu.

Dienstag, 13. Februar

Ministerpräsident Hans Modrow fliegt mit seinem gesamten Kabinett zum Besuch nach Bonn. Dort wird die Bildung einer gemeinsamen Expertenkommission zur Vorbereitung einer Währungsunion vereinbart. Der Wunsch der DDR-Seite nach einem bundesdeutschen Solidarbeitrag zur Ankurbelung der ostdeutschen Wirtschaft wird dagegen abgelehnt. Hans Modrow verweist darauf, daß die DDR nicht nur wichtige geistige und kulturelle Werte in das vereinte Deutschland einbringe, sondern auch handfeste materielle Werte. Das Nettonationalvermögen der DDR betrage 1,4 Billionen Mark, darunter in Staatseigentum 980 Milliarden Mark, und 6,2 Millionen Hektar unbelastete landwirtschaftliche Nutzfläche.

Die Außenminister der vier Siegermächte des Zweiten Weltkrieges beraten in Ottawa am Rande internationaler Abrüstungsverhandlungen über Möglichkeiten, mit den beiden deutschen Staaten die äußeren Modalitäten der deutschen Vereinigung zu klären. Dazu werden »Zwei-Plus-Vier-Verhandlungen« ins Auge gefaßt.

Der Deutschlandexperte der KPdSU, Nikolai Portugalow, präzisiert die sowjetischen Vorstellungen über ein vereinigtes Deutschland und rückt dabei erstmals von früheren Neutralitätsforderungen ab. Im Verhältnis zu den Militärbündnissen NATO und Warschauer Pakt könnte Deutschland künftig einen »französischen Status« einnehmen. Die Franzosen gehören zwar der NATO an, sind aber militärisch nicht in sie eingebunden.

Der österreichische Bundeskanzler Franz Vranitzky hält Vorbehalte gegen eine Vereinigung der beiden deutschen Staaten für »nicht angebracht«. Niemand habe das Recht, »die beiden deutschen Staaten zu behindern, wenn diese eine Vereinigung wollen«. Für Österreichs Souveränität und politische Position habe eine deutsche Vereinigung keine Bedeutung. Österreich habe sich »längst klar entschlossen, einem solchen Staat nicht anzugehören«, sagt Vranitzky.

Der Deutschlandexperte der SPD, Egon Bahr, erklärt in einem Interview mit der »Jungen Welt«, nach seiner Auffassung gebe es keinen Weg zur sofortigen Einheit. »Wenn ich einen Weg wüßte, einen verantwortbaren Weg, der von heute auf morgen zur deutschen Einheit führt, dann würde ich ihn sagen und empfehlen zu gehen. Ich sehe ihn nicht, auch weil wir nicht allein in Europa leben.« Der Bund Freier Demokraten lehnt die Aufnahme der NDPD in das liberale Wahlbündnis ab, da die wirtschaftspolitischen Auffassungen über das

Zusammenwachsen beider deutscher Staaten zu weit auseinanderliegen würden.

Ein Medienkontrollrat konstituiert sich in Ostberlin, er soll die Meinungs-, Informations- und Medienfreiheit gewährleisten. Die Einrichtung war auf Initiative des Runden Tisches Anfang Februar von der Volkskammer beschlossen worden. Ihr gehören je ein Vertreter der am Runden Tisch beteiligten Parteien und Vereinigungen sowie der Volkskammerfraktionen an.

In Dresden kommt es am Abend zu einer Kerzen-Demonstration zum Gedenken an die Bombardierung der Stadt vor 45 Jahren. Die 100 000 Teilnehmer fordern dabei zugleich einen Wiederaufbau der Frauenkirche und von historischen Gebäuden in der Innenstadt.

Mittwoch, 14. Februar

Die DDR-Regierung reist enttäuscht über die Ergebnisse des deutsch-deutschen Gipfels nach Ostberlin zurück. Auch beim Abschlußtreffen mit Finanzminister Theo Waigel (CSU) erhält Modrow keine Zusage für die vom Runden Tisch in Ostberlin erbetene Soforthilfe in Höhe von zehn bis 15 Milliarden Mark. Heftige Kritik an der Bundesregierung üben die meisten Minister vom Runden Tisch, die mit in Bonn waren. Matthias Platzek (DDR-Grüne) nennt das Bonner Verhalten »schulmeisterlich«. Walter Romberg (DDR-SPD) meint, von dem von Bundeskanzler Helmut Kohl viel beschworenen »Geist der nationalen Verantwortung« sei wenig zu spüren gewesen. »Wir hätten gern ein bißchen mehr mitgenommen«, sagt Rainer Eppelmann, der für den Demokratischen Aufbruch im Kabinett von Ministerpräsident Hans Modrow sitzt. Die Resultate seien zu gering, um den Übersiedlerstrom zu stoppen. Andere Delegationsmitglieder sprechen von einer offenen Brüskierung. Der Bundesregierung gehe es offenbar darum, den Preis für die Vereinigung durch wirtschaftliche Zurückhaltung und eine übertrieben schlechte Darstellung der Lage in der DDR noch herunterzudrücken.

»Das Treffen zwischen Bundeskanzler Helmut Kohl und Ministerpräsident Modrow erschien vielen als unnötige und grundlose Erniedrigung, die das reiche Westdeutschland den armen Brüdern im Osten zugefügt hat«, schreibt die römische Tageszeitung »La Repubblica«. »Kohl will vor den Neuwahlen zum Bundestag im Dezember offensichtlich den Prozeß der ›Annektion‹ der DDR in so fortgeschritte-

Pressekonferenz von Hans Modrow und Helmut Kohl zum Abschluß des Besu-
ches der DDR-Regierung in Bonn. Die erhofften finanziellen Zusagen zur
Ankurbelung der DDR-Wirtschaft bleiben aus.

nem Stadium präsentieren, daß er zum dritten Mal an der Spitze des Landes bestätigt wird und sich der internationalen Gemeinschaft als Garant der friedlichen Absichten des neuen Deutschland zeigen kann.«

Modrow kehrt nach Einschätzung des FDP-Vorsitzenden Otto Graf Lambsdorff nicht mit völlig leeren Händen von seinen Bonner Gesprächen nach Ostberlin zurück, denn er nehme viel mehr mit als bares Geld, nämlich die Währungsunion. Wer über dieses Ergebnis der Verhandlungen enttäuscht sei, habe den Grad seiner Erwartungen zu hoch geschraubt.

Der Sachverständigenrat zur Bewertung der gesamtwirtschaftlichen Entwicklung der Bundesrepublik, die »Fünf Weisen«, melden Vorbehalte gegen eine deutsch-deutsche Währungsunion an. In einem Brief an Bundeskanzler Helmut Kohl bezeichnen sie die rasche Einführung der D-Mark in der DDR als das »falsche Mittel, um dem Strom von Übersiedlern Einhalt zu gebieten«.

Die vier Siegermächte des Zweiten Weltkrieges und die beiden deutschen Staaten erklären gemeinsam die Absicht zur »Herstellung der deutschen Einheit«. Zum Abschluß der Außenministerkonferenz von NATO und Warschauer Pakt über einen »offenen Himmel« tauschen die sechs Staaten in Ottawa eine Vereinbarung aus, in der eine Außenministerkonferenz der Sechs über »die äußeren Aspekte« der Einheit für die Zeit nach den Wahlen am 18. März verabredet wird. Das schließt die »Fragen der Sicherheit der Nachbarstaaten« ein. Zunächst sollen die Bundesrepublik und die DDR die innenpolitischen Aspekte der Einheit klären.

Bundesbürger und Westberliner können vorerst weiterhin nicht über ihre Grundstücke in der DDR verfügen, auch wenn sie dort im Grundbuch eingetragen sind. Für Grundstücke, die in den vergangenen Jahren zum Teil enteignet wurden oder unter staatlicher Verwaltung stehen, gelten bis zu Neuregelungen die bestehenden Gesetze der DDR. Darauf weist die Ostberliner Vize-Oberbürgermeisterin Reinhild Zagrodnik nach einem Gespräch mit dem Westberliner Finanzsenator Norbert Meisner (SPD) hin. Grundstückseigentümer aus dem Westen sollten jetzt »nicht auf eigene Faust« versuchen, ihre Rechte ohne Absprache mit den staatlichen Stellen durchzusetzen, sagt Meisner.

In zehn Städten demonstrieren Polizisten unter der Losung »Nie wieder Staatsbüttel einer Partei, sondern nur noch Volkspolizei«. In 15 anderen Städten kommt es zu Kundgebungen und Wahlkampfveranstaltungen.

Donnerstag, 15. Februar

In der DDR wird ein Arbeitslosenverband gegründet. Er wendet sich an alle Arbeitslosen und »durch die geplanten Wirtschafts- und Marktmechanismen potentiell Gefährdeten«. Der Minister für Arbeit und Löhne stimmt der Gründung zu. In der DDR gibt es nach offiziellen Angaben bereits über 50 000 Arbeitslose.

Die Angst der DDR-Bürger vor einer Abwertung ihrer Sparguthaben ist nach Darstellung von Regierungssprecher Wolfgang Meyer unbegründet. Er nennt die Bildung von Menschenschlangen vor den Sparkassen und Massenabbuchungen bedauerlich. Politiker in Bonn und anderswo sowie die Medien verbreiteten Gerüchte, die Ängste um die Guthaben schürten. Auf die Frage, was er mit seinem Geld mache, sagt Meyer: »Ich lasse mein Sparkonto, so wie es ist.«

Ein künftig geeintes Deutschland darf nach den Worten von Bundeskanzler Kohl nicht neutralisiert oder demilitarisiert sein, sondern soll ins westliche Bündnis eingebunden bleiben. In seiner Regierungserklärung zur Deutschlandpolitik berichtet er vor dem Bundestag, daß er diese Position der Bundesregierung zur Frage der Bündnisse dem sowjetischen Staats- und Parteichef Michail Gorbatschow in Moskau dargelegt habe. Die Ausgangslage der Bundesrepublik für die Vereinigung bezeichnet Kohl unter wirtschaftlichen Gesichtspunkten als »in vieler Hinsicht ungewöhnlich günstig«. Dazu zählten die außenwirtschaftlichen Überschüsse und die Bereitschaft der Wirtschaft, sich in der DDR zu engagieren. Die anstehenden Probleme für einen wirtschaftlichen Neubeginn in der DDR seien »alles andere als einfach, aber für ein Land wie die Bundesrepublik letztlich doch lösbar und zu bewältigen«.

Der Demokratische Aufbruch, Mitglied der Allianz für Deutschland, spricht sich für die sofortige Einführung der D-Mark in der DDR aus. »Wir verstehen dies als positives Signal, um wieder Vertrauen in die Zukunft zu schaffen«, erklärt der wirtschaftspolitische Sprecher, Fred Ebeling. Eine Währungsunion müsse jedoch von wirtschaftlichen Reformen begleitet werden, so von einer Veränderung des Eigentums, des Bankwesens, des Steuer-, Preis- und Lohnsystems. Gesichert werden müsse die Gewerbe- und Vertragsfreiheit. Allerdings müsse der Bevölkerung, so Ebeling, auch gesagt werden, daß eine Währungsunion vorübergehend zu relativ hoher Arbeitslosigkeit führen werde.

Erich Honecker meldet sich öffentlich zu Wort. In der von Rainer Eppelmann (Demokratischer Aufbruch) im DDR-Fernsehen verlesenen Erklärung heißt es: »Entsprechend meinen früheren Erklärungen gegenüber der damaligen SED bekenne ich mich zu der politischen Verantwortung für die Krise, in die der Staat und die Bevölkerung der DDR geraten sind. Das betrifft auch die Umstände, die letztlich zu der Fälschung der Wahlergebnisse vom 7. Mai 1989 führten. Gleichzeitig möchte ich betonen, daß ich nie in meinem Leben politische Entscheidungen aus egoistischen Motiven getroffen habe und daß ich mich frei von jeder Schuld im strafrechtlichen Sinne fühle.«

Egon Krenz, der 1989 als Vorsitzender der DDR-Wahlkommission für die Kommunalwahlen am 7. Mai verantwortlich war, bestreitet dagegen Manipulationen durch die zentrale Kommission. Er habe stets auf eine korrekte Wahldurchführung gedrungen und nur die Zahlen verarbeiten können, die ihm aus den Bezirken gemeldet worden seien.

Mitglieder einer »SS-Division Walter Krüger« werden von einem Gericht in der Stadt Wolgast (Bezirk Rostock) wegen des Zusammenschlusses zu einer Organisation mit staatsfeindlichen Zielen zu Freiheitsstrafen verurteilt. Sie waren wegen Verherrlichung von Faschismus, Revanchismus und Militarismus angeklagt. Vier männliche Angeklagte erhielten Freiheitsstrafen zwischen einem Jahr und zehn Monaten sowie zehn Monaten, zwei weitere ein Jahr mit Bewährung. Die einzige Frau in der Runde wurde freigesprochen. Das Gericht blieb in seinen Urteilen zum Teil weit unter dem beantragten Strafmaß. Alle Verteidiger hatten für Freispruch ihrer Mandanten plädiert.

Die Öffnung der innerdeutschen Grenze und die politische Entwicklung seit Öffnung der Berliner Mauer bewirken einen kräftigen Preisschub für DDR-Briefmarken. Komplette DDR-Sammlungen sind auf der Frühjahrsversteigerung Anfang Februar fast restlos abgesetzt worden. Noch vier Wochen vor der Grenzöffnung im Oktober 1989 waren gleichartige Sammlungen von Marken der DDR »so gut wie unverkäuflich gewesen«, heißt es in einer Mitteilung des Fachverbandes in Berlin.

Freitag, 16. Februar

Der aus der Not geborene Plan der Politiker, eine Wirtschafts- und Währungsunion schnell aufzubauen, ohne eine sorgfältige Kosten-Nutzen-Analyse erstellt zu haben, erscheint Bundesbankpräsident Karl-Otto Pöhl weiterhin als sehr wagemutig. Die Bundesrepublik werde Milliardenbeträge zur Sanierung der DDR und für das Zusammenwachsen beider deutscher Staaten aufbringen müssen. Er hoffe sehr, daß das reiche Land Bundesrepublik dies am Ende auch verkraften könne.

Eine Ergänzungsabgabe und ein Notopfer in der Bundesrepublik sind nach Ansicht des Bundesfinanzministers und CSU-Vorsitzenden Theo Waigel »die falschen Rezepte« für den Wiederaufbau der DDR. Allerdings werde eine »vertretbare Erhöhung der Kreditaufnahme« nötig sein, unterstreicht er. Die gute Wirtschaftslage gebe der Bundesrepublik die nötigen Spielräume für die künftigen Aufgaben bei der Wiedervereinigung.

Straftäter sollen künftig zwischen der Bundesrepublik und der DDR ausgeliefert werden können. Darauf verständigen sich Rechtsexperten beider Staaten. Beide Seiten sind danach auch grundsätzlich bereit, Strafverfahren an die andere Seite abzugeben. Kein Straftäter solle sich seiner Verantwortung mehr entziehen können.

Der Runde Tisch in Ostberlin fordert die Berufung eines Ausländerbeauftragten, da die Ausländerfeindlichkeit besorgniserregend zunimmt. Er soll Schutz- und Beratungsfunktion für alle in der DDR lebenden Ausländer wahrnehmen, erklärt Anetta Kahane vom Neuen Forum.

Das zu den Wahlen gegründete Bündnis 90 aus Vertretern des Neuen Forum, Demokratie Jetzt und der Inititative Frieden und Menschenrechte stellt auf einer ersten Pressekonferenz in Berlin sein Programm vor. Darin bekennt sich das Bündnis zu einer sozial und ökologisch verpflichteten Marktwirtschaft und spricht sich für einen Anpassungsprozeß auf dem Weg zur deutschen Einheit aus. Eine schnelle Währungsunion wird abgelehnt, da sie unkalkulierbare Risiken enthalte. Auf inhaltliche Berührungspunkte mit der PDS angesprochen, wird für die Zeit nach den Wahlen jedoch eine Koalition mit der PDS – als Hauptverantwortliche für die gegenwärtige Krise – kategorisch ausgeschlossen.

In der DDR gehen offenbar verstärkt Betriebe dazu über, Mitarbeiter ohne Begründung fristlos zu entlassen, um ihre Gewinne zu vermehren, beklagt der bekannte Wirtschaftsexperte Jürgen Kuczynski in der Jugendzeitung »Junge Welt«. Durch das Machtvakuum gebe es »unverschämte, ungesetzliche Entlassungen, wie sie selbst in den führenden kapitalistischen Ländern dank dem Kampf der Gewerkschaften nicht mehr erlaubt sind«. Als erstes seien oft die Gewerkschaftsbibliotheken betroffen. Dies sei eine Art »Kulturbarbarei von Amateur-Kapitalisten«.

Bis Ende Januar sind 15 000 Soldaten der ehemals 38 000 Mann starken Grenztruppen der DDR entlassen worden. Das teilt deren Chef, Generalmajor Dieter Teichmann, mit. Künftig sollen nur noch 25 000 Mann an der Grenze Dienst tun.

Der Verkauf der Berliner Mauer läuft weltweit auf Hochtouren. »Mehrere große japanische Firmen haben Offerten gemacht, das Goethe-Institut München will vier Segmente kaufen, das berühmte englische Auktionshaus Sotheby's zeigt gesteigertes Interesse, Graf Dönhoff will ein Mauerteil haben«, berichtet der für den Mauerverkauf zuständige Helge Möbius vom Außenhandelsunternehmen Limex. Das Material mit Erinnerungswert erziele derzeit pro Segment Spitzenpreise von 500 000 Mark.

Die Deutsche Post bietet sich den DDR-Bürgern als »Wanzen«-Jäger an. In einer Anzeige im »Neuen Deutschland« lockt sie die Leser unter der Überschrift »Nun weiß man es! – Manches Geheimnis war gar keins«. Mißtrauische werden aufgefordert: »Beauftragen Sie uns – wenn es ums Beseitigen von Mikrofunksendeanlagen geht! Suchen Sie nicht selbst – Wir sind die Profis von der Deutschen Post.« Parteien und politische Vereinigungen sollten noch vor der Wahl aktiv werden, empfiehlt das Zentralamt für Funkkontroll- und Meßdienst.

Mit Einführung der Gewerbefreiheit sehen etliche Bürger die Möglichkeit zu einer selbständigen Existenz auch im Sex- und Pornogeschäft. Allein für die Ostberliner City liegen schon mehrere Dutzend Anträge vor. Ein Mitarbeiter des Stadtbezirksbürgermeisters sagt dazu auf Anfrage: »Wir müßten nur ein Drittel dieser Anträge genehmigen, um damit einen europäischen Spitzenwert zu erreichen.«

Am Abend sprechen bundesdeutsche Politiker auf zahlreichen Wahlkundgebungen, so Hans-Dietrich Genscher (FDP) vor über 50 000 Hallensern bei einer Veranstaltung des Bundes Freier Demokraten und Heiner Geißler (CDU) vor 5 000 Teilnehmern in Dessau.

Sonnabend, 17. Februar

Der Strom der Übersiedler in die Bundesrepublik reißt nicht ab. Seit Jahresbeginn sind jetzt schon fast 89 000 DDR-Bürger in den Westen gekommen. Die meisten von ihnen geben an, keine Hoffnung zu haben, daß es in der DDR wirtschaftlich schnell wieder bergauf geht. Im gesamten vergangenen Jahr waren 343 854 Menschen aus der DDR in die Bundesrepublik übersiedelt.

Ein Wirtschaftsaufschwung nach den Wahlen am 18. März müßte nach Vorstellungen des FDP-Vorsitzenden Otto Graf Lambsdorff von den Arbeitnehmern in der Bundesrepublik durch Verzicht auf einen Teil der Lohnerhöhungen in den nächsten Jahren mitfinanziert werden. Für einige Zeit dürften die Lohnerhöhungen nicht deutlich über die Preissteigerungsrate hinausgehen. Sonst sei ein Wirtschaftsaufschwung in der DDR schwer machbar.

Der Unabhängige Frauenverband beschließt auf seinem Kongreß in Berlin ein Wahlbündnis mit der Grünen Partei. Für den Fall einer baldigen deutschen Einheit wird die Erarbeitung einer Sozialcharta angemahnt, da Frauen vom wirtschaftlichen Umgestaltungsprozeß am ehesten betroffen seien.

Die »Unabhängige Sozialdemokratische Partei Deutschlands« (USPD) will in der DDR für einen demokratischen Sozialismus kämpfen. Sie fühle sich dem linken sozialdemokratischen Erbe eng verbunden, stellt die Gruppierung auf ihrem Gründungskongreß in Fürstenberg/Havel im Bezirk Potsdam fest. Die USPD grenze sich klar gegen linken und rechten Extremismus ab und suche »ein Verhältnis zu den Linksparteien und im besonderen zur SPD«.

Die traditionellen Sonnabenddemonstrationen in Plauen (Vogtland) sind nach wie vor stark besucht. An diesem Tag kommen 15 000 Menschen zusammen, um eine schnelle Währungsunion und eine baldige deutsche Einheit zu fordern. In Leipzig folgen 20 000 dem Aufruf der SPD zu einer Wahlkundgebung mit bundesdeutschen Gastrednern, in Magdeburg präsentiert sich der Demokratische Aufbruch 3 000 Zuhörern.

Sonntag, 18. Februar

Der Vorsitzende der Deutschen Sozialen Union (DSU), Hans-Wilhelm Ebeling, spricht sich für die sofortige Einheit Deutschlands und die Übernahme des Grundgesetzes aus. »Statt selbst eine neue Verfassung zu entwerfen, was gerade der Runde Tisch versucht, sollten wir das übernehmen, was sich seit 40 Jahren im anderen Teil unseres Vaterlandes bestens bewährt hat«, sagt er auf dem ersten landesweiten Parteitag der DSU in Leipzig, bei dem der CSU-Vorsitzende Theo Waigel stürmisch begrüßt wird.

Eine Arbeitsgruppe der Bundesregierung prüft derzeit die weitere Behandlung der unmittelbar nach dem Krieg enteigneten landwirtschaftlichen Betriebe in der DDR. Dies teilt der Parlamentarische Staatssekretär im Landwirtschaftsministerium, Wolfgang von Geldern (CDU), mit. Nach seiner Ansicht gehört nach wie vor ein Teil des Grund und Bodens den ursprünglichen Besitzern. Wegen des komplizierten rechtlichen Sachverhaltes und der nur schwer zu durchschauenden tatsächlichen Besitzverhältnisse sei eine vertiefte Prüfung notwendig.

Der Runde Tisch ist nach Ansicht des DA-Vorsitzenden Wolfgang Schnur »politisch gescheitert«. Die Demokratiebewegung habe es nicht verstanden, »die wirklichen Schwerpunkte der Menschen im Land zu erkennen«. Mögliche 15 Milliarden Mark Soforthilfe der Bundesrepublik seien verspielt worden, da es der Runde Tisch nicht vermocht habe, einen Ausgabenplan dafür vorzulegen.

Die bundesdeutschen Grünen verständigen sich nach längerem innerparteilichem Streit um die Deutschlandpolitik auf eine Kompromißformel: Ihr Bundeshauptausschuß spricht sich für eine Gemeinsamkeit der beiden deutschen Staaten bei fortbestehender Eigenständigkeit und enger Zusammenarbeit aus. Eine solche Konföderation trage der gemeinsamen historischen und kulturellen Vergangenheit, aber auch der »in 45 Jahren gewachsenen Verschiedenheit« Rechnung, heißt es in der mit großer Mehrheit in Roisdorf bei Bonn verabschiedeten Erklärung.

Nach Jahrzehnten unterdrückter öffentlicher Auseinandersetzung gründet sich in Leipzig der »Schwulenverband der DDR« (SVD), um die Interessen gleichgeschlechtlich liebender Männer in der Gesellschaft besser vertreten zu können.

Montag, 19. Februar

Der Runde Tisch wendet sich auf seiner 13. Beratung ausdrücklich gegen einen Anschluß der geplanten Länder der DDR an die Bundesrepublik nach Artikel 23 des Grundgesetzes. Das Gremium stimmt mit großer Mehrheit einem entsprechenden Antrag der Initiative Frieden und Menschenrechte zu. (Nach Artikel 23 könnten z. B. Sachsen oder Thüringen jeweils einzeln einfach ihren Beitritt zum Geltungsbereich des bundesdeutschen Grundgesetzes erklären.) Grundsätzlich abgelehnt wird auch eine NATO-Mitgliedschaft des zukünftigen, vereinten Deutschland.

Ministerpräsident Modrow zieht eine insgesamt positive Bilanz des

Besuches seiner Regierungsdelegation in der vergangenen Woche in Bonn. Es seien die »Weichen auf Vernunft« gestellt worden. Dem Bonner Wunsch nach einer raschen Währungsunion noch vor dem 18. März habe nicht entsprochen werden können. Seine Regierung sei verfassungsrechtlich nicht befugt, die Währungshoheit der DDR aufzugeben.

Parteien und politische Organisationen verständigen sich am Runden Tisch auf einen fairen Wahlkampf. In einer Vereinbarung heißt es, man wolle sich auf die Darstellung der eigenen Programme, Ziele, Plattformen und Kandidaten sowie auf die sachliche Darlegung der Positionsunterschiede zu anderen Parteien, Organisationen, Initiativen, Bewegungen und Personen konzentrieren. Auszuschließen sei jede Form von Gewalt und Aggressivität. Beschlossen wird ferner, alle elektronischen Datenträger der Staatssicherheit bis zum 8. März zu vernichten. Damit solle der Mißbrauch und vor allem der schnelle Zugriff zu derartigen Daten ausgeschlossen sowie zur völligen Zerstörung der Strukturen der ehemaligen Staatssicherheit beigetragen werden.

Der Zentralverband der Deutschen Haus-, Wohnungs- und Grundeigentümer fordert die Politiker in der DDR auf, schnellstmöglich die Eigentumsverhältnisse neu zu ordnen und das Privateigentum in der Verfassung zu garantieren. Nur dann könnten sich die Wohn- und Lebensverhältnisse nachhaltig verbessern. Der wohnungspolitische Sprecher der CDU/CSU, Dietmar Kansy, mahnt »vorschnelle Bundesbürger, die Eigentumsansprüche in der DDR auf eigene Faust geltend machen wollen«, zur Zurückhaltung. Sie verstärkten »Ängste vor dem Verlust der Wohnung und unbezahlbaren Mieten, kräftig geschürt von Gegnern der Einheit und der sozialen Marktwirtschaft«. Damit spielten sie zur Zeit ungewollt der PDS »und anderen Teilen der deutschen Linken die Bälle zu«.

Mieterbund-Präsident Gerhard Jahn setzt sich dafür ein, den Mietern die Angst vor der Zukunft zu nehmen. Es sei instinktlos, wenn jetzt westdeutsche Bürger mit der Ankündigung aufträten, sie wollten ihr ehemaliges Eigentum in der DDR in Besitz nehmen und die Mieten erhöhen. Die Neuordnung der Wohnungsversorgung und Eigentumsverhältnisse müsse nach Auffassung des Deutschen Mieterbundes »alle sozial nachteiligen Folgen vermeiden«. Sonst gebe es einen weiteren Grund für DDR-Bürger, ihre Heimat zu verlassen.

In Leipzig und anderen Städten wird an diesem Montag wieder lautstark die deutsche Einheit – »sofort« oder »so schnell wie möglich« –

gefordert. Auf einem Transparent der 50 000 Teilnehmer heißt es: »Tausche Luft und Runden Tisch gegen Waigel und DM«. In Halle, wo die voraussichtlich letzte Demonstration vor den Wahlen stattfindet, ist Niedersachsens Ministerpräsident Hans Albrecht (CDU) zu Gast. Er begrüßt vor 5 000 Menschen die geplante Währungsunion und spricht sich dafür aus, daß das Geld der Sparer nicht entwertet werde. Die Forderung nach der Einheit Deutschlands und nach Rückbenennung der Stadt in Chemnitz bestimmt die Kundgebung in Karl-Marx-Stadt. Etwa 80 000 Bürger rufen immer wieder »Deutschland, Deutschland« und »Rote raus, Rote raus«. Viel Beifall erhält der Parlamentarische Staatssekretär im Bundesinnenministerium, Carl-Dieter Spranger (CSU), der sagt, daß die Wiedervereinigung bereits im Gange sei und am 18. März eine glückliche Zukunft für die Menschen in Sachsen beginne. In Dresden demonstrieren 10 000 Menschen, in Schwerin 5 000, in Magdeburg 3 000. Kundgebungen gibt es in dieser Schlußphase des Wahlkampfes in über 30 Städten.

Dienstag, 20. Februar

Die Volkskammer verabschiedet das mit Spannung erwartete Wahlgesetz für die ersten freien und geheimen Wahlen am 18. März. Darin ist festgelegt, daß das neue Parlament für die Dauer von vier Jahren gewählt wird. Vorgesehen sind 400 Abgeordnete (bisher 500). Direktmandate gibt es nicht. Jeder Wähler hat eine Stimme, die er der Liste einer Partei, aber auch einer politischen Vereinigung oder Listenverbindung geben kann. Die Sitze werden zentral nach dem System der Verhältniswahl für die gesamte Republik errechnet. Eine Sperrklausel (in der Bundesrepublik die Fünf-Prozent-Hürde) gibt es nicht.

In der DDR gründet sich nach bundesdeutschem Vorbild ein Senioren-Schutz-Bund »Graue Panther«, der zur Volkskammerwahl mit eigenen Kandidaten antreten will. Der Verband hat rund 1 400 Mitglieder und setzt sich für soziale Sicherheit im Alter ein. Die Grauen Panther, die sich bisher in Stralsund, Rostock, Leipzig, Dresden und Gera organisierten, fordern unter anderem höhere Mindestrenten, Ausgleichszahlungen für steigende Lebenshaltungskosten sowie die Unantastbarkeit der Wohnungen und Sparkonten von Rentnern.

Zu ihrer konstituierenden Sitzung trifft sich in Rostock-Warnemünde die »Deutsche Biertrinker Union«. Unter dem Motto »Schwerter zu Bierkrügen« will sie sich für die Förderung der deutschen

Biertrinkkultur einsetzen und auch bei den Volkskammerwahlen kandidieren.

Unternehmen in beiden deutschen Staaten können sich künftig ohne Genehmigung von bundesdeutscher Seite im jeweiligen Nachbarland niederlassen oder Firmen kaufen. Das gibt die Deutsche Bundesbank in Frankfurt am Main bekannt. Bisher mußten die Unternehmen in der Bundesrepublik eine Genehmigung bei den Landeszentralbanken einholen.

Im Aufschwung befinden sich die Drachenflieger der DDR. Sie waren in den vergangenen Jahren immer wieder Repressalien ausgesetzt, da sie im Verdacht standen, auf diese Weise die Mauer überwinden zu wollen. Aufgrund des Flugverbotes im eigenen Land mußten die Piloten ihr Hobby heimlich, vor allem in der ČSSR, betreiben. Die Bildung von sechs Klubs allein im Bezirk Dresden wird auf einer Präsidiumsversammlung bekanntgegeben.

Zur Wahlkundgebung der Allianz für Deutschland mit Helmut Kohl kommen am Abend Zehntausende auf den Erfurter Domplatz und fordern die schnelle deutsche Einheit. In Frankfurt (Oder) demonstrieren im Unterschied dazu 2000 Menschen gegen die geplante Wiedervereinigung.

Mittwoch, 21. Februar

Die Volkskammer beschließt – einen Tag nach der Verabschiedung des Wahlgesetzes – ein Parteien- und Vereinigungsgesetz. Danach dürfen die DDR-Parteien zumindest für den jetzigen Wahlkampf Hilfe aus der Bundesrepublik in Anspruch nehmen. Zwar heißt es, daß Parteien keine Schenkungen oder anderweitige wirtschaftliche Unterstützung von einem anderen Staat annehmen dürften, dieser Artikel tritt jedoch erst zum 1. Januar 1991 in Kraft. Die CDU hatte erklärt, die Bundesrepublik sei im Zuge der Bestrebungen zur deutschen Einheit nicht mehr als Ausland zu betrachten. Andernfalls könnten die Parteien in der DDR keine Spenden mehr von bundesdeutscher Seite annehmen.

Offensichtlich vom Tempo auf dem Weg zur deutschen Einheit überrascht, erklärt der sowjetische Staats- und Parteichef Michail Gorbatschow, daß die Vereinigung keineswegs allein Sache der Deutschen sei. In einem Interview mit der Parteizeitung »Prawda« fordert er die baldige Aufnahme der Zwei-Plus-Vier-Gespräche. »Bei allem Respekt vor ihrem nationalen Recht kann man sich angesichts der Lage wohl kaum vorstellen, daß die Deutschen sich zunächst untereinander einigen und dann die anderen bereits gebilligte Entscheidungen absegnen lassen.«

Eine Ausweitung des gegenwärtigen Einflußbereiches der NATO bis an die Oder-Neiße-Linie ist nach Ansicht des Vizeverteidigungsministers der DDR und Chef des Hauptstabes, Generalleutnant Manfred Grätz, unvertretbar. In der Zeitung »Junge Welt« sagt der hohe Offizier, er könne sich auch nicht vorstellen, »daß ein vereintes Deutschland zwei Armeen auf seinem Territorium vereinen könnte bzw. daß Nationale Volksarmee und Bundeswehr miteinander verschmelzen«.

Die DDR ist nach den Worten von Bundeswirtschaftsminister Helmut Haussmann (FDP) kein Konkursfall, aber stark sanierungsbedürftig. Bei einem Wahlkampfauftritt des Bundes Freier Demokraten sagt er, die Leistungen zur wirtschaftlichen Gesundung der DDR müßten gemeinsam von ihren Bürgern, von der Bundesrepublik und der Europäischen Gemeinschaft erbracht werden. Massenarbeitslosigkeit sei nicht zu befürchten.

Der wirtschaftspolitische Sprecher der SPD-Bundestagsfraktion, Wolfgang Roth, fordert die Bundesregierung auf, Klarheit über die Währungsunion mit der DDR zu schaffen. Diese sollte am 1. Juli in Kraft treten, »damit die Verunsicherung der Menschen und Betriebe in der DDR beendet wird«. Die Umtauschfrage sei nicht so problematisch, wie oft diskutiert: Guthaben in Ost-Mark sollten grundsätzlich im Verhältnis 1 : 1 getauscht werden.

Die Staatsanwaltschaft in Ostberlin erhebt erstmals Anklage gegen frühere Spitzenpolitiker. Betroffen sind das frühere SED-Politbüro-Mitglied Harry Tisch und der ehemalige Vorsitzende der DDR-CDU, Gerald Götting. Den Ermittlungen nach hat Tisch, langjähriger Chef des Gewerkschaftsbundes FDGB, Gewerkschaftsgelder mißbraucht und dem FDGB »schwere wirtschaftliche Schäden« zugefügt. Unter anderem habe er aus der Gewerkschaftskasse ein großzügiges Jagdgebiet mit Haus und private Urlaube finanziert. Götting soll ebenfalls aus Geldern seiner Partei ein Privathaus finanziert haben.

Die Deutsche Post will noch in diesem Jahr über Satellit dem als »Tal der Ahnungslosen« bezeichneten Gebiet um Dresden den Empfang des Westfernsehens ermöglichen. Der Bau von großen Gemeinschaftsantennen soll gefördert und die Verfügbarkeit von Satellitenempfangsanlagen gesichert werden. Import- und Zollbeschränkungen für die benötigte Technik wurden bereits aufgehoben.

Nach der Reparatur eines Kabelschadens geht der Block IV des umstrittenen Kernkraftwerkes Lubmin bei Greifswald wieder ans Netz. Der Reaktor mußte am Vortag bei einem Störfall abgeschaltet werden.

Donnerstag, 22. Februar

Mit dem Näherrücken der deutschen Einheit wird für Bonn die Frage nach Reparationen für deutsche Zerstörungen im Zweiten Weltkrieg akut, wie dies in zahlreichen ausländischen Medien gefordert wird. Die Bundesrepublik hat solche Ansprüche bisher unter Hinweis auf das »Londoner Schuldenabkommen« von 1953 abgewiesen. Darin hatte Bonn den drei Westmächten und 30 weiteren Staaten (ohne Ostblock) die Tilgung der deutschen Auslandsschulden aus der Vorkriegszeit und den Kriegsjahren zugesichert. Die Vertragspartner stellten dafür Reparationsforderungen bis zu einer Regelung nach einem Friedensvertrag zurück. Die Bundesrepublik Deutschland, die sich im Gegensatz zur DDR als Rechtsnachfolger des Hitler-Reiches verstand, hatte bis zum Londoner Abkommen 1953 etwa zwei Milliarden Mark an Reparationen geleistet. Die Schätzungen der Reparationsleistungen der DDR an die Sowjetunion liegen zwischen 65 und 100 Milliarden Mark. Der westdeutsche Historiker Arno Peters hatte Schlagzeilen gemacht, als er der Bundesregierung vorrechnete, sie müsse der DDR einen »Reparationsausgleich« von 727,1 Milliarden Mark zahlen – 74,3 Milliarden Grundbetrag plus Zinsen seit 1953.

Zwei Drittel (67 Prozent) der Bundesbürger erkennen einen moralischen Anspruch der DDR auf wirtschaftliche Hilfe von der Bundesrepublik an. Bei einer Meinungsumfrage des Hamburger GEWIS-Institutes, die von der Illustrierten »Neue Revue« in Auftrag gegeben worden war, lehnten jedoch 58 Prozent der Befragten die Höhe des geforderten »Solidarbeitrages« von 15 Milliarden Mark ab. 38 Prozent sahen die Höhe als berechtigt an, und fünf Prozent meinten, die Forderung nach zehn bis 15 Milliarden Mark sei eher zu bescheiden. Ein Drittel der Befragten verneinte einen moralischen Anspruch der DDR auf Wirtschaftshilfe.

Bundeswirtschaftsminister Helmut Haussmann (FDP) fordert die DDR-Regierung auf, die in den Devisenfonds eingezahlten Ost-Mark-Beträge der DDR-Bürger umgehend zu investieren. Mit dem Einsatz dieser Mittel für Maßnahmen im Verkehrs- und Baubereich und zur Förderung privater gewerblicher Unternehmen in der DDR könnten dort sichtbare Zeichen für eine wirtschaftliche Belebung gesetzt werden.

Der Präsident des Unternehmerverbandes der DDR, Rudolf Stadermann, ruft die Unternehmen Westeuropas auf, mit Investitionen bereits vor den März-Wahlen »Zeichen der Hoffnung« zu setzen. Nur so könnten die Auswanderung gestoppt und die Privatwirtschaft gestärkt werden. Auf einem deutsch-französischen Symposium zur Sozialpolitik sagt Stadermann, in der DDR entstehe eine breite mittelständische Wirtschaft. Bis zur Jahresmitte werde es 10 000 und bis Ende 1990 rund 15 000 mittelständische Unternehmen geben. Bei einer Auflösung der Kombinate ergebe sich ein Potential von 20 000 Unternehmen. Dazu kämen 120 000 bestehende Kleinbetriebe mit bis zu zehn Beschäftigten sowie erwartete 100 000 Existenzgründungen. Die Zahl der Arbeitsplätze in der Privatwirtschaft werde sich bis Ende 1990 auf drei Millionen versechsfachen. Als Problem bezeichnete Stadermann die Lethargie vieler Arbeitnehmer. Die Auslastung der Maschinen habe im Schnitt bei 3,6 Stunden täglich gelegen, weil es an Material mangelte. Es dauere Monate, die Arbeitsmoral wieder aufzubauen.

Um der Abwanderung von Ärzten in die Bundesrepublik Einhalt zu gebieten, zahlt die herzchirurgische Klinik in Leipzig ab sofort ihren Ärzten ein sogenanntes Bleibegeld in D-Mark. Ärzte und Schwestern haben darüber hinaus im Rahmen eines Kooperationsvertrages mit der Rhön-Kliniken AG die Möglichkeit, für drei Monate in der Bundesrepublik zu westlichen Gehältern zu arbeiten.

Bis Ende dieses Monats sollen sämtliche Bezirksdienststellen der ehemaligen Staatssicherheit aufgelöst sein. Dies kündigt der Leiter der zuständigen Regierungskommission, Günter Eichhorn, an. Die Auflösung der Dienststelle im Bezirk Schwerin sei bereits abgeschlossen. Etwa 68 Prozent der Mitarbeiter der ehemaligen Ostberliner Stasi-Zentrale seien inzwischen entlassen worden.

Der erste landesweite Parteitag der DDR-SPD beginnt in Markkleeberg bei Leipzig unter dem Motto »Die Zukunft hat wieder einen Namen«. An der viertägigen Konferenz nehmen rund 500 Delegierte teil, die rund 100 000 Mitglieder vertreten. Neben dem SPD-Ehrenvorsitzenden Willy Brandt ist die gesamte Bonner SPD-Spitze vertreten. Geschäftsführer Ibrahim Böhme setzt sich in seiner Programmrede für eine soziale Abfederung bei der Einführung der Marktwirtschaft ein. Insgesamt wird deutlich, daß die SPD einen Weg der deutschen Einheit nach Artikel 146 des bundesdeutschen Grundgesetzes bevorzugt. Er sieht zunächst die Erarbeitung einer neuen gesamtdeutschen

Verfassung vor, in die auch ostdeutsche Werte und Erfahrungen eingebracht werden können. Die CDU setzt dagegen auf einen schnellen
Beitritt der DDR zum Wirkungsbereich des Grundgesetzes nach Artikel 23 ohne irgendeine Veränderung am Zustand der Bundesrepublik.

20 000 Menschen demonstrieren in Ostberlin für soziale Sicherheit
und gegen eine »kapitalistische Wiedervereinigung«. Sie folgen einem
Aufruf des Neuen Forum, der Vereinigten Linken, des Unabhängigen
Frauenverbandes, der Nelken und des FDGB. PDS-Vorsitzender Gregor Gysi sagt zu den Kundgebungsteilnehmern mit Blick auf den laufenden Wahlkampf: »Wie schon oft in der Geschichte haben sich die
Rechten formiert, die Linken dagegen sehr zersplittert.«

In Jena findet zur gleichen Zeit eine Wahlkundgebung der CDU mit
10 000 Teilnehmern statt, auf der sich mehrere Bonner CDU-Politiker
für ein baldiges Ende der DDR aussprechen.

Freitag, 23. Februar

Die Arbeitsgruppe Sicherheit des Runden Tisches stimmt dem Vorschlag der Regierung zu, daß sich die für Auslandsspionage zuständige
Hauptverwaltung Aufklärung unkontrolliert bis zum 30. Juni selbst
auflösen darf, um Personen im Ausland nicht zu gefährden.

Bundesarbeitsminister Norbert Blüm (CDU) ist besorgt über nach
seiner Ansicht zunehmende Ängste in der bundesdeutschen Bevölkerung vor den Kosten der deutschen Einheit. Seit vier Wochen erhalte
er »eine Welle« von ängstlichen Briefen, speziell von Rentnern. Der
Arbeitsminister versichert, es werde wegen der Wiedervereinigung auf
sozialem Gebiet keine Leistungskürzungen in der Bundesrepublik
geben. Auch ein Abbau von Besitzstand werde nicht nötig sein. Lediglich der Zuwachs an Wohlstand könnte sich verlangsamen.

Die Umwandlung von volkseigenen Betrieben in private Unternehmen soll zunächst in zehn ausgewählten Betrieben erprobt werden, teilt
das DDR-Wirtschaftsministerium mit. Demgegenüber liegen bereits
rund 1 300 Anträge zur Rückgabe von 1972 in Volkseigentum zwangs-
überführten privaten Betrieben vor.

Alte Feindbilder sollen abgebaut werden: Künftig wollen der Deutsche Bundeswehrverband und der Verband der Berufssoldaten der
DDR zusammenarbeiten. Dazu treffen sich in Strausberg bei Berlin
Verteidigungsminister Admiral Theodor Hoffmann (PDS), der Vorsitzende des Deutschen Bundeswehrverbandes, Oberst Rolf Wenzel,

sowie der Vorsitzende des Verbandes der Berufssoldaten der DDR, Oberstleutnant Eckhardt Nickel.

Eine Gastprofessur des CDU-Politikers Kurt Biedenkopf in Leipzig wird fest vereinbart. Der gelernte Jurist und Wirtschaftswissenschaftler soll von April an am interdisziplinären Zentrum für internationale Wirtschaftsbeziehungen der Karl-Marx-Universität unterrichten. Biedenkopf hatte zugunsten der Gastprofessur auf eine Bundestagskandidatur für die CDU in Bonn verzichtet.

Der Ostberliner Oberbürgermeister Erhard Krack (PDS) tritt nach sechzehnjähriger Amtszeit zurück. Er zieht damit die Konsequenz aus Vorwürfen im Zusammenhang mit den Fälschungen bei den Kommunalwahlen im vergangenen Jahr. In seinem Rücktrittsschreiben übernimmt er die politische Verantwortung für die Wahlfälschungen. Sie seien »höchst verwerflich« und »Auswüchse eines deformierten Systems«.

Das aus Bürgerrechtsbewegungen zusammengesetzte Bündnis 90 will mit den Spitzenkandidaten Jens Reich (Neues Forum), Wolfgang Ullmann (vorgesehen für das Amt des Ministerpräsidenten) und Konrad Weiß (beide Demokratie Jetzt) sowie Marianne Birthler (Initiative Frieden und Menschenrechte) in den Wahlkampf ziehen, wird auf einer Pressekonferenz mitgeteilt.

Die Grüne Partei stellt ihrerseits Vera Wollenberger und Vollrad Kuhn auf, der mit ihr verbündete Unabhängige Frauenverband Ina Merkel und Walfriede Schmitt.

Das DDR-Fernsehen strahlt am Abend den ersten Werbespot einer Partei für die Volkskammerwahl am 18. März aus. Den Auftakt macht die Liberal-Demokratische Partei (LDP) mit »Freiheit braucht Leistung«. Mit Ausschnitten von Reden der bundesdeutschen Politiker Otto Graf Lambsdorff und Hans-Dietrich Genscher, dem Plädoyer für eine freie soziale Marktwirtschaft und Appellen an die Leistungsbereitschaft der DDR-Bürger werben die Liberalen für den Bund Freier Demokraten.

Bundesdeutsche Spitzenpolitiker der SPD sind an diesem Abend live in Halle (Johannes Rau) sowie in Plauen und Zwickau (Willy Brandt) zu erleben.

Sonnabend, 24. Februar

Die Sozialdemokraten wählen ihren bisherigen Geschäftsführer Ibrahim Böhme zum Parteivorsitzenden. Er ist damit gleichzeitig Spitzenkandidat und Anwärter auf das Amt des Ministerpräsidenten bei der Volkskammerwahl am 18. März. Böhme bekennt sich ausdrücklich zu seiner Vergangenheit als SED-Mitglied. Er habe heute ein anderes Parteiverständnis, doch habe er in der SED »nicht nur Schufte und Karrieristen« kennengelernt. Sozialdemokraten müßten bereit zur persönlichen Versöhnung mit ehemaligen SED-Mitgliedern sein. Der Parteitag beschließt, nur solche SED-Mitglieder künftig aufzunehmen, die schon vor dem 7. Oktober 1989 ausgetreten sind. Erster stellvertretender Parteichef wird der Vorsitzende des Leipziger SPD-Bezirkes, Karl-August Kamilli. Zu stellvertretenden Vorsitzenden wählt der Parteitag im dritten Wahlgang die Ostberliner Markus Meckel und Angelika Barbe. Geschäftsführer wird Stephan Hilsberg. Die Delegierten wählen Ex-Bundeskanzler Willy Brandt zum Ehrenvorsitzenden, genau wie bei der bundesdeutschen SPD. Brandt spricht anschließend auf einer Wahlkundgebung vor etwa 60 000 Leipzigern und setzt sich dafür ein, jetzt »vernünftig zusammenwachsen zu lassen, was zusammengehört«. Dabei ginge es nicht um einen Anschluß, sondern um einen Zusammenschluß.

Das Konzept des demokratischen Sozialismus hat nach den Worten des PDS-Vorsitzenden Gregor Gysi keineswegs ausgedient. Sowohl der stalinistische Sozialismus als auch der Kapitalismus hätten sich als unfähig erwiesen, die Grundfragen der Menschheit zu lösen, erklärt Gysi zu Beginn des PDS-Parteitages in Berlin. Im Hinblick auf die bevorstehenden Wahlen trete seine Partei für die »Eigenstaatlichkeit der DDR im Vereinigungsprozeß« ein. Der Runde Tisch sollte auch nach den Wahlen am 18. März fortbestehen, da er sich bei der Problemlösung bewährt habe.

Sechs führende Oppositionspolitiker aus Dresden – darunter der Sprecher der Gruppe der 20, Herbert Wagner, und bisherige Mitglieder des Neuen Forum – treten der CDU bei. Wie die Tageszeitung »Die Union« berichtet, erklärten der Sprecher und der Geschäftsführer des Neuen Forum Dresden zuvor, sie könnten die Politik der linksorientierten Berliner Führungsgruppe um Bärbel Bohley und Reinhard Schult nicht länger mittragen.

Für eine möglichst schnelle deutsche Einheit spricht sich der Demokratische Aufbruch am Abend auf einer Wahlkampfveranstaltung im

Ostberliner Lustgarten aus. Auf dem mäßig gefüllten Platz bringt Parteivorsitzender Wolfgang Schnur seine Hoffnung zum Ausdruck, »daß Berlin bald Hauptstadt für ein einiges Vaterland und für ganz Europa« werde.

Sonntag, 25. Februar

Zum Abschluß ihres Parteitages nimmt die SPD in Leipzig ein Grundsatzprogramm an, in dem sie sich für eine demokratische, soziale und ökologisch orientierte Marktwirtschaft einsetzt. In dem ebenfalls verabschiedeten Wahlprogramm legen die Sozialdemokraten einen Fahrplan zur Vereinigung der beiden deutschen Staaten vor. Bereits im Frühjahr solle ein »Rat zur deutschen Einheit« unter Leitung des SPD-Ehrenvorsitzenden Willy Brandt gebildet werden, der die Regierungen in Bonn und Ostberlin beraten und eine gesamtdeutsche Verfassung ausarbeiten soll.

Ministerpräsident Hans Modrow will die PDS als Spitzenkandidat in die Volkskammerwahl führen. Diese Entscheidung gibt er vor dem ersten Parteitag der PDS bekannt. Die rund 600 Delegierten spenden ihrem Ministerpräsidenten stürmischen Beifall und wählen ihn zum Ehrenvorsitzenden.

Der Vorsitzende der SPD, Ibrahim Böhme, zollt der Kandidatur Modrows als Spitzenkandidat der PDS Respekt. Modrow sei ein »guter Kandidat, aber leider in der falschen Partei«. Für ihn sei es nicht denkbar, so Böhme, daß er Modrow in einem von der SPD geführten Kabinett nach der Wahl zur Volkskammer am 18. März einen Posten anbieten werde.

Die Vereinigte Linke (VL) und die marxistische Partei Die Nelken werden zur Volkskammerwahl am 18. März ein »Aktionsbündnis Vereinigte Linke« eingehen. Das beschließen rund 200 Delegierte der VL auf einem Wahlkongreß in Ostberlin. Das Bündnis wolle vor allem jene Bürger ansprechen, die für eine souveräne DDR eintreten.

Der Vorsitzende der CDU, Lothar de Maizière, wird in Ostberlin zum Spitzenkandidaten der Partei für die Volkskammerwahlen am 18. März nominiert. Der Parteivorstand wählt ihn einstimmig.

Bundesfinanzminister Theo Waigel will sich trotz des Drängens der Allianz für Deutschland, vor den Wahlen klare Aussagen über den Umtauschkurs bei der Währungsunion zu treffen, nicht auf einen bestimmten Kurs festlegen lassen. Es sei »verantwortungslos und im hohen Grade schädlich«, darüber zu spekulieren, bevor nicht alle Fakten und ökonomischen Zusammenhänge auf dem Tisch lägen. »So wichtige Währungsentscheidungen können nur in einem absolut vertraulichen Verfahren vorbereitet und gefunden werden. Ich verlange deshalb von allen Beteiligten Zurückhaltung und Verantwortungsbewußtsein.«

Mehr als 50 000 Menschen demonstrieren am Abend im Ostberliner Lustgarten für eine souveräne DDR und gegen Sozialabbau. Die Teilnehmer tragen DDR-Fahnen und Spruchbänder mit Aufschriften wie »Laßt Euch nicht verKOHLen« und »Wir lassen uns nicht BRDigen«. Der PDS-Vorsitzende Gregor Gysi wendet sich gegen eine »Annexion« der DDR, bei der die juristischen, politischen, ökonomischen und sozialen Rechte der Bürger untergehen würden. Beide deutsche Staaten müßten sich reformieren und wandeln. Unter Bezug auf die Wahlreden von Bundeskanzler Helmut Kohl in der DDR betont Gysi: »Wir sollten ihm sagen, daß wir nicht nach seinen Vorstellungen vereinigt werden wollen, weder in den Grenzen von 1937 noch zum Nulltarif.«

In Leipzig versammeln sich ebenfalls über 50 000 Menschen zu einer Wahlkundgebung der SPD mit Willy Brandt, bei der laute Rufe nach einem einigen »Deutschland, Deutschland« erschallen.

Montag, 26. Februar

Radikale Steuersenkungen sieht ein veröffentlichter Gesetzentwurf zur Reform des Steuerrechtes vor. Die Körperschaftssteuer für Kapitalgesellschaften soll von bisher maximal 95 Prozent auf 50 Prozent begrenzt werden. Bei der Gewinnausschüttung sei eine Doppelabrechnung zu vermeiden. Für Aufsichtsratsvergütungen wird die Steuer von 65 auf 30 Prozent, die Vermögenssteuer von 2,5 auf ein Prozent gesenkt.

Die Regierung gibt die Einführung von Arbeitslosengeld bekannt. Es beträgt bis zu 70 Prozent des Gehaltes der vergangenen zwölf Monate. Die genaue Zahl der Arbeitslosen ist noch unbekannt, da die entsprechenden Ämter gerade erst eingerichtet werden.

Innerhalb der DDR-Wirtschaft besteht kein Konsens über den günstigsten Zeitpunkt für die Einführung einer deutschen Wirtschafts- und Währungsunion. Einige Wirtschaftsfachleute sprechen sich für ein Stufenprogramm aus, andere fordern eine rasche Einführung der

D-Mark. Dies wird auf einem Symposium der Tageszeitung »Die Welt« mit Politikern und Experten aus beiden deutschen Staaten deutlich. Für einen Stufenplan plädiert der Generaldirektor des Kombinates Pkw aus Karl-Marx-Stadt, Dieter Voigt: »Wir sind doch mit unseren Trabis nicht wettbewerbsfähig. Wir brauchen unbedingt ein Stufenprogramm, sonst können wir hier morgen dichtmachen.« Ähnlich ginge es den meisten Großbetrieben.

Nach Ansicht von Bundesaußenminister Hans-Dietrich Genscher ist die Aufnahme der heutigen DDR in die Europäische Gemeinschaft nach einer Vereinigung beider deutscher Staaten ohne Vertragsänderung möglich. Genscher stellt sich damit in Gegensatz zu Äußerungen der britischen Premierministerin Margaret Thatcher, die sich gegen eine automatische EG-Mitgliedschaft der DDR ausgesprochen hatte.

Die 14. Sitzung des Runden Tisches befaßt sich mit Problemen der Kultur und verlangt ein Kulturpflichtgesetz für die DDR. Die Teilnehmer verabschieden ein Positionspapier, in dem es heißt: »Wenn Theater und Puppenbühnen geschlossen und Orchester verkleinert werden, wenn Kulturhäuser und Betriebsbibliotheken verschwinden und Kinos weiter verfallen, fährt der Zug der Zeit in die falsche Richtung.« Eine Ausrichtung der Kultur nach marktwirtschaftlichen Kriterien widerspreche den Rechten der Bürgerinnen und Bürger auf freien Zugang zur Kultur.

Beschlossen wird außerdem eine Militärreform der DDR. Bis zum Ende des Jahres sollen danach u. a. die Grenztruppen aus der Nationalen Volksarmee herausgelöst und künftig dem Innenministerium unterstellt werden, erklärt Verteidigungsminister Theodor Hoffmann. Soldaten der Volksarmee sollen sich außerhalb ihres Dienstes auch politisch organisieren und betätigen dürfen.

Regierungschef Hans Modrow spricht sich dafür aus, daß unter anderem Polen ein Mitspracherecht bei der Frage der Bündniszugehörigkeit eines vereinten Deutschland haben müsse. Eine NATO-Mitgliedschaft des künftigen Deutschland, die US-Präsident George Bush und Bundeskanzler Helmut Kohl befürworteten, sei nicht allein von den USA und der Bundesrepublik zu entscheiden. Bei einer Vereinigung der beiden deutschen Staaten müsse zudem das rechtmäßig erworbene Eigentum in der DDR garantiert werden. Dazu gehörten auch die Sparguthaben der Bürger. Problemfälle müßten von beiden Staaten geklärt werden.

Nur noch etwa 15 000 Menschen nehmen in Leipzig an der Montagsdemonstration teil. Von den Zuhörern werden vor allem die Redner des eher rechten Spektrums umjubelt, die sich für eine schnelle Vereinigung Deutschlands aussprechen. Grüne und Sozialdemokraten, die nur für eine schrittweise Annäherung plädieren, werden ausgepfiffen.

Dagegen wird CSU-Generalsekretär Erwin Huber auf einer Wahlkundgebung der DSU in Postdam am Sprechen gehindert und von Demonstranten lautstark zum Verlassen der DDR aufgefordert. Reden können der nordrhein-westfälische Innenminister Herbert Schnoor und Dietrich Stobbe aus Westberlin (beide SPD). Der Westberliner CDU-Oppositionsführer Eberhard Diepgen tritt in Brandenburg auf.

Dienstag, 27. Februar

Der Deutsche Städtetag rechnet für 1990 mit 1,5 bis zwei Millionen Aus- und Übersiedlern in die Bundesrepublik, 600 000 bis 700 000 davon aus der DDR. In einem Interview des Saarländischen Rundfunks erklärt der Vizepräsident des Städtetages, Herbert Schmalstieg, er befürchte dadurch gravierende Probleme auf dem Wohnungsmarkt zwischen Aus- und Übersiedlern und einheimischen Wohnungssuchenden: »Das ist Sprengstoff, der den sozialen Frieden stark gefährdet.«

Mehr als zwei Drittel der Bundesbürger sind gegen eine weitere Aufnahme von Übersiedlern aus der DDR. 68 Prozent sprachen sich für einen Einreisestopp aus, nur 28 Prozent befürworteten eine freie Einreise. Das ist das Ergebnis einer im Auftrag des Hamburger Magazins »stern« veranstalteten Umfrage des Dortmunder Forsa-Institutes. Die anfänglich positive Stimmung gegenüber den Übersiedlern aus der DDR ist der Umfrage zufolge deutlich umgeschlagen. Die Hälfte der Bundesbürger meint inzwischen, daß die ehemaligen DDR-Bürger in der Bundesrepublik ungerechtfertigte Vorteile genießen.

Der baden-württembergische Ministerpräsident Lothar Späth spricht sich in Anlehnung an frühere Bonner Rückkehrhilfen für Türken jetzt für private wie staatliche Rückkehrprämien für DDR-Übersiedler aus. Er fügt hinzu, mit einer Abwehrpolitik in der Bundesrepublik ohne konsequente Aufbaupolitik in der DDR lasse sich das Übersiedlerproblem nicht lösen. Wer heute noch in die Bundesrepublik komme, sollte eher Nachteile als Vorteile haben. Späth: »Es könnte damit beginnen, daß wir erklären, wer hier rüberkommt, kann drüben sein Sparguthaben nicht 1:1 umgewechselt kriegen.« Den Kurs 1:1 sollte nur der bekommen, der in der DDR bei seinem Sparkapital bleibe.

Der Präsident des Deutschen Sparkassen- und Giroverbandes, Helmut Geiger, warnt die Bürger der Bundesrepublik und der DDR vor Spekulationen mit der Ost-Mark im Hinblick auf die Währungsunion. Bei der Umstellung auf D-Mark im Gebiet der DDR werde es ausreichende Absicherungen geben, »so daß sich Spekulanten in den Finger schneiden werden«. Der Umstellungskurs sollte »möglichst nahe bei 1 : 1 « nur für die Spargelder auf Konten in der DDR festgelegt werden, die vor einem zurückliegenden Stichtag angesammelt wurden. Dieser Stichtag sollte »nahe am 9. November 1989 liegen«, sagt Geiger. Alle danach eingezahlten Beträge müßten anders behandelt werden.

Die EG wird nach Ansicht des deutschen Richters am Europäischen Rechnungshof, Bernhard Friedmann, »nicht umhinkommen, für die Wiedervereinigung Deutschlands zu bezahlen«. Die EG solle der DDR nicht Hilfen versagen, die sie jetzt unterentwickelten Regionen in Europa wie Sizilien, Portugal oder Griechenland gewähre, sagt der frühere Haushaltsexperte der CDU/CSU-Bundestagsfraktion. Diese Neuordnung zugunsten der DDR sei vertretbar, da die Europäische Gemeinschaft, »die sich ja nicht nur als eine Wirtschafts-, sondern auch als eine politische Gemeinschaft versteht«, gestärkt aus der Entwicklung in Mittel- und Ost-Europa hervorgehe.

Israel will in nächster Zeit diplomatische Beziehungen erstmals auch zur DDR aufnehmen. Nachdem Außenminister Mosche Arens das Protokoll über die Wiederaufnahme der Beziehungen zu Polen unterzeichnet hat, teilt er vor Journalisten in Warschau mit, Ostberlin habe die entsprechende Bereitschaft signalisiert.

Die durch einen Volkskammerbeschluß verbotenen rechtsradikalen Republikaner haben in Karl-Marx-Stadt einen Kreisverband gegründet. Dies teilt in Bonn der Sprecher der Bundesgeschäftsstelle der Republikaner, Ralph Lorenz, mit. »Als demokratische Partei lassen wir uns nirgendwo ausgrenzen«, meinte Lorenz. Das am 21. Februar verabschiedete Parteien- und Vereinigungsgesetz der DDR verbietet die Gründung von Organisationen, die faschistische, militaristische oder antihumanistische Ziele verfolgen sowie Glaubens-, Rassen- und Völkerhaß bekunden.

Mittwoch, 28. Februar

Langgediente Angehörige der Nationalen Volksarmee haben nach Ansicht von Bundesverteidigungsminister Gerhard Stoltenberg (CDU) keine Chance auf Übernahme in die Bundeswehr. Er habe »schwerste Bedenken«, frühere NVA-Soldaten aufzunehmen, die als Berufs- oder Zeitsoldaten der oberen und mittleren Führungsebene Dienst getan haben, sagt Stoltenberg in einem Interview. Als Grund für die Ablehnung nennt er Sicherheitsbedenken wegen der kommunistischen Ausrichtung der Volksarmee bis zum vorigen Herbst. Dagegen könne er sich vorstellen, junge NVA-Angehörige mit lediglich kurzer Dienstzeit in die Bundeswehr zu übernehmen.

Bundeskanzler Kohl ist nunmehr dafür, daß der Bundestag und eine frei gewählte Volkskammer in gleichlautenden Erklärungen den dauerhaften Bestand der polnischen Westgrenze bekräftigen. Auch von amerikanischer Seite verstärken sich die Forderungen nach einer sofortigen Grenzgarantie für Polen. Die gleiche Ansicht vertreten FDP-Chef Lambsdorff und Berlins Regierender Bürgermeister Momper. Führende US-Politiker äußerten sich zuvor besorgt über die bisherige Weigerung von Bundeskanzler Kohl, eine klare Aussage zur polnischen Westgrenze zu treffen.

Die DDR soll nach den Vorstellungen des Ministerrates eine Zentralbank erhalten, die der Stabilität des Geldes und dem Schutz der Währung verpflichtet ist. Dies erläutert Staatsbankpräsident Horst Kaminsky dem Volkskammerausschuß Haushalt und Finanzen in Ostberlin. Zur Sorge der DDR-Bürger um ihre Sparguthaben betont Kaminsky, die Staatsbank bestünde bei einer Währungsunion auf einem Tauschverhältnis zwischen DDR-Mark und D-Mark von 1:1 für die Sparkonten. In der Wirtschaft müßten andere Lösungen gefunden werden.

Die DDR-SPD weist das Angebot der PDS, der früheren SED, zu einem partnerschaftlichen Verhältnis zurück. »Wir verurteilen jeden Versuch der PDS, ihren angeschlagenen Ruf durch ein ›partnerschaftliches Verhältnis zur SPD‹ aufzupolieren«, erklärt SPD-Geschäftsführer Stephan Hilsberg in Ostberlin.

Nach dem Parteiengesetz müssen sich alle Parteien und politischen Vereinigungen beim Präsidenten der Volkskammer registrieren lassen, unabhängig davon, ob sie an den bevorstehenden Wahlen teilnehmen oder nicht. Von 38 angemeldeten Parteien und politischen Vereinigungen wurden bisher 35 in das Register eingetragen. Es sind in der Reihenfolge ihrer Anmeldung:

1. Freie Demokratische Partei
2. Demokratische Bauernpartei Deutschlands
3. Vereinigung der Arbeitskreise für Arbeitnehmer und Demokratie
4. Deutsche Jugendpartei
5. National-Demokratische Partei Deutschlands
6. Die Nelken
7. Sozialistischer Studentenbund
8. Christlich-Demokratische Volkspartei
9. Grüne Partei
10. Unabhängiger Frauenverband
11. Bund Sozialistischer Arbeiter
12. Kommunistische Partei Deutschlands
13. Deutsche Forumpartei
14. Partei des Demokratischen Sozialismus
15. Deutsche Biertrinker Union
16. Neues Forum
17. Demokratie Jetzt
18. Europäische Föderalistische Partei
19. Unabhängige Volkspartei
20. Deutsche Soziale Union
21. Demokratischer Aufbruch
22. Freie Deutsche Jugend
23. Marxistische Jugendvereinigung »junge linke«
24. Grüne Jugend
25. Vereinigte Linke
26. Sozialdemokratische Partei Deutschlands
27. Christliche Liga
28. Demokratischer Frauenbund Deutschlands
29. Einheit Jetzt
30. Europa-Union der DDR
31. Initiative Frieden und Menschenrechte
32. Ökologische Demokratische Partei
33. Christlich-Demokratische Union
34. Liberal-Demokratische Partei
35. Freier Deutscher Gewerkschaftsbund

März 1990

Donnerstag, 1. März

Um marktwirtschaftliche Arbeitsbedingungen zu schaffen und gleichzeitig das Volkseigentum juristisch zu bewahren, sollen aus volkseigenen Betrieben, Einrichtungen und Kombinaten Kapitalgesellschaften werden. Dies sieht eine Verordnung vor, die vom Ministerrat beschlossen wurde. Danach sind alle volkseigenen Betriebe verpflichtet, sich in Gesellschaften mit beschränkter Haftung (GmbH) oder Aktiengesellschaften (AG) umzuwandeln. Zu diesem Zweck wird eine Treuhandgesellschaft gegründet, die dem Ministerrat untersteht. Ferner beschließt die Regierung einen Gesetzentwurf zur Niederlassungsfreiheit. Jetzt können ausländische Firmen, die bislang nur Repräsentanzen unterhalten durften, eigene Niederlassungen auf dem Territorium der DDR mit dem Ziel wirtschaftlicher Tätigkeit errichten.

Das Konzept für die Treuhand erarbeitete Wolfgang Ullmann (Demokratie Jetzt), Minister ohne Geschäftsbereich in der Modrow-Regierung. Nach dem Modell des Doomsday Book, mit dem Wilhelm der Eroberer in der zweiten Hälfte des 11. Jahrhunderts das gesamte englische Grundeigentum in einer einzigen Urkunde zusammenfassen ließ, sollen die Vermögenswerte der DDR festgeschrieben und den Bürgerinnen und Bürgern in Form von Anteilscheinen übergeben werden.

Eine Eisdiele in Zernsdorf bei Berlin erhält den ersten Kredit aus dem ERP-Programm, mit dem Bonn die private Wirtschaft in der DDR künftig fördern will. Dem Inhaber des »Eiscafés Harting« wird ein Darlehen in Höhe von 100 000 DM gewährt. Insgesamt will die Bundesrepublik sechs Milliarden DM als ERP-Kredite zur Verfügung stellen. Die Geldmittel gehen auf das Sondervermögen des Bundes aus der Marshallplanhilfe nach dem Zweiten Weltkrieg zurück.

Der Ministerrat beruft erstmals eine Ausländerbeauftragte. Die Pastorin Almuth Berger (Demokratie Jetzt) soll auf Vorschlag des Runden Tisches dieses Amt übernehmen. Ihre Aufgabe ist es unter anderem, an der Erarbeitung von Rechtsvorschriften mitzuwirken und sich an der Klärung von Fragen der Aus- und Einwanderungspolitik zu beteiligen.

Der nordrhein-westfälische Sozialminister Hermann Heinemann (SPD) fordert schnelle Hilfen für die DDR. Ostberlin müsse seinen

Bewohnern eine »Bleibeprämie« bieten können, wenn die Übersiedlerflut aus der DDR eingedämmt werden solle. Der Bund schaffe für die DDR-Bürger zu wenig Anreize, in ihrem Land zu bleiben. Die bloße Aussicht auf eine Währungsunion reiche nach Ansicht Heinemanns nicht aus. Entschieden wandte sich der SPD-Politiker gegen den Vorschlag des baden-württembergischen Ministerpräsidenten Lothar Späth (CDU), DDR-Übersiedlern Rückkehrprämien zu zahlen. »Wenn wir solche Prämien zahlen, kommen noch mehr Menschen, um sich das Geld abzuholen.«

Der Vorsitzende der SPD, Ibrahim Böhme, und der Minister ohne Geschäftsbereich, Walter Romberg, führen in Moskau Gespräche mit sowjetischen Spitzenpolitikern über die Entwicklung in Deutschland. Dabei werden nach Angaben von Romberg Moskauer »Sorgen« deutlich, daß »der Prozeß der Einigung außer Kontrolle geraten« könne. Böhme erklärt, es sei klar geworden, daß eine Vereinigung bei gleichzeitiger NATO-Mitgliedschaft nicht möglich sei.

Der Umgang offizieller Stellen und der ehemaligen SED mit ihrem gestürzten Staats- und Parteichef Erich Honecker zeigt nach Ansicht des SPD-Chefs Hans-Jochen Vogel einen »Rest von Stalinismus«. Es sei ein schwerer Fehler, nun alle Verantwortung auf einen Menschen oder auch fünf oder sechs abzuladen und sie für Unpersonen zu erklären. »Hut ab vor der evangelischen Kirche«, sagt Vogel und fragt zugleich, ob es in der ganzen PDS keinen gebe, der Honecker so begegnen könne, wie die Kirche es tue.

Angehörige der NVA, die während ihres aktiven Dienstes zur Bundeswehr überlaufen, sind nach Meinung des Vorsitzenden des Berufsverbandes der Nationalen Volksarmee, Oberstleutnant Eckard Nickel, »Fahnenflüchtige, Verräter und Deserteure«. Im Deutschlandfunk berichtet Nickel von einer ständig steigenden Motivationslosigkeit in der NVA. Der demokratische Reformprozeß, das Fehlen von Feindbildern und die offenen Fragen im Zusammenhang mit der Wiedervereinigung führten zu einer Identitätskrise, »die so noch nie vorhanden war«.

In der DDR bricht das CD-Zeitalter an. Die ersten silbrigen Scheiben des Unternehmens Deutsche Schallplatten werden in rund 100 Geschäften angeboten. Zum Einheitspreis von 46,75 Mark kommen 100 000 Compact Discs mit 36 Titeln in den Handel. Zunächst gibt es ausschließlich Scheiben mit klassischer Musik. Künftig sollen die Händler den CD-Preis ausgehend von einem Richtpreis selbst kalkulieren können.

258

Das von der Bonner CDU unterstützte Parteienbündnis Allianz für Deutschland stellt in Bonn ein deutschlandpolitisches Sofortprogramm vor. Die wichtigsten Punkte sind die schnelle Einheit Deutschlands auf der Grundlage von Artikel 23 des Grundgesetzes, die sofortige Einführung der D-Mark bei Sicherung der Sparguthaben im Verhältnis 1:1, die Vereinheitlichung des Rechtes in beiden deutschen Staaten und die Wiederherstellung der Länderstruktur.

Auf einer Wahlkundgebung der Allianz unter dem Motto »Freiheit und Wohlstand – nie wieder Sozialismus« wird am Nachmittag Bundeskanzler Helmut Kohl (CDU) von 200 000 Bürgern in Karl-Marx-Stadt begeistert empfangen. Der ihn begleitende Vorsitzende des Demokratischen Aufbruch, Wolfgang Schnur, meint, Kohl habe das großartige Versprechen abgegeben, so schnell wie möglich zu einer deutschen Wirtschafts- und Währungsunion zwischen beiden deutschen Staaten zu kommen. Kohl erklärt, er verstehe auch die Ängste vor einer Vereinigung der beiden deutschen Staaten. »Es wird kein Viertes Reich geben«, sagt er. Die Forderung nach Soforthilfe in Milliardenhöhe weist der CDU-Vorsitzende abermals zurück. Es gehe nicht, Milliardenbeträge in ein bankrottes System zu stecken. Es gehe darum, die D-Mark einzuführen. Dazu seien aber wirtschaftliche Reformen unumgänglich.

Wahlkundgebungen des Bundes Freier Demokraten mit Hans-Dietrich Genscher als Gastredner von der bundesdeutschen FDP gibt es an diesem Tag in Dessau, Wittenberg und Halle. Die SPD organisiert Großveranstaltungen mit Westberlins Bürgermeister Walter Momper in Frankfurt (Oder) und Cottbus,

Der Protest von Einwohnern der 22 000-Einwohner-Stadt Prenzlau im Bezirk Neubrandenburg hat Erfolg: Nach dem Abzug sowjetischer Panzer im vergangenen Jahr wird es die zunächst beabsichtigte Stationierung moderner Hubschrauber nicht geben. Der bisher verfügte zeitweilige Baustopp für den Flugplatz in der Nähe der Kreisstadt ist damit endgültig.

Freitag, 2. März

Weder ein Termin für die Umstellung der Währung in der DDR noch die Höhe des Umtauschsatzes sind bisher festgelegt worden. Dies erklärt Regierungssprecher Dieter Vogel in Bonn. Erst nach den Volkskammerwahlen könne über Termine entschieden werden. Die »Bild«-

Zeitung hatte berichtet, daß die D-Mark mit großer Wahrscheinlichkeit zum 1. Juli eingeführt werde und Sparguthaben zum Kurs von 1:1 umgetauscht werden sollten.

Investitionen von rund 700 Milliarden Mark sind nach den Worten eines DDR-Experten erforderlich, um die Wirtschaft auf breiter Front »konkurrenzfähig und ökologisch verträglich« zu machen. Professor Siegfried Schiller, stellvertretender Institutsleiter des Forschungsinstitutes »Manfred von Ardenne« in Dresden, erklärt in Stuttgart, viele Betriebe müßten wegen zu großer Umweltbelastung sofort geschlossen werden. Die nächsten drei Jahre würden in jedem Fall »sehr schlimm« werden.

Der CSU-Vorsitzende Theo Waigel hält die Sorge an den Stammtischen über die wirtschaftlichen Auswirkungen der deutschen Vereinigung für unangebracht. Er sei »zutiefst überzeugt, wir können das schaffen«. Es werde sogar weniger kosten »als manche Nachkriegsaufgabe«. Jetzt müsse alles getan werden, damit die DDR-Bürger drüben bleiben. Nur dann lohnten sich die Investitionen, meint Waigel beim 25. Schwabinger Fischessen der CSU in München. Das Gerede von einer »nationalen Welle« in Deutschland halte er für übertrieben. Er wünsche sich im Gegenteil mehr Freude und Stolz über die jüngste Entwicklung.

Privates Kapital muß nach Ansicht von Bundeswirtschaftsminister Helmut Haussmann (FDP) den Löwenanteil bei der Modernisierung des veralteten DDR-Produktionsapparates tragen. »Der Schlüssel für den Aufschwung liegt nicht in Milliarden-Überweisungen aus dem Bundeshaushalt, sondern in der schnellen und richtigen Weichenstellung für private Investoren«, sagt er vor dem Ostasiatischen Verein in Hamburg.

Überraschend verknüpft die Bundesregierung eine Garantieerklärung für die Oder-Neiße-Grenze zwischen der DDR und Polen mit zwei Forderungen an die polnische Seite. Mit Rücksicht auf die Vertriebenenverbände verlangt Bundeskanzler Kohl die Regelung der Rechte der deutschen Minderheit in Polen und den Verzicht auf Kriegsreparationen. Dies löst außenpolitische Spannungen mit den Bündnispartnern aus, die erklären, daß eine deutsche Einheit nur unter vorbehaltloser Anerkennung der bestehenden Grenzen möglich sei.

Die zur ersten Ausländerbeauftragten der DDR ernannte Almuth Berger plädiert für die Verankerung des Asylrechtes in der neuen Verfassung. Sie kritisiert zugleich, daß Betriebe verstärkt dazu übergingen, ausländische Beschäftigte zu entlassen. Viele Betriebe wollten

*Auf den Wahlkundgebungen dominieren die Forderungen nach einem verei-
nigten Deutschland.*

ausländische Arbeiter loswerden, weil ihre Arbeit »nicht effektiv genug erschien«.

In der DDR breiten sich immer mehr Sekten aus. »Staat und Kirchen stehen hoffnungslos vor dieser aus dem Westen eingeschleusten Entwicklung und sehen keinerlei Handlungsmöglichkeiten.« Dies berichtet der Sektenbeauftragte des Bistums Berlin, Dominikanerpater Klaus Funke, in Hildesheim. Die vorherrschende Orientierungslosigkeit sowie ein großes Vakuum im politischen, religiösen und gesellschaftlichen Leben seien für die Sekten »ein gefundenes Fressen«.

Westberliner und westdeutsche Notare dürfen ab sofort in Grundbücher und Register in der DDR Einsicht nehmen. Eine entsprechende Zusage erhält die Berliner Notarkammer vom Justizministerium. Wie ihr Präsident Ernst-Jürgen Wollmann erklärt, wird den Notaren auch gestattet, Verträge über Joint-ventures zu beurkunden.

Gegen die »Verewigung« von Repräsentanten des Sozialismus auf Straßenschildern in der DDR wendet sich der kulturpolitische Sprecher der Berliner CDU-Fraktion, Uwe Lehmann-Brauns. Er schlägt vor, die bis zur Nazizeit geltenden Straßennamen in Ostberlin komplett wieder einzusetzen.

Sonnabend, 3. März

Die Berliner Bischofskonferenz ruft alle Katholiken eindringlich auf, durch die Teilnahme an den Wahlen ihre politische Verantwortung wahrzunehmen. In einem gemeinsamen Wort der katholischen Bischöfe und Weihbischöfe zu den Wahlen am 18. März und 6. Mai wird geraten, die Stimme denen zu geben, »die Euch am ehesten einen echten Neuanfang garantieren! Unterstützt jene, die das in die Gesellschaft einbringen wollen, was uns als Christen wichtig ist! Helft denen, die nach Eurer Meinung die Kraft haben, ein freies, demokratisches, rechtsstaatliches Gemeinwesen aufzubauen! Sorgt dafür, daß wir keinesfalls wieder die alten Machtverhältnisse bekommen!«

Die DDR muß jetzt »ganz schnell zu einer klaren Entscheidung« kommen, ob sie mit der Bundesrepublik eine Wirtschafts- und Währungsunion eingeht und die bundesdeutschen Wirtschaftsspielregeln übernimmt oder einen eigenen Weg geht. Dies fordert Baden-Württembergs Ministerpräsident Lothar Späth (CDU) in München beim Deutsch-Deutschen Mittelstandssymposium 1990. Seiner Auffassung nach sollte die DDR das angebotene Währungspaket sofort übernehmen. Das würde die Einführung der D-Mark in der DDR und die Währungshoheit der Bundesbank für beide Teile Deutschlands bedeuten. Den Sparern könnte dann ein Währungsumtausch von 1:1 gewährt werden.

Ein sofortiger Beitritt der DDR zur Bundesrepublik nach den Volkskammerwahlen am 18. März wäre nach Ansicht des Vorsitzenden der baden-württembergischen SPD-Landtagsfraktion und SPD-Bundesvorstandsmitgliedes Dieter Spöri eine verhängnisvolle Fehlentscheidung. Der Versuch einer »Blitzeinigung« nach Artikel 23 des Grundgesetzes würde zu einer internationalen Abwehrfront in West und Ost führen.

Hessens Minsterpräsident Walter Wallmann (CDU) appelliert an die Bundesbürger, auf »Hamsterkäufe« in der DDR zu verzichten. Es mache ihn traurig, daß sich offenbar immer mehr Bundesbürger in der DDR mit subventionierten Grundnahrungsmitteln eindeckten. »Damit werden die ohnehin bestehenden Versorgungsengpässe im anderen Teil Deutschlands nur noch verstärkt«, erklärt er in Wiesbaden.

Zum neuen Vorsitzenden des reformierten Schriftstellerverbandes der DDR wird Rainer Kirsch (55) gewählt, zu seinen Stellvertretern Joachim Walther und Bernd Jentzsch. Ehrenvorsitzender wird per Akklamation Stefan Heym. Die Teilnehmer des außerordentlichen Kongresses des Verbandes in Ostberlin setzen sich für eine stark reformierte DDR ein und beschließen ein neues Statut. Danach versteht sich der Verband künftig als »demokratische, eigenständige, überparteiliche, gemeinnützige Organisation der Schriftsteller«.

Der Demokratische Frauenbund Deutschlands (DFD), zu DDR-Zeiten die offizielle, SED-nahe Frauenorganisation, veranstaltet in Berlin einen außerordentlichen Bundeskongreß. Die 600 Delegierten versuchen, den Prozeß einer inneren Erneuerung einzuleiten, wozu ein neues Statut und ein vorläufiges Programm verabschiedet werden. Vorsitzende wird Eva Rohmann.

Auf dem Ostberliner Alexanderplatz veranstaltet die Initiative für einen Mieterschutzbund der DDR ihre erste Kundgebung. Gefordert wird, daß Grundstücke und Mietwohnungen vom Staat in privates, kommunales oder genossenschaftliches Eigentum überführt werden. Ansonsten könne es nach der Vereinigung geschehen, daß DDR-Bürger zu »letzten Vertriebenen des Zweiten Weltkrieges« würden.

Mit Uralt-Technik macht die bisher größte Bauerndemonstration im Bezirk Cottbus in Lübben auf die prekäre Ausrüstung der Landwirtschaftsbetriebe aufmerksam. Losungen wie »Alle Leute wollen essen, drum soll man die Bauern nicht vergessen« fordern eine bessere Agrarpolitik.

Wahlkundgebungen mit bundesdeutscher Beteiligung gibt es in Erfurt, wo Willy Brandt (SPD) vor 70000 Teilnehmern spricht, in Rostock mit Hans-Dietrich Genscher (FDP) und in Wismar mit Gerhard Stoltenberg (CDU).

Sonntag, 4. März

Aus Verdruß über die stinkende Trabi-Invasion sperren Einwohner von Lübeck die Straße am Grenzübergang Lübeck-Schlutup. Eine Bürgerinitiative fordert den sofortigen Bau einer Umgehungsstraße. Aus dem einst beschaulichen Randgebiet an der Grenze ist ein Hauptverkehrsknotenpunkt geworden, den an Wochenenden 50000 Fahrzeuge passieren.

Zwei Wochen vor den Wahlen suchen mehrere Parteien außerhalb der Allianz für Deutschland nach einem anderen Weg der Vereinigung als dem direkten Beitritt der DDR zur Bundesrepublik nach Artikel 23 des Grundgesetzes, um so ein verändertes neues Gesamtdeutschland zu gestalten. Diese Diskussion weist Hessens Ministerpräsident Walter Wallmann (CDU) als »überflüssig und äußerst schädlich« zurück. Ob die DDR dem Geltungsbereich des Grundgesetzes nach Artikel 23 beitrete oder ob eine gemeinsame neue Verfassung ausgearbeitet werde, hänge nicht zuletzt vom Willen der Bevölkerung in der DDR, aber auch von den Verhandlungsergebnissen »Zwei-Plus-Vier« mit den Siegermächten des Zweiten Weltkrieges ab.

Für eine befristete Große Koalition in der Bundesrepublik zur Bewältigung des deutschen Einigungsprozesses spricht sich Schleswig-Holsteins Ministerpräsident Björn Engholm (SPD) in einem Interview aus. Dies sei eine »historischen Stunde, wie sie nur einmal in einem Jahrtausend einem Volk widerfährt«.

In der DDR fehlen nach Angaben des Interhotel-Generaldirektors Helmut Fröhlich 85000 Hotelbetten. Derzeit verfüge »Interhotel DDR« nur über eine Bettenkapazität von 16500 in lediglich 13 Städten, erklärt er auf der Internationalen Tourismusbörse vor Journalisten. Dies werde weder internationalen Ansprüchen noch den besonderen Erfordernissen im begonnenen Einigungsprozeß gerecht.

Der Ostberliner Palast der Republik wird symbolisch von Künstlern besetzt. Zu der friedlichen Aktion hatten Ostberliner Theaterleute der Initiativgruppe »4. November« aufgerufen, die ein Zentrum alternativer und experimenteller Kunst in dem repräsentativen Gebäude vis-à-vis dem Berliner Dom am Lustgarten fordern. Statt für staatliche Großveranstaltungen sollte das Haus für vielfältige Aktionen von Künstlern aus allen Ländern genutzt werden.

Für die weitere Subventionierung von Hortbetreuung und Kindergärten demonstrieren in Ostberlin 3000 Horterzieherinnen, Eltern und Kindergärtnerinnen. Die für viele Eltern wichtigen Horte müßten erhalten und verbessert werden. Der Hort solle in ein einheitliches Deutschland als soziale Errungenschaft eingebracht werden.

Am Abend kommt es bei Wahlkampfveranstaltungen erneut zu Auftritten zahlreicher bundesdeutscher Gastredner. So sprechen u. a. Bundesverteidigungsminister Stoltenberg (CDU) in Rostock und der SPD-Ehrenvorsitzende Brandt in Weimar.

Montag, 5. März

Auf der 15. Sitzung des Runden Tisches wird eine Sozialcharta verabschiedet, die zugleich mit einer Wirtschafts- und Währungsunion in Kraft treten sollte. Des weiteren stehen Fragen der Gleichstellung von Frau und Mann sowie von Bildung und Jugend auf dem Programm, wozu Grundsatzpositionen verabschiedet werden, die als Richtschnur für die künftige Regierung dienen sollen.

Bislang konnten erst 50 Prozent der notwendigen 22000 Wahlvorstände zu den Volkskammerwahlen am 18. März besetzt werden. Dies teilt die Vorsitzende der zentralen Wahlkommission, Petra Bläss, mit. In Plauen habe deshalb beispielsweise die Zahl der Stimmbezirke von 97 auf 58 reduziert werden müssen.

Die PDS und die Alternative Liste von Westberlin wollen »offizielle Beziehungen« aufnehmen, bestätigt AL-Pressesprecher Stefan Noe. Ein Treffen von Vorstandsmitgliedern und Abgeordneten seiner Partei habe mit dem PDS-Vorsitzenden Gregor Gysi bereits stattgefunden. Die PDS werde von der AL als Gesprächspartner »im Spektrum der DDR-Parteien« nicht ausgeschlossen.

Die deutsch-deutsche Expertenkommission zur Vorbereitung einer Wirtschafts- und Währungsunion trifft sich zum zweiten Mal in Bonn, um in vertraulicher Klausur weitere Modalitäten zu beraten.

Durch das Versprechen einer vorgezogenen »Währungsreform« mit einem Umtauschkurs von etwa 2:1 hat ein 28 Jahre alter Mann aus Goslar versucht, DDR-Bürger zu betrügen. Für 1 000 Mark Ost bot er in einer Broschüre 500 D-Mark abzüglich 50 Mark Bearbeitungsgebühr. Die Adressen entnahm der Mann nach Angaben der Polizei Kontaktanzeigen von DDR-Bürgern in bundesdeutschen Zeitungen. Das Geld sollten Tauschwillige an eine sogenannte Postlagerkarte, bei der Inhaber ihren Namen nicht angeben müssen, beim Postamt Goslar senden. Nach den Anzeigen erster Geschädigter konnte der Betrug aufgedeckt werden.

Die vier Großverlage Springer, Gruner + Jahr, Burda und Bauer beginnen mit der Auslieferung westdeutscher Presseprodukte zu DDR-Preisen. Allein Gruner + Jahr habe im Berliner Raum und in Frankfurt (Oder) rund 160 000 Exemplare von Zeitungen und Zeitschriften an HO-Läden und andere Verkaufsstellen geliefert, sagt ein Verlagssprecher in Hamburg. Angeboten würden 73 Titel, die nicht nur aus den vier großen Verlagshäusern stammen. Gegen diese »unkontrollierte Überschwemmung« mit Erzeugnissen von Großverlagen aus der Bundesrepublik wendet sich der geschäftsführende Hauptvorstand der IG Druck und Papier in der DDR. In einer Erklärung protestieren die Gewerkschafter gegen die Aufteilung des DDR-Gebietes unter den vier Verlagen Springer, Gruner + Jahr, Burda und Bauer.

Die Skatfreunde aus der Bundesrepublik und der DDR wollen sich zusammenschließen. Das ist das Ergebnis eines deutsch-deutschen »Skatgipfels« in Altenburg, dem Sitz des DDR-Skatgerichtes. Voraussetzung für den Zusammenschluß ist eine einheitliche Skatordnung, an der bereits gearbeitet wird.

Mehrere hundert Menschen demonstrieren für die Umwidmung des Leipziger Gästehauses der Regierung in ein Behindertenzentrum. Die Teilnehmer, zum Teil in Rollstühlen, ziehen durch die Innenstadt zum Rathaus und zeigen Transparente mit Aufschriften wie »Integration statt Isolation« und »Rechte statt Almosen«. Am Abend kommen noch rund 10 000 Menschen zur traditionellen Montagsdemonstration, die zu einer Art Wahlveranstaltung der Allianz für Deutschland wird. Es werden bundesdeutsche Flaggen kostenlos verteilt, auf Transparenten ist zu lesen »Schluß mit der kommunistischen Seuche«.

Dienstag, 6. März

Eine DDR-Regierungsdelegation, zu der auch die Minister ohne Geschäftsbereich gehören, trifft in Moskau mit der sowjetischen Staatsführung zusammen, um sich über den weiteren deutschen Vereinigungsprozeß abzustimmen. Dabei sprechen sich beide Seiten für ein »verantwortungsbewußtes, etappenweises Zusammenwachsen« aus, bei dem zugleich die Westgrenze Polens völkerrechtlich anerkannt werden muß. Ein schneller Anschluß nach Artikel 23 des Grundgesetzes wird abgelehnt. Ministerpräsident Modrow bittet Staats- und Parteichef Gorbatschow um Unterstützung bei der Sicherung der zwischen 1945 und 1949 geschaffenen Eigentumsverhältnisse, besonders in der Landwirtschaft.

Als einen »Diktatfrieden« bezeichnet der Bundesvorsitzende der Landsmannschaft Schlesien, Herbert Hupka, eine Vereinigung von Bundesrepublik und DDR bei gleichzeitiger Anerkennung der Oder-Neiße-Grenze als Polnischer Westgrenze. Vor Journalisten meint der ehemalige CDU-Bundestagsabgeordnete in Hannover, durch die Vertreibung der Deutschen aus Schlesien sei »aus Unrecht kein neues Recht entstanden«. Polen habe sich nach dem Ersten Weltkrieg »zu weit nach Osten und nach dem Zweiten Weltkrieg zu weit nach Westen ausgedehnt«.

SPD-Chef Ibrahim Böhme erklärt, seine Partei wolle nach den Volkskammerwahlen auch dann nicht allein regieren, wenn sie die absolute Mehrheit erringe. In einem Interview mit der Gewerkschaftszeitung »Tribüne« ist er jedoch nicht bereit, sich auf mögliche Koalitionspartner festzulegen. Er erwäge aber eine Zusammenarbeit mit »bestimmten Kräften« der konservativen Allianz für Deutschland.

Die Führung des Jugendverbandes FDJ lehnt es ab, den aus Solidaritätsspenden stammenden Betrag von 100 Millionen DDR-Mark, den der FDGB vergangenes Jahr für das »FDJ-Festival« in Ostberlin bereitgestellt hatte, zurückzuzahlen. Wie die FDJ erklärt, sei die Veranstaltung abgerechnet worden, überschüssige Gelder seien an die Staatskasse gegangen. Eine Rückzahlung sei deshalb nicht möglich.

In der DDR bildet sich offenbar eine Drogenszene. Was bisher nur vom Hörensagen bekannt gewesen sei, komme jetzt »über uns«, beklagt das Ostberliner Ärzteblatt »Humanitas«. »Schnüffelkinder« gebe es bereits in Karl-Marx-Stadt, Leipzig, Halle und Buna. »Eine gewisse Szene« bestehe im Ostberliner Bezirk Prenzlauer Berg.

Soziale Sicherheit und Mitspracherecht bei einer Bildungsreform fordern Hunderte Beschäftigte des Ostberliner Bildungswesens auf dem Berliner Alexanderplatz. Die Demonstranten folgen einem Aufruf der Gewerkschaft. Friedhelm Busse, Vorsitzender des DDR-Zentralvorstandes der Gewerkschaft Unterricht und Erziehung, bekräftigt auf der Veranstaltung die Forderung nach Kündigungsschutz für alle Pädagogen nach zehnjähriger Dienstzeit und die Anerkennung aller beruflichen Abschlüsse der DDR in der Bundesrepublik.

Ost- und Westberlin bilden jetzt die ersten gemeinsamen Verwaltungseinrichtungen. In der nächsten Woche sollen zwei sogenannte Leitstellen mit der Arbeit beginnen, die mit Beamten des Westberliner Senates und mit Beschäftigten des Ostberliner Magistrates besetzt werden. Darauf verständigen sich der Regierende Bürgermeister Walter Momper (SPD) und der Ostberliner Oberbürgermeister Christian Hartenhauer (PDS) bei ihrem ersten Treffen in Westberlin.

Bundeskanzler Helmut Kohl anerkennt auf einer Wahlkampfveranstaltung in Magdeburg das Recht Polens auf sichere Grenzen, womit er seine Position vom 2. März revidiert, nach der die Akzeptanz der Oder-Neiße-Grenze an bestimmte Bedingungen geknüpft sei. Gleichzeitig verspricht er vor über 50 000 Menschen, der Prozeß der deutschen Einheit werde nur unter dem »europäischen Dach« ablaufen. Die Reden werden von »Helmut, Helmut«-Rufen begleitet. Vereinzelt werden aber auch Eier in Richtung Rednertribüne geworfen.

Mittwoch, 7. März

Auf der letzten Tagung der Volkskammer vor den Wahlen am 18. März werden zahlreiche Gesetze verabschiedet, darunter ein neues Versammlungsgesetz, ein Gesetz über den Verkauf volkseigener Gebäude und ein Gesetz über die Gründung privater Unternehmen. Ein Anschluß an die Bundesrepublik nach Artikel 23 des Grundgesetzes wird ausdrücklich abgelehnt, da sonst die Interessen derer, »die hier 40 Jahre ausgehalten haben«, nicht geschützt seien.

Die angestrebte Vereinigung der evangelischen Kirchen der Bundesrepublik und der DDR könne nach Ansicht des sächsischen Landesbischofs Johannes Hempel nicht sehr schnell vollzogen werden. Nach einem Treffen mit Vertretern der Partnerkirchen Sachsens, der Landeskirchen Hannovers und Braunschweigs, sagt Hempel in Loccum: »Die Vereinigung zu einer gemeinsamen Kirche braucht viel Zeit, da beide Seiten redlich sind.«

Umweltschützer aus Ost und West treffen sich zum ersten Mal in großer Runde, um den deutsch-deutschen Grünen Tisch aus der Taufe zu heben. 22 Vertreter aus Naturschutzverbänden, Wissenschaft, Wirtschaft sowie Ministerien der DDR und der BRD sind vertreten. Matthias Platzeck von der Grünen Partei der DDR informiert über erste gemeinsame Beschlüsse. Gefordert werden die Verankerung des Umweltschutzes in einer neuen deutschen Verfassung und Sofortmaßnahmen für ein Nationalpark-Programm. Der Atomenergie erteilt der Grüne Tisch eine klare Absage.

In Westberlin sind im Januar und Februar nach Angaben des Bundes Deutscher Kriminalbeamter (BDK) 14000 mutmaßliche Ladendiebe festgenommen worden. Damit habe die Zahl ertappter Ladendiebe in zwei Monaten bereits mehr als ein Drittel des Aufkommens des Jahres 1989 erreicht. Etwa 40 Prozent der Festgenommenen stammten aus der DDR und Ostberlin, weitere 30 Prozent überwiegend aus Polen.

In Polen wird eine steigende Nachfrage nach DDR-Mark verzeichnet. Innerhalb von zwei Wochen habe sich die Ost-Mark im Verkauf von 800 auf rund 1200 Zloty verteuert. In einigen Wechselstuben war die DDR-Mark nicht unter 1300 Zloty zu haben, mehr als das Doppelte des offiziellen Kurswertes. Die rasante Verteuerung der DDR-Mark wird mit der erwarteten Währungsunion erklärt.

Ein bereits angekündigtes Trabi-Rennen auf dem Nürburgring wird wieder abgesagt, da sich im Motorsport-Verband der DDR niemand gefunden habe, die (noch erforderlichen) Auslandsstart-Genehmigungen zu erteilen. Auch seien die hohen Umweltauflagen für den Automobilsport in der Bundesrepublik von den Trabant-Fahrern nicht zu erfüllen gewesen.

Donnerstag, 8. März

Die Frauen in der DDR wollen, daß auch in einem vereinten Deutschland der freie Schwangerschaftsabbruch während der ersten drei Monate möglich sein soll. Für die Beibehaltung einer derartigen Fristenlösung hätten sich am Runden Tisch auch alle Vertreter anderer DDR-Parteien ausgesprochen, sagt Uta Röth vom Unabhängigen Frauenverband und Teilnehmerin des Runden Tisches in Düsseldorf. Röth verlangt anläßlich des Internationalen Frauentages, daß die Frauen in einem künftigen Deutschland nicht die Verliererinnen sein dürften. Sie müßten in die Offensive gehen. Der Staat müsse auch weiterhin Kindererziehung und -betreuung subventionieren.

Die Regierung entbindet alle »inoffiziellen Mitarbeiter« des ehemaligen Ministeriums für Staatssicherheit (MfS) von ihrer Aufgabe und Schweigepflicht. Damit sei den rund 109 000 früher vom Geheimdienst Angeleiteten von sofort an jede »konspirative Tätigkeit« verboten. Mit der Aufhebung der Schweigepflicht seien die Betroffenen gegenüber der Staatsanwaltschaft und Kriminalpolizei zur uneingeschränkten Aussage verpflichtet. Bei allen Aussagen der einstigen MfS-Mitarbeiter seien jedoch Persönlichkeitsrechte Dritter zu wahren.

Die Arbeitsgruppe Sicherheit am Runden Tisch wirft verschiedenen Ministerien Manipulation und Bevorzugung von früheren Stasi-Mitarbeitern beim geplanten Verkauf von Häusern, Wohnungen und ganzen Siedlungskomplexen vor. Ferner kritisiert die Arbeitsgruppe Versuche, ohne Zustimmung von Belegschaften und ohne ersichtliche Notwendigkeiten frühere Stasi-Angehörige und Mitarbeiter von SED-Leitungen in einer Reihe von Betrieben und Einrichtungen einzustellen.

Von den 33 121 ehemaligen Beschäftigten der Stasi-Zentrale in Ostberlin sind 29 300 entlassen worden. Das sind 88 Prozent des Personalbestandes. Rund 2 300 Mitarbeiter wurden von den Grenztruppen übernommen, wird am Ostberliner Runden Tisch mitgeteilt. In 17 von 39 Diensteinheiten des Komplexes Normannenstraße sei das Schriftgut geräumt, in weiteren 14 die Sichtung und Auslagerung im Gange. Jetzt sei mit der Löschung phonetischer Datenträger angefangen worden.

Die DDR beginnt gemäß den jüngsten Abrüstungsvereinbarungen mit dem Abbau ihrer Mittelstreckenraketen vom Typ SS-23. Ein Sprecher des Verteidigungsministeriums bestätigt im »Neuen Deutschland«, daß alle SS-23 der Nationalen Volksarmee bis November vernichtet würden. Die DDR besitzt nach Angaben des Verteidigungsministeriums 24 Raketen dieses Typs, dazu vier Startrampen, vier Transportladefahrzeuge und die nötigen Sicherungseinrichtungen. Die mit konventionellen Sprengsätzen bestückten Raketen sind in Demen bei Schwerin stationiert.

Der Ministerrat beschließt zum 1. April eine Bankenreform, wozu auch die Zulassung privater Geschäftsbanken gehört, und legt ein umfassendes Umweltschutzkonzept bis ins Jahr 2000 vor.

Die DDR wird das Regelwerk des Deutschen Institutes für Normung (DIN) weitgehend übernehmen. »Auf der Tagesordnung steht nicht die

Zusammenarbeit, sondern der Ersatz der DDR-Normung durch DIN-Normen«, sagt DIN-Direktor Helmut Reihlen in Westberlin. Mit Experten des Amtes für Standardisierung, Meßwesen und Warenprüfung (ASMW) seien Maßnahmen zum Ersatz der Technischen Güte- und Lieferbestimmungen (TGL) der DDR ausgehandelt worden.

Henry Maske, in Seoul Olympiasieger im Mittelgewicht und ein Jahr später Weltmeister im Halbschwergewicht, unterschreibt in Berlin einen Fünf-Jahres-Vertrag als Box-Profi. Der neue Dienstherr des ehemaligen Oberleutnants der Volksarmee ist der in Gstaad/Schweiz lebende Wuppertaler Industrielle Wilfried Sauerland, der auch den Berliner Ex-Weltmeister Graciano Rocchigiani managt. Sauerlands Zielsetzung:»In zwölf bis 18 Monaten könnte Maske Europameister sein, in zwei bis zweieinhalb Jahren Weltmeister.«

Freitag, 9. März

Die Wahlkommission der DDR teilt zwei Wochen nach Ablauf der Anmeldefrist offiziell mit, daß sich an den ersten freien, allgemeinen, gleichen, direkten und geheimen Wahlen in der DDR am 18. März 24 Parteien, Vereinigungen und Listenverbindungen beteiligen können. Das Spektrum reicht von der Alternativen Jugendliste über die großen politischen Parteien bis zur Deutschen Biertrinker Union.

In Ostberlin beginnen deutsch-deutsche Gespräche zur Vorbereitung einer Konferenz mit den vier Siegermächten. Im Gästehaus des Außenministeriums treffen sich die beiden Delegationen. Den deutsch-deutschen Unterredungen soll sobald als möglich die erste Runde der sogenannten Zwei-Plus-Vier-Gespräche folgen.

Die 630000 Landwirte gründen den »Bauernverband der DDR«. Beim ersten Bauerntag seit 33 Jahren im thüringischen Suhl stimmen die knapp 900 Delegierten der Umbenennung der bisherigen »Vereinigung der gegenseitigen Bauernhilfe« (VdgB) zu. Zum ersten Präsidenten des Bauernverbandes wird Karl Dämmrich aus Breitenfeld in Sachsen gewählt.

Die stark beschädigte Quadriga auf dem Brandenburger Tor wird im Westberliner Museum für Verkehr und Technik vor den Augen der Besucher restauriert. In der Silvesternacht waren vor allem die Stützgerüste und die Kupferaußenhaut beschädigt worden. Gelitten haben außerdem die Statuen von Mars und Minerva am Tor.

Bundeskanzler Kohl ruft bei seinem Wahlkampfauftritt in Rostock die Bürger dazu auf, am 18. März »alle kommunistischen Bonzen« abzuwählen. Neben einem Meer von schwarzrotgoldenen Fahnen, jubelnden Menschen mit »Deutschland«- und »Helmut«-Rufen kommt es auch zu massiven Protesten von Vereinigungsgegnern. Es fliegen Eier und Knallkörper. Als vor der Tribüne ein »Kanonenschlag« explodiert, ruft Kohl der Menge zu: »Lassen Sie sich nicht von dem Pöbel beeindrucken!«

Das Vorstandsmitglied des Demokratischen Aufbruch (DA), Rainer Eppelmann, überbringt auf der Kundgebung Grüße von seinem »kranken Freund Wolfgang Schnur«, gegen den Vorwürfe über eine inoffizielle Tätigkeit für die Staatssicherheit im Umlauf sind. Eppelmann verteidigt Schnur mit den Worten, dieser habe seit Jahren als Rechtsanwalt versucht, Menschen zu helfen, die Opfer der Stasi geworden seien. Jetzt solle er offensichtlich selbst eines werden.

Sonnabend, 10. März

Der Vorsitzende des Demokratischen Aufbruch (DA), Wolfgang Schnur, weist alle Vorwürfe über eine angebliche Tätigkeit für den Staatssicherheitsdienst zurück. Dies sei »der Gipfel einer Kampagne, die gegen mich schon seit längerer Zeit gestartet wurde«, sagte er der »Berliner Morgenpost«. Schnur, der mit Kreislaufproblemen in einem Ostberliner Krankenhaus liegt, meinte weiter: »Ich habe Angst, körperlich diesen Anspannungen nicht gewachsen zu sein.« Im Zusammenhang mit den gegen ihn erhobenen Vorwürfen sehe er keinen Grund zur Furcht. Der Wahlparteitag des DA in Dresden spricht ihm daraufhin in Abwesenheit das Vertrauen aus.

Die Diskussion über den verfassungsrechtlichen Weg zur deutschen Einheit muß nach Ansicht von Verteidigungsminister Gerhard Stoltenberg (CDU) »ein zentrales Thema der innenpolitischen Auseinandersetzung dieses Jahres« werden, falls die SPD nicht bald Klarheit über ihre Vorstellungen in dieser Frage schaffe. Der CDU werde diese Auseinandersetzung »einiges leichter« fallen, nachdem sie die FDP zu der Feststellung gebracht habe, daß Artikel 23 des Grundgesetzes der richtige Weg zur Einheit sei, sagt Stoltenberg. Die von einigen Sozialdemokraten bevorzugte Lösung über Artikel 146 mit der Schaffung einer neuen Verfassung sei nicht annehmbar. »Wir können nicht einen Weg wählen, in dem das Grundgesetz praktisch abgeschafft wird.« Dies würde »ein unendliches Maß an Unsicherheit schaffen«.

Zu der Großevangelisation des amerikanischen Baptistenpredigers Billy Graham kommen bei Kälte und Nieselregen nur etwa 10 000 Bürger zum Berliner Reichstagsgebäude. Der reisende Erweckungsprediger äußert dabei die Hoffnung, daß von Deutschland eine geistliche Erneuerung ausgehen werde. Ziel der Kundgebung war, daß nach dem Fall der innerdeutschen Mauer auch die Mauer zwischen Gott und den Menschen falle.

In der Schlußphase des Wahlkampfes kommt es auch an diesem Tag zu Dutzenden von Kundgebungen, auf denen bundesdeutsche Politiker die Hauptredner sind.

Sonntag, 11. März

Der designierte SPD-Kanzlerkandidat Oskar Lafontaine spricht sich bei einer Wahlkundgebung in Magdeburg dafür aus, in der DDR vordringlich die sozialen Probleme zu lösen, statt sich um Verfassungsartikel zu streiten. Vor 10 000 bis 15 000 Zuhörern fordert er den baldigen Aufbau eines neuen Sozialversicherungs- und Rentensystems. Unter dem Beifall der Kundgebungsteilnehmer bekräftigt Lafontaine seine Position, die Bundesregierung solle Geld in der DDR investieren und es nicht für Übersiedler in der Bundesrepublik ausgeben.

Rund 2 000 Menschen demonstrieren auf dem Berliner Alexanderplatz für den Aufbau einer neuen demokratischen Gesellschaft und gegen ein »Alles-über-Bord-Werfen« während einer schnellen Vereinigung. Als Veranstalter zeichnen mehrere linke Parteien und Gruppierungen verantwortlich, darunter die Vereinigte Linke, Die Nelken, die KPD und die PDS.

Die Siemens AG Berlin/München und die im VEB Nachrichtenelektronik zusammengefaßten knapp 20 DDR-Betriebe planen eine Zusammenarbeit. Nach Angaben eines Sprechers des größten bundesdeutschen Elektrokonzernes wurde eine Absichtserklärung auf dem Gebiet der privaten Kommunikationstechnik unterzeichnet. Gegenstand der Vereinbarung seien Entwicklung, Fertigung, Vertrieb und Service. Beide Seiten seien übereingekommen, daß es sich um eine zunächst bis 30. September 1990 befristete Exklusiv-Zusammenarbeit auf diesem Gebiet handelt.

Die Grüne Partei bepflanzt in Berlin den ehemaligen »Todesstreifen« zwischen Brandenburger Tor und Potsdamer Platz mit Koniferen und Sträuchern. Mit dieser Aktion wolle seine Partei darauf hinweisen, daß bei einer Bebauung dieses Gebietes das Stadtgrün nicht vergessen werden dürfe, meint der Volkskammerkandidat der DDR-Grünen, Vollrad Kuhn.

10 000 Atomkraftgegner aus beiden deutschen Staaten demonstrieren an der Baustelle für ein Kernkraftwerk in Stendal (Bezirk Magdeburg) friedlich gegen die Kernenergie. Auf Spruchbändern fordern sie: »Keine Atomanlagen in nirgendwo« und »Alle AKWs auf der Erde abschalten«. »Gorleben, Stendal – Radioaktivität kennt keine Grenzen«, heißt es auf einem anderen Plakat.

Montag, 12. März

Der Runde Tisch tritt in Berlin zu seiner 16. und letzten Sitzung zusammen. Seine 17 Arbeitsgruppen ziehen Bilanz und konstatieren, daß die selbstgestellten Aufgaben im wesentlichen erfüllt worden seien. Es hätte eine wirksame öffentliche Kontrolle der Regierung in den letzten Monaten gegeben und zugleich seien zahlreiche Gesetzesentwürfe eingebracht worden. Zum Abschluß werden sechs politische Empfehlungen an die neue Volkskammer und die künftige Regierung verabschiedet. Danach sollten auf einem vertraglich geregelten Weg in eine gleichberechtigte deutsche Einheit die soziale Stabilität Vorrang haben und Wirtschaftsreformen auf eine sozial und ökologisch verpflichtete Marktwirtschaft orientiert sein. Die Erfahrungen des Runden Tisches der direkten Demokratie mit einer konstruktiven Zusammenarbeit von Parteien, Bürgerinitiativen und Einzelpersönlichkeiten aus unterschiedlichen politischen Lagern sowie einer hohen Streitkultur und großen Bürgernähe sollten ihren Niederschlag in der weiteren politischen Arbeit finden.

Für den 17. Juni wird ein Volksentscheid über eine neue Verfassung der DDR vorgeschlagen, wozu im April der von der Arbeitsgruppe des Runden Tisches erarbeitete Entwurf der Öffentlichkeit zur Diskussion vorgestellt werden soll. Der neuen Volkskammer wird eine Überprüfung ihrer Abgeordneten auf frühere Stasi-Mitarbeit empfohlen.

Auch nach einer ersten Einsicht in die Akten der Staatssicherheit sind die Vorwürfe gegen den Vorsitzenden des Demokratischen Aufbruch (DA), Wolfgang Schnur, er sei bezahlter Informant der Stasi gewesen, nicht ausgeräumt. Drei Stunden lang hatten Minister Rainer Eppelmann und der Anwalt Schnurs mit einer Sondergenehmigung der Generalstaatsanwaltschaft die geheimen Unterlagen über den DA-

Vorsitzenden durchgesehen. Welcher Art diese Akten waren, darüber hüllt sich Eppelmann auch auf Nachfragen von Journalisten in Schweigen. Eppelmann wörtlich: »Über den Inhalt der Akten darf ich keine Auskunft geben. Das kann nur Rechtsanwalt Schnur.« Der jedoch sprach vom Krankenbett aus nur einen Satz: »Ich habe zu keiner Zeit für das Ministerium für Staatssicherheit gearbeitet.«

Die vier Spitzenverbände der bundesdeutschen Wirtschaft wollen bei einer Wiedervereinigung mit der DDR am »bewährten Grundgesetz« festhalten und sprechen sich daher für einen Beitritt der DDR nach Artikel 23 aus. Eine Einigung nach Artikel 146 mit einer neuen Verfassung würde zu einer »langen Hängepartie« und zu einem weiteren Ausbluten der DDR durch den Übersiedlerstrom führen, sagte der Präsident des Bundesverbandes der Deutschen Industrie, Tyll Necker. Der DDR-Beitritt sei nur im Rahmen der Westintegration denkbar und sinnvoll.

Die Wirtschaft in der DDR bricht nach Ansicht des SPD-Europaabgeordneten Klaus Wettig innerhalb eines Jahres zusammen, wenn es keinen Stufenplan für das Zusammenwachsen beider deutscher Staaten gibt. »Am Beispiel der DDR-Landwirtschaft läßt sich zeigen, welche katastrophalen Auswirkungen ein Anschluß ohne Stufenplan hätte.« Bei einem viermal so hohen Erzeugerpreis für Schweinefleisch sei absehbar, daß die DDR-Produktion von westdeutschen, niederländischen und dänischen Schweinemästern verdrängt würde, betont Wettig. Deshalb seien »lange Übergangsfristen« erforderlich, damit die DDR-Wirtschaft Zeit für die Anpassung an EG-Verhältnisse gewinne.

Die Bildung eines Amtes für Abrüstung und Konversion noch in dieser Woche kündigt der DDR-Minister ohne Geschäftsbereich Walter Romberg (SPD) an. Die Nationale Volksarmee (NVA) befinde sich in einem »Prozeß ständiger Reduzierung«, sagt er vor Journalisten in Bonn. Eine der Hauptaufgaben in den nächsten Monaten werde der »Übergang zu einer Form von Konversion im industriellen und sozialen Bereich« sein. Viele Offiziere müßten neue Berufe finden.

Bei Dienststellen der Bundeswehr sind seit Öffnung der Mauer mehr als 10 000 Anfragen von Soldaten der Nationalen Volksarmee (NVA) zur Übernahme in die Streitkräfte eingegangen. Darüber informiert der verteidigungspolitische Sprecher der CDU/CSU-Bundestagsfraktion, Bernd Wilz. Durch die Übersiedler in die BRD habe die NVA etwa zwei Divisionen an Reservisten verloren.

Bauarbeiter in Frankfurt (Oder) treten in einen Warnstreik. Sie fordern die Auflösung des volkseigenen Verkehrs- und Tiefbaukombinates der Stadt, die Absetzung des Direktors und die Selbständigkeit der verschiedenen Teilbetriebe. Rund 400 Streikende aus allen Betriebsteilen ziehen mit etwa 100 Baufahrzeugen zum Gebäude des Rates des Bezirkes und vereinbaren nach einem ersten ergebnislosen Gespräch mit Behördenvertretern einen Termin zur Fortsetzung der Verhandlungen.

Letzte Montagsdemonstrationen in Leipzig: Nochmals kommen über 50000, um sich von jenem Ereignis zu verabschieden, das ihre Stadt über die Grenzen des Landes hinaus bekannt gemacht hat. Die Initiatoren beklagen vom Balkon des Opernhauses herab, daß die politische Kultur des Herbstes, die durch Dialog und Toleranz geprägt war, während des Wahlkampfes leider verlorengegangen sei.

Demonstrationen und Wahlkundgebungen gibt es auch in 20 weiteren Städten.

Dienstag, 13. März

Vier junge Ostberliner verprügeln in der Nacht einen DDR-Grenzer, weil der sie auf dem Weg nach Westberlin kontrollieren wollte. Als der Soldat die Ausweise verlangte, sprühten sie ihm Farbe ins Gesicht und schlugen mit einer Eisenkette auf ihn ein. Das Verteidigungsministerium weist am Morgen darauf hin, daß das Überschreiten der Grenzen nach wie vor nur an den vorgesehenen Übergangsstellen erlaubt ist.

Die deutsch-deutsche Expertenkommission zur Vorbereitung der Währungsunion trifft zu ihrer dritten Gesprächsrunde zusammen. Dabei wird grundsätzliche Einigkeit über die Einführung der sozialen Marktwirtschaft in der DDR und die soziale Abfederung der Wirtschaftsunion mit der Bundesrepublik erzielt, nicht aber über den Termin zur Einführung der D-Mark.

Die beiden jungen DDR-Historiker Armin Mitter und Stefan Wolle stellen ihre Dokumentation über die Staatssicherheit unter dem Titel »Ich liebe euch doch alle« vor. Sie enthält Befehle und Lageberichte des MfS aus der Zeit von Januar bis November 1989. Auf diese Weise werden Akten des Geheimdienstes erstmals einer breiten Öffentlichkeit zugänglich gemacht.

Bundespräsident Richard von Weizsäcker sagt nach der Auszeichnung mit dem Geussen-Pfennig in den Niederlanden:»Ein vereintes Deutschland will nicht die Entwicklung der Europäischen Gemeinschaft umprägen. Es will keine Kontinentalpolitik früherer Zeiten neu

beleben. Vielmehr soll die Vereinigung unserer Nation zu einem meß-
baren Fortschritt für die Vereinigung Europas führen.«

Auf Wahlkundgebungen am Abend bemühen sich Spitzenpolitiker
der Parteien um die Gunst der Wähler (von denen nach jüngsten Umfragen viele immer noch unentschlossen sind): Helmut Kohl (CDU)
in Cottbus, Hans-Jochen Vogel (SPD) in Berlin, Helmut Schmidt
(SPD) in Leipzig, Gregor Gysi (PDS) in Freiberg.

Mittwoch, 14. März

Der Vorsitzende des Demokratischen Aufbruch, Wolfgang Schnur,
erklärt nach immer lauter werdenden Stasi-Vorwürfen seinen Rücktritt. In der Sendung »Prisma« des DDR-Fernsehens gibt am Abend ein
ehemaliger Stasi-Offizier, unter dessen Führung der Rechtsanwalt jahrelang gearbeitet hat, Auskunft darüber, was Schnur dem Geheimdienst gegen Bezahlung geliefert hat. Seit 1964, als er als 18jähriger
eine Verpflichtungserklärung zur Mitarbeit unterschrieb, sei Schnur
für die Stasi tätig gewesen. Er habe vor allem Informationen aus kirchlichen Basisgruppen, Friedenskreisen, Umwelt- und Menschenrechts-
initiativen geliefert. Er stieg, so der Ex-Stasi-Offizier, zum »Spitzen-
informanten« namens »Dr. Schirmer« auf. Dies ist der erste Fall, daß
ein hochrangiger Politiker als Informant der Staaatssicherheit enttarnt
wird.

Nach Informationen des Unabhängigen Untersuchungsausschusses
in Rostock lagern in der dortigen ehemaligen Stasi-Zentrale 33 Akten-
ordner über Schnur. Davon sind allein elf mit Angaben zu seiner Person gefüllt. Alle anderen Unterlagen enthalten »Treffberichte« und
Berichte von Schnur selbst. Außerdem existiere ein Ordner, in dem
Schnur Geldzuweisungen der Stasi quittiert hat. Generalstaatsanwalt
Hans-Jürgen Joseph bestätigt die Echtheit der Akten.

Schnur weigert sich, seinen Parteifreund Rainer Eppelmann im
Krankenhaus zu empfangen. Statt dessen ruft er überraschend Ministerpräsident Modrow ans Krankenbett. Bei dem Besuch bittet er
Modrow nicht nur um Schutz für seine in Rostock und Berlin lebende
Familie, sondern entschuldigt sich offenbar auch für die Angriffe, die
von seiten seiner Partei in den letzten Tagen gegen Modrow als »Urhe-
ber der Schmutzkampagne« gestartet worden waren.

Für die bevorstehenden Verhandlungen der vier Siegermächte des
Zweiten Weltkrieges und der beiden deutschen Staaten über den Weg

zu einem vereinigten Deutschland beginnen in Bonn vorbereitende Expertenberatungen. Auf diesem ersten Treffen geht es zunächst um die Darlegung der unterschiedlichen Vorstellungen.

Die Allianz AG aus München vereinbart in Berlin mit dem DDR-Monopolversicherungsunternehmen, der Staatlichen Versicherung, die Gründung eines Gemeinschaftsunternehmens mit dem Namen »Deutsche Versicherungs AG«.

Donnerstag, 15. März

Der Ostberliner Pfarrer Rainer Eppelmann wird zum neuen Vorsitzenden der Partei Demokratischer Aufbruch gewählt. Der Hauptausschuß der Partei bestimmt ihn mit »übergroßer Mehrheit« zum Nachfolger von Wolfgang Schnur. Gleichzeitig schließen die Delegierten Schnur wegen seines Verhaltens aus der Partei aus. Der Generalsekretär der CDU in Bonn, Volker Rühe, verteidigt das Vorgehen der Unionsspitze zur Absetzung Schnurs drei Tage vor den Wahlen: »Schneller und sauberer hätte man gerade im Interesse der Bürger in der DDR das Problem nicht lösen können.«

Überraschend deutet der SPD-Parteichef Ibrahim Böhme vor Journalisten an, daß es auch im SPD-Parteivorstand eine Stasi-Affäre gebe, weigert sich aber, nähere Angaben zu machen.

Nach der letzten Beratung der Regierung Modrow zieht Regierungssprecher Wolfgang Meyer eine positive Bilanz. Konstruktive Schritte seien in den letzten vier Monaten eingeleitet worden, beispielsweise die Verabschiedung des Parteien- und Wahlgesetzes, mit dem die »Regierung der nationalen Verantwortung« den Demokratisierungsprozeß vertieft hätte. Angesichts des kurzen Zeitraumes könnte jede Regierung auf solche Erfolge stolz sein. Unter Berücksichtigung des Druckes und der ständigen Einmischungen von außen müsse man sogar von einer »zweifellos beachtenswerten Regierungsleistung« sprechen. Darüber hinaus hätte die Regierung »wohlüberlegte und solide Schritte zu einem einigen deutschen Vaterland« vorbereitet.

Der Medienkontrollrat erlaubt die Wiedereinführung von Werbung bei den DDR-Hörfunkprogrammen.

Der Runde Tisch des Kreises Heiligenstadt im Eichsfeld stoppt die Verhandlungen der lokalen Verwaltung, »einen separaten Beitritt des Kreises zum Geltungsbereich des Grundgesetzes« vorzunehmen. Der »Rat des Kreises«, die von ehemaligen Blockparteien und Ex-SEDlern

*Für die Schlußphase des Wahlkampfes werden aus Bonn Tausende bundes-
deutsche Fahnen zur Verfügung gestellt.*

besetzte Verwaltungsspitze, hatte zuvor eine »Volksabstimmung der Einwohner« des Kreises über einen schnellen Beitritt zur Bundesrepublik befürwortet.

Freitag, 16. März

Eine neue gesamtdeutsche Verfassung, über die in einer Volksabstimmung entschieden werden muß, ist nach Ansicht von SPD-Präsidiumsmitglied Gerhard Schröder eine notwendige Voraussetzung für die deutsche Einheit. Der Weg eines bloßen Beitrittes der DDR nach Artikel 23 des Grundgesetzes sei politisch vor allem deshalb wenig glücklich, weil damit den Bundesbürgern die Möglichkeit genommen werde, sich zu dieser bedeutsamen Frage zu äußern.

Das hessische Landesamt für Verfassungsschutz gibt bekannt, daß es bereits vor über einem Monat umfangreiche Informationen über eine Verbindung des zurückgetretenen Vorsitzenden des Demokratischen Aufbruch, Wolfgang Schnur, und des DDR-CDU-Generalsekretärs, Martin Kirchner, zum Staatssicherheitsdienst der DDR erhalten und weitergeleitet habe.

Am Abend kommt es zu letzten Wahlkundgebungen. In Leipzig spricht Hans-Dietrich Genscher (FDP) vor 20000 Menschen, in Wismar kommen 30000 auf den Marktplatz zu Willy Brandt (SPD).

Um 21.00 Uhr endet offiziell der Wahlkampf in der DDR. Wie das Bundesministerium für innerdeutsche Beziehungen in Bonn bekanntgibt, sind mindestens 7,5 Millionen DM über parteinahe westdeutsche Stiftungen in den Osten geflossen, davon allein 4,5 Millionen an die CDU. Sie hat 20 Millionen Flugblätter, 5 Millionen Wahlzeitungen, 2,5 Millionen Kalender und 0,5 Millionen Plakate eingesetzt. Insgesamt waren 1,6 Millionen Menschen auf ihren Kundgebungen. Finanziell leer ausgegangen sind dagegen die Grünen in der DDR.

Sonnabend, 17. März

Das Ministerium für Finanzen und Preise veröffentlicht eine Erklärung, wonach der Verkauf von ungenutzten volkseigenen Gebäuden und Grundstücken zum Wiederbeschaffungspreis möglich sei. Davon könnten auch Eigenheimbesitzer Gebrauch machen, deren Häuser auf volkseigenen Grundstücken stünden.

Persönlichkeiten aus Ost und West rufen zu einer Volksabstimmung über die Frage des Weiterbestehens der DDR oder der Vereinigung mit der Bundesrepublik auf. Eine solch grundlegende Frage könne nicht allein von den Regierungen entschieden werden.

Bundesarbeitsminister Norbert Blüm kritisiert die deutschlandpolitische Zurückhaltung von Oskar Lafontaine und Johannes Rau. »Der Solidaritätsverrat der Sozialdemokraten auf dieser Ebene« ekle ihn an. »Wenn die Saarländer 1957 so behandelt worden wären wie Lafontaine jetzt die DDR-Bürger behandelt, wäre das Saarland heute noch nicht Mitglied der Bundesrepublik.«

»Die Selbständigkeit der DDR ist hier verludert und vertan worden – und nicht durch die Schuld Westdeutschlands. Dieses marode System hier hat keine Chance, aufrecht und mit Würde eine Vereinigung herbeizuführen«, sagt der Schriftsteller Christoph Hein in einem Interview. »In der DDR ist von Selbstbehauptung gar nicht die Rede. Da geht es um die Übergabe an die BRD – auf den Knien und mit der weißen Flagge.«

In Erfurt entdeckt das Bürgerkomitee zur Auflösung der Staatssicherheit Dokumente, die eine Verstrickung mehrerer Kandidaten für die bevorstehenden ersten freien Wahlen vermuten lassen. Es entsteht Streit im Bürgerkomitee, ob die Namen der Verdächtigen veröffentlicht werden sollen. Im Auftrag der Modrow-Regierung und der zentralen Wahlkommission schaltet sich der Generalstaatsanwalt in die Debatte ein und droht dem Erfurter Bürgerkomitee mit juristischen Konsequenzen. Die Veröffentlichung der Namen unterbleibt.

Zur traditionellen und nunmehr letzten Sonnabenddemonstration in Plauen kommen 35 000 Menschen, darunter auch viele aus dem benachbarten Bayern. Sie zeigen sich siegesgewiß, daß am morgigen Tag die schnelle deutsche Einheit besiegelt werde.

Sonntag, 18. März

Bei den ersten demokratischen Wahlen in der DDR ist die CDU mit fast 41 Prozent der Stimmen eindeutige Siegerin. In zwölf von 15 Bezirken landet die Union auf dem ersten Platz. Besonders erfolgreich ist sie in den Südbezirken, wo ihre Allianz für Deutschland 60 bis 62 Prozent der Stimmen erzielt, und in den Kleinstädten.

Die SPD gelangt mit 21,8 Prozent überraschend abgeschlagen auf Platz zwei, obwohl viele Wahlforscher ihr ein ähnliches Ergebnis wie der CDU prognostiziert hatten, einige hatten sie sogar als Siegerin erwartet. Sie erreicht jedoch lediglich in einigen Großstädten und Berlin Platz 1, wo die Allianz nur auf 22 Prozent kommen konnte.

Die PDS erzielt insgesamt 16,3 Prozent, was angesichts der jüngsten Enthüllungen über die SED-Vergehen von vielen Beobachtern als erstaunlich eingeschätzt wird. In Ostberlin gelingt ihr das beste Ergebnis mit fast 30 Prozent.

Die Bürgerrechtsgruppierungen, deren Vertreter die populären Sprecher der Volksbewegung in den Wochen der Herbstwende waren, bleiben alle unter fünf Prozent. Die Wahlbeteiligung liegt bei 93 Prozent.

Willy Brandt (SPD) meint zum Wahlausgang, da sei die deutsche Einheit »rasch und ohne Wenn und Aber« gewählt worden. Sein Parteifreund Otto Schily hält eine exotische Frucht vor die Fernsehkamera: Die Leute in der DDR hätten »Banane« gewählt. CDU-Spitzenkandidat Lothar de Maizière erklärt: »Ich hoffe, daß wir schon im Sommer mit richtigem Geld reisen können.« Wolfgang Ullmann von Demokratie Jetzt ist bitter enttäuscht. Der Schriftsteller Stefan Heym kommentiert das Wahlergebnis im DDR-Fernsehen mit den Worten: »Es wird keine DDR mehr geben. Sie wird nichts sein als eine Fußnote in der Weltgeschichte.«

Palast der Republik, Sitz der Volkskammer, im Sommer 1990.

Register

Orte

288

Parteien und politische Organisationen

Personen

Bildnachweis

Johannes Beleites: S. 205
Chronik-TV: S. 181
Frank Darchinger: S. 233, 279
Jockel Finck: S. 10

Gerhard Gäbler/Punktum: S. 13, 79, 139, 153, 283
Andreas Kämper/Domaschk-Archiv: S. 45
Eberhard Klöppel: S. 21, 63
Jens Rötzsch/Ostkreuz: S. 109
Andreas Schoelzel: S. 71

Ein Bilderbuch der Erinnerungen

Hannes Bahrmann,
Christoph Links (Hg.)
Bilderchronik der Wende
Erlebnisse aus der Zeit
des Umbruchs 1989/90

176 S.
165 z. T. farbige Abb.
Festeinband
ISBN 3-86153-188-7
49,80 DM/sFr.; 364 öS

Fotografen haben die wichtigsten Stationen des Umbruchs in der DDR begleitet und authentisch dokumentiert. Beinahe schon Vergessenes wird in seiner atmosphärischen Dichte wieder lebendig.

Während in der Textausgabe der »Chronik der Wende« die Ereignisse, Positionspapiere und biographischen Hintergrundinformationen im Mittelpunkt stehen, geht es hier vor allem um optische und individuelle Widerspiegelungen, und das in zweifacher Weise:

Prominente Akteure der damaligen Zeit erzählen, wie sie den jeweiligen Tag erlebt haben, was sie im Moment des Geschehens empfanden, was sich genau ereignet hat und wie sie heute darüber denken.

Durch einprägsame Fotografien werden zudem die entscheidenden Momente des Aufbegehrens festgehalten und zugleich auch Einblick in das Alltagsleben der DDR gewährt. Erst daraus wird ersichtlich, warum es so viele Menschen damals auf die Straßen trieb.

Ch. Links Verlag, Zehdenicker Str. 1, 10119 Berlin, www.linksverlag.de

Die englische »Chronik«

Hannes Bahrmann/Christoph Links
The Fall of the Wall
The Path to German Reunification

Englischsprachige Sonderausgabe
128 S., zahlreiche Abb.,
Klappenbroschur
ISBN 3-86153-203-4
14,80 DM/sFr.; 108 öS

In dieser englischsprachigen Kurzversion der »Chronik der Wende« werden die herausragenden Ereignisse aller Tage zwischen dem 7. Oktober 1989 und dem 18. März 1990 dargestellt. Dabei geht es um Vorgänge von überregionaler Bedeutung. Sie werden für den ausländischen Nutzer entsprechend kommentiert und mit notwendigen Hintergrundinformationen versehen.

Der Band erschließt in knapper Form das gesamte Umbruchgeschehen und kann zugleich als Begleitbuch für die englisch synchronisierte Filmversion verwendet werden, die als Videokaufkassette angeboten wird. Erhältlich ist eine Highlight-Version mit den wichtigsten 24 Tagen in 4 Kassetten. Vertrieben wird sie über die Firma Icestorm Entertainment, Burgstr. 27, 10178 Berlin mit der Internetadresse www.icestorm.de

Ch. Links Verlag, Zehdenicker Str. 1, 10119 Berlin, www.linksverlag.de

Die Videos zur »Chronik«

Die Höhepunkte der preisge-
krönten Filmdokumentation des
ORB gibt es auf vier Video-
kassetten in zwei Doppelboxen.

**Die entscheidenden Tage
im Oktober, November und
Dezember 1989**

ISBN 3-934102-05-0
69,95 DM/sFr.; 511 öS

**Die entscheidenden Tage Ende
Dezember 1989 und Januar,
Februar und März 1990**

ISBN 3-934102-06-9
69,95 DM/sFr.; 511 öS

Die 163teilige Fernsehdokumentation des Ostdeutschen Rundfunks
Brandenburg läuft vom 6. Oktober 1999 bis zum 18. März 2000 allabendlich in der ARD, auf 3SAT und Phoenix sowie in zahlreichen
dritten Programmen.

Die »Chronik« im Internet

Parallel zur Fernsehausstrahlung installiert der Ostdeutsche Rundfunk Brandenburg eine Internet-Website unter der Adresse
www.chronik-der-wende.de.
Hier können Informationen zu jedem Wende-Tag abgerufen, Hinter-
grundfakten recherchiert, Bilder eingesehen und interaktive Kontakte
aufgenommen werden.

Ch. Links Verlag, Zehdenicker Str. 1, 10119 Berlin, www.linksverlag.de

Die Chronik des Mauerfalls

Hans-Hermann Hertle
Chronik des Mauerfalls
Die dramatischen Ereignisse
um den 9. November 1989

7. Aufl., 340 S., 51 Abb.
Klappenbroschur
ISBN 3-86153-113-5
29,80 DM/sFr.; 218 öS

Um die genauen Umstände, die letztlich am 9. November 1989 zur Öffnung der Mauer führten, ranken sich bis heute Legenden. Bescherte den Deutschen ein »historischer Irrtum« den Fall der Mauer und in der Konsequenz die deutsche Einheit?
Wer hatte die ominöse Reiseregelung erarbeitet und warum wurde sie vorzeitig bekanntgegeben? Welche Rolle spielte dabei die Staatssicherheit?
Hans-Hermann Hertle hat sechs Jahre daran gearbeitet, das Geschehene vom 4.–12. November minutiös zu recherchieren und hat dazu über hundert Zeitzeugen befragt. Seine Chronik des Mauerfalls ist zu einem Standardwerk geworden und gibt zugleich einen Überblick über die Gesamtgeschichte der Berliner Mauer.

»Hertles Studie fasziniert durch die Fülle und die Qualität seiner Quellen. Nicht zuletzt deswegen wird Hertles Studie nachhaltigen Einfluß auf die historische Aufarbeitung der DDR-Vergangenheit behalten, für die sein Werk selbst beispielgebend ist.«
Frankfurter Allgemeine Zeitung

Ch. Links Verlag, Zehdenicker Str. 1, 10119 Berlin, www.linksverlag.de

Das Ende der alten Macht

Hans-Hermann Hertle,
Gerd-Rüdiger Stephan (Hg.)
Das Ende der SED
Die letzten Tage des
Zentralkomitees

3. Aufl., 500 S., Broschur,
ISBN 3-86153-143-7
58,00 DM/sFr.; 423 öS

Nach der Entmachtung von Generalsekretär Erich Honecker im Oktober
1989 spielten sich im ZK dramatische
Auseinandersetzungen und zunehmend
tumultartige Szenen ab, die in der Auflösung der alten SED im Dezember
ihren Höhepunkt fanden.
Die hier vorgelegten Texte geben den
Verlauf der 9. bis 12. Tagung des ZK
nach den Tonprotokollen authentisch
wieder. Sie verdeutlichen die Hand-
lungsunfähigkeit der erstarrten SED-
Führung angesichts der akuten Kennt-
nisse im Land.

Walter Süß
Staatssicherheit am Ende
Warum es den Mächtigen
nicht gelang, 1989 eine
Revolution zu verhindern

816 S., Festeinband
ISBN 3-86153-181-X
58,00 DM/sFr.; 423 öS

Als sich 1989 in der DDR eine revolutionäre Krise anbahnte, versuchte die
Staatssicherheit, die Lage unter Kontrolle zu halten.
Wie haben die Offiziere die Situation
wahrgenommen und die aufbegehren-
den Bürger eingeschätzt? Welche Tak-
tiken haben sie entwickelt? Wie ver-
hielten sich die inoffiziellen Mitarbeiter
in den Bürgerbewegungen?
Warum gab es keinen bewaffneten
Gegenschlag?
Walter Süß legt die Motive für den Ver-
fallsprozeß der Stasi offen.

Ch. Links Verlag, Zehdenicker Str. 1, 10119 Berlin, www.linksverlag.de

Handbücher zur DDR-Geschichte

Ehrhart Neubert
**Geschichte der Opposition
in der DDR 1949–1989**

2. erw. Aufl., 996 S., Broschur
ISBN 3-86153-163-1
48,00 DM/sFr.; 351 öS

Ehrhart Neubert untersucht in seiner
umfangreichen Monographie die unterschiedlichen Perioden und Formen von
Verweigerung, Widerstand und Opposition in den vier Jahrzehnten der DDR-
Geschichte.
Einen besonderen Platz nimmt die Kirche ein, die oppositionellen Gruppen
einen legalen Handlungsraum eröffnete.
Die Darstellung zeigt, daß die DDR-
Opposition klare eigene Vorstellungen
zur Deutschlandpolitik, Rechtsstaatlichkeit und zum zivilisatorischen Wert von
Freiheit hatte, die zum Teil über das Jahr
1990 hinauswirken.

Matthias Judt (Hg.)
DDR-Geschichte in Dokumenten
Beschlüsse, Berichte, interne Materia-
lien und Alltagszeugnisse

640 S., Broschur
ISBN 3-86153-142-9
48,00 DM/sFr.; 351 öS

Nach acht thematischen Sachgebieten
gegliedert, werden in dieser Dokumentation Schlüsseldokumente für alle entscheidenden Bereiche der DDR-Gesell-
schaft versammelt.
Einbezogen wurden nicht nur offizielle
Dokumente wie Parteibeschlüsse,
Gesetze und Verträge, sondern auch
interne Anweisungen, vertrauliche
Berichte und zahlreiche Texte aus dem
Alltagsleben, darunter Anträge, Eingaben und Behördenkorrespondenz. Auf
diese Weise wird der Funktionsmecha-
nismus des gesellschaftlichen Lebens in
der DDR authentisch nachvollziehbar.

Ch. Links Verlag, Zehdenicker Str. 1, 10119 Berlin, www.linksverlag.de